Kobieta, którą byłam

KERRY FISHER

Kobieta, którą byłam

Przełożyła
AGNIESZKA SOBOLEWSKA

Wydawnictwo Literackie

Tytuł oryginału
The Woman I Was Before

Wydanie pierwsze

ISBN 978-83-08-07488-6

Dla Michaeli —
za Twoją siłę, życzliwość
i poczucie sprawiedliwości

ROZDZIAŁ 1

KATE

Piątek, 30 czerwca

Ze wszystkich emocji, które czułam, wchodząc do nowego domu, najbardziej niespodziewana była nadzieja. A jednak się pojawiła, na tle świeżej farby — błysk przekonania, że tym razem, w pierwszym lokum, które kupiłam, odkąd wszystko poszło nie tak, czekają nas z Daisy dobre czasy.

Oczywiście zaraz potem nastąpił znajomy przypływ ostrożności i rezerwy — „Trzymaj się z dala od ludzi" — ciągnących się za mną jak czupurny smarkacz, którego przez szesnaście lat nie udało mi się zgubić.

Zerknęłam na Daisy, usiłując wyczytać coś z jej twarzy. Nie miałam prawa niczego od niej wymagać. Oczekiwać zapału ani wdzięczności. Mimo to chciałam, żeby okazała nieco entuzjazmu, choćby po to, by zelżał ucisk w moim żołądku, wywołany poczuciem winy, ciążącym mi jak niepotrzebnie zjedzony pączek. Córka mnie nie rozczarowała. Chociaż wychowywałam ją sama, nie odziedziczyła po mnie tendencji do oglądania się za siebie, rozpamiętywania, życia przeszłością. Brała się w garść i ruszała na spotkanie kolejnego wyzwania z determinacją, której mnie nie udało się opanować w wieku czterdziestu trzech lat, a co dopiero siedemnastu.

Kiedy weszła do dużego pokoju i zawirowała w piruecie — jej oliwkowa skóra odcinała się od jasnych ścian, ciemne włosy powiewały za plecami — udało mi się opanować i nie przypominać, by zdjęła martensy. Korciło mnie, żeby pobiec do ciężarówki po odkurzacz i wygładzić z powrotem zdeptane włoski dywanu — nasze życie powinno pozostać tak jak on nienaruszone i spokojne.

Daisy wzięła z parapetu mój telefon i zaczęła robić zdjęcia. Miałam ochotę go jej wyrwać, ale nie chciałam studzić entuzjazmu córki. Skrzywiła się, kiedy powiedziałam:

— Nie wrzucaj nic na social media.

— Wysyłam tylko zdjęcie Maddie. Chciała zobaczyć, dokąd się przeprowadziłam.

Zmusiłam się do uśmiechu.

— Będzie musiała przyjechać cię odwiedzić.

Daisy wzruszyła ramionami, jakby wiedziała, że pęd nastoletniego życia zatrze jej ślady w ciągu kilku miesięcy. Odległość dwustu kilometrów znaczyła w realu mniej więcej to samo, co drugi koniec świata.

Usunęłam się z kadru i pozwoliłam jej fotografować dalej. W pustym pokoju nie było właściwie niczego, co mogłoby obwieścić wszem wobec, że wprowadziłyśmy się na nowe osiedle zbudowane wokół starego szpitala w Windlow. Miałam nadzieję, że ta przeprowadzka okaże się ostatnią, że nigdy więcej nie będę musiała pakować manatków i wymazywać naszego życia.

— Mogłabym tu zrobić genialną imprezę.

Zignorowałam tę uwagę. Nawet gdybym mogła znieść myśl o bandzie nastolatków demolujących dom, nie wyobrażałam sobie zdradzenia naszego adresu całej grupie nowo poznanych ludzi.

Daisy pobiegła do kuchni, żeby wyjrzeć przez okno na ogród.

— Jest akurat miejsce na dmuchany basen. Moglibyśmy kupić taki tanio na eBayu. — Po chwili zmarszczyła brwi i zaśmiała się sama z siebie. — Nie żebym znała kogoś, kogo mogłabym zaprosić, oczywiście. — W jej głosie prawie nie było słychać urazy.

Kusiło mnie, żeby się zgodzić na każde jej życzenie i dzięki temu przestać się tak podle czuć dlatego, że zaciągnęłam ją do innego miasta, daleko od jej przyjaciółek i znajomych, już trzeci raz w jej krótkim życiu. Zamiast tego obiecałam sobie, że tym razem nikt mnie stąd nie wygoni.

— Szybko poznasz nowych znajomych — powiedziałam najweselszym głosem, na jaki mogłam się zdobyć. — Założę się, że na tym osiedlu będzie mnóstwo nastolatków. — Wskazałam za otwarte dwuskrzydłowe drzwi. — Tamta dziewczyna w domu naprzeciwko jest chyba mniej więcej w twoim wieku.

Daisy popędziła z powrotem do salonu i wyjrzała zza zasłony na podjazd po drugiej stronie drogi. Cofnęłam się, nie chcąc zapracować na reputację wścibskiej sąsiadki podglądaczki. Naturalnie w największym domu na osiedlu musiała zamieszkać rodzina w tradycyjnym składzie, jak z książeczek o Tosi i Tymku, które moja mama czytała Daisy, kiedy ta była mała. Stali razem na progu: mama, tata, syn i córka, ta ostatnia wygięta w karkołomnej pozie z komórką w ręce. Cała czwórka roześmiana, z dłońmi na klamce, podczas gdy córka próbowała uchwycić na zdjęciu wszystkich, z sobą włącznie. W rogu fotki znajdzie się zapewne duża tabliczka z napisem „21 Parkview", widoczna dla każdego przygodnego obserwatora z Facebooka. Nie potrafiłam wyobrazić sobie życia, w którym nie miało to znaczenia.

Od myśli zaczynających biec utartym torem, który nigdy nie prowadził do rozwiązania, oderwała mnie Daisy.

— Może pójdziemy się przywitać? — zaproponowała.

Miałam nadzieję, że nie zobaczyła, jak zadrżałam. Minęły lata, odkąd rozpoznawali mnie obcy ludzie, z mieszanką przerażenia i fascynacji na twarzy, i tylko najbezczelniejsi ośmielali się zapytać: „Czy to nie o pani pisali w gazecie?". Nadal bałam się tych skonsternowanych spojrzeń, poprzedzających ostrożne zaciekawienie.

— Nie zechcą, żebyśmy teraz podchodziły. Jeszcze się rozpakowują. My też lepiej zacznijmy, jeśli nie chcemy spać na materacach na podłodze. Później będzie czas, żeby się zapoznać.

Wyszłyśmy więc przed dom, gdzie Jim i Darren, dwaj faceci, których znalazłam, żeby przywieźli nas z Peterborough do nowego domu w małym miasteczku w Surrey, drapali się na zmianę to po piersi, to w kroku, tworząc swoisty układ choreograficzny. Jim przebąkiwał, że już go bolą plecy.

— Z tą szafą po schodach nam chyba pani pomoże, co? — mruknął. — A tam na górze to w ogóle jest trochę wąsko. Mało miejsca, żeby zakręcić.

Darren pokiwał głową.

— Te nowe domy nie są pomyślane dla takich dużych mebli — powiedział z taką miną, jakby czuł pewną satysfakcję na myśl, że może skończę z sosnową szafą zaklinowaną między poręczą schodów a podestem.

Po drugiej stronie drogi moja nowa sąsiadka wydała okrzyk radości:

— Czajnik! Kto chce herbatki?

Oparłam się pokusie zawołania: Ja! i obserwowałam przez chwilę manewry profesjonalnej ekipy przeprowadzkowej. Przenosili stół z litego dębu przez drzwi frontowe z taką gracją i łatwością, jakby przerzucali na bok kawałek drewna balsowego.

Odwróciłam się i spojrzałam na poobijanego dostawczaka.

— No dobra, chodźmy. Do roboty, panowie. Ty też, Daisy. — Powstrzymałam się przed warknięciem: Odłóż mój telefon i bierz toster!

Owionął mnie zapach potu, kiedy Jim sięgnął po worek na śmieci wypchany kurtkami, które ściągnęłam w pośpiechu z wieszaków w przedpokoju, opuszczając nasz stary dom. Gdy uświadomiłam sobie, że znów robię to wszystko w pojedynkę, zalała mnie fala samotności. Ale nie tak przejmującej jak w dniu, kiedy mój mąż Oskar powiedział mi, że odchodzi i wyjeżdża pracować z kuzynem w Argentynie, gdzie, jak się wyraził, będzie mógł zacząć od nowa i o tym wszystkim zapomnieć.

Nawet gdybym przeprowadziła się do najdalszego zakątka Australii, nigdy nie zapomnę.

ROZDZIAŁ 2

GISELA

Piątek, 30 czerwca

Za każdym razem, kiedy się odwracałam, żeby zapytać Jacka, gdzie jego zdaniem powinniśmy coś postawić czy schować, machał ręką, jakby chciał mnie uciszyć, bo wielki pan biznesmen prowadzi właśnie bardzo ważną rozmowę przez telefon. Nie daj Boże, żeby wziął dzień wolny i pomógł w czymś tak prozaicznym, jak urządzanie domu, w którym będziemy mieszkać. Zamówił jedynie bukiet róż, który dostarczono późnym rankiem, i najwyraźniej myślał, że jego wkład na tym się kończy.

— Ollie, kiedy tata załatwia swoją „pilną sprawę", mógłbyś przypilnować, żeby wszystkie kartony z napisem „pokój gościnny" zaniesiono na górę?

— Jasne. Swoje rzeczy mam dać do pokoju od frontu, tak?

Ściągnęłam brwi.

— Przecież bierzesz ten z widokiem na ogród.

— Hannah mówi, że go chce.

Pokręciłam głową.

— Ustaliliśmy wszystko wieki temu, kiedy tylko obejrzeliśmy dom.

— Ona twierdzi, że skoro wyjechałem na studia, powinna dostać największy pokój — wzruszył ramionami Ollie.

— Myślałam, że zdecydowaliśmy, że pewnie w przyszłym roku poszukasz pracy w Londynie i przez jakiś czas będziesz dojeżdżać?

Czy to takie naganne czuć promyczek radości na myśl, że Ollie wprowadzi się do nas z powrotem, chociaż będzie miał wtedy dwadzieścia dwa lata i powinien szukać własnej drogi w życiu? Był jedyną osobą, której czasem udawało się mnie zapytać: „A tobie jak minął dzień?". Nie to co Jack, który często wchodził do domu, wciąż wisząc na telefonie i nie nawiązując kontaktu wzrokowego. Albo Hannah, która nawet nie zawracała sobie głowy przywitaniem, przechodząc od razu do: „Co na obiad?", a po uzyskaniu odpowiedzi zapadała się w sobie i wydawała zduszony jęk: „Znowu?", jakbym jej proponowała suszonego jaka w sosie szpinakowym.

Ollie zaczął w wielkim skupieniu odrywać kawałek brązowej taśmy z jednego z pudeł.

— Może raczej zostanę w okolicach Bath, jeśli będę mógł.

Rzeczywistość brutalnie ingerowała w moją fantazję.

— Nie będę teraz kombinować i wszystkiego zmieniać — stwierdziłam stanowczo. — Jej pokój i tak jest mniejszy tylko o jedną wnękę. Trzymajmy się tego, co ustaliliśmy, a w przyszłym roku, kiedy zobaczymy, jak sprawy stoją, możemy przemyśleć to na nowo. W ogóle gdzie jest Hannah?

— Poszła poeksplorować.

Raczej rozglądać się za chłopakami w okolicy. Mała numerantka. Modląc się w duchu, żeby się nie okazało, że dwa domy dalej mieszka przystojny łobuz, wtaszczyłam deskę do prasowania do pomieszczenia gospodarczego. Titch, nasz dog niemiecki, dostrzegł okazję do ucieczki i puścił się galopem, mijając mnie w drzwiach. Wpadł na faceta od przeprowadzek i omal nie został zmiażdżony wnoszoną kanapą, wywołując lawinę przekleństw. To była ostatnia herbatka, którą zrobiłam temu panu. Jedyną osobą, której wolno w moim domu wytaczać najcięższe działa z arsenału bluzgów — bomby K i P — byłam ja.

— Niech pani lepiej zamknie gdzieś tego psa, zanim spowoduje wypadek.

Facet od przeprowadzek najwyraźniej nie rozumiał, że Titch nie jest psem, którego można „gdzieś zamknąć". Titch uważał, że ma większe prawa niż ktokolwiek w rodzinie. Zawołałam go, a on podszedł dostojnym krokiem, machając ogonem, tak że udało mu się strącić na podłogę jeden z odpakowanych przeze mnie wazonów. Nie była to wielka strata — wazon zdecydowanie należał do kategorii rzeczy, które głupio mi było wyrzucić, bo dostaliśmy je w prezencie ślubnym. Jack nawet nie zauważy. Miałby trudności ze wskazaniem w domu jakiegokolwiek przedmiotu, który dostaliśmy z tej okazji, oprócz misy od ciotecznej babki Sybil z wygrawerowanym napisem „Jack i Gisela 7 października 1995 r.".

— Powiedz tacie, żeby kończył gadać przez telefon! — krzyknęłam do Olliego. — I zapytaj panów, czy widzą gdzieś karton, na którym jest napisane „kuchnia sprzątanie", żebym mogła wziąć szczotkę i szufelkę. A jak zobaczysz tam Hannah, poproś ją, żeby przyszła. Może zacząć chować szklanki i kieliszki, zanim Titch jeszcze coś stłucze.

Ollie wyszedł na zewnątrz z takim zapałem, jaki Titch przejawia w drodze do weterynarza. Oczywiście musieliśmy wybrać na przeprowadzkę najbardziej upalny dzień w roku. Już spływałam potem, a otworzyłam dopiero ze dwa kartony. Uświadomiłam sobie, że zamiast radosnego podniecenia wzbiera we mnie irytacja, a iluzja szczęśliwej rodziny biorącej wspólnie odpowiedzialność za urządzenie domu rozwiewa się jak poranna mgła. Zerknęłam na drugą stronę drogi, na kobietę pod siedemnastką. Jej córka kursowała tam i z powrotem, dźwigając pudła i przenosząc meble z uśmiechem na twarzy. Ewidentnie gdzieś popełniłam błąd. Hannah potrafiła być samą słodyczą, kiedy chodziło o wybranie sprzętu audio albo naciągnięcie Jacka na nowy telewizor, ale takie nudy jak rozpakowywanie talerzy i mycie ich w zmywarce? Gdzie tam.

Trąciłam kawałki rozbitego wazonu czubkiem stopy, wyglądając przez drzwi frontowe, żeby sprawdzić, czy ktoś z pozostałej trójki członków mojej rodziny ma zamiar rozpakować chociażby jeden widelec.

Kiedy nikt się nie pojawił, wypadłam z domu, rzucając słodkim głosem „Jak tam, panowie?" w stronę facetów od przeprowadzki, którzy robili sobie przerwę na szluga. Ciekawe, jak często odjeżdżali z domu klientów, komentując między sobą: Daję temu małżeństwu pół roku. Ollie stał po drugiej stronie drogi — w nienaturalnej pozie, prężąc bicepsy — i rozmawiał z dziewczyną spod siedemnastki. Nie widziałam w pobliżu żadnych śladów jej taty, chyba że był nim ten facet w koszulce Black Sabbath, podnoszący kanapę.

Hannah snuła się ulicą, więc pokazałam jej na migi, żeby się pospieszyła, na co pełnym frustracji gestem rozłożyła ręce.

— Co znowu? — jęknęła.

Jednocześnie Jack pomachał mi przez przednią szybę samochodu rozcapierzoną dłonią, co miało znaczyć „jeszcze pięć minut".

W nosie mam róże. Po prostu odłóż ten pieprzony telefon.

Zdjęcia: Cała czwórka uśmiecha się szeroko, stojąc przy drzwiach wejściowych, Gisela przytula twarz do twarzy Jacka.
Kartony ustawione w równe stosy w białej kuchni z lśniącymi blatami z szarego granitu, na środku kuchennej wyspy ogromny bukiet róż obok butelki szampana.
Podpis: Nareszcie nadszedł ten dzień — jesteśmy w naszym nowym domu! Jeszcze tylko „parę" kartonów do rozpakowania, ale przynajmniej pan małżonek pamiętał o najważniejszym... różach i szampanie!!!
#TakiMążToSkarb #Nowydom #Przeprowadzka #Jaramsię #RodzinnePrzygody

ROZDZIAŁ 3

SALLY

Sobota, 1 lipca

— Śniadanie w łóżku dla miłości mojego życia — powiedział Chris, wchodząc do sypialni z tacą w rękach. — Musisz wypróbować prysznic. O wiele silniejszy strumień niż w starym. To był dobry wybór, dwie łazienki z prysznicem zamiast wanny. — Podał mi kieliszek i stuknął w niego swoim. — Zdrówko. Za nas i nasz szczęśliwy dom.

Powstrzymałam się, by nie zapytać, którego szampana zanieczyścił sokiem pomarańczowym (proszę, tylko nie Henri Chauveta z dobrego rocznika, akurat przywiozłam zapas z ostatniej podróży służbowej) i zmierzwiłam mu mokre włosy. Jeśli nie liczyć kilku drobnych zmarszczek wokół oczu, w wieku trzydziestu sześciu lat nie wyglądał dużo starzej niż wtedy, kiedy się poznaliśmy w pracy, dwa lata po moich studiach.

Wyjął mi kieliszek z dłoni i zaczął całować mnie po szyi.

— Chyba czas na chrzest naszej nowej sypialni — powiedział.

Moje spojrzenie powędrowało w kierunku podestu. Bezwiednie. Odkąd tylko zobaczyliśmy ten dom na planach, pokoik po drugiej stronie korytarza wciąż mnie przyzywał. Za każdym razem, kiedy przechodziłam obok, wyobrażałam sobie dekoracyjny pas z żaglowcami namalowany na bladozielonych ścianach i jedną z bambusowych karuzeli dla niemowląt, podwieszanych pod sufitem. Żadnego plastiku w jaskrawych barwach podstawowych ani głupich lampek z pozytywką, ryczących brzękliwie „Mrugaj, mrugaj, gwiazdko ma". Chris nigdy by nie zniósł czegoś takiego. Ale może kiedyś w końcu zrozumie, że pięciopokojowy dom wymaga czegoś więcej niż tylko półek z książkami o historii wojskowości i kilku najnowszych chromowanych gadżetów.

Podciągnął mi koszulę nocną i naparł na mnie ciałem.

Zawahałam się, pozwalając sobie przez chwilę rozkoszować się myślą, jak to romantycznie byłoby wyjaśniać za osiemnaście lat nastolatce o rudoblond włosach, że była naszym powitalnym prezentem niespodzianką w nowym domu.

Może to właśnie ta okazja, której potrzebowałam. Nie musiałam nic mówić. Mogłam potem twierdzić, że to pod wpływem chwili, że miałam umysł zaprzątnięty przeprowadzką. Chris najwyraźniej nie pamiętał. Zawsze gardziłam kobietami, które kwitowały te sprawy wzruszeniem ramion, mówiąc: „Czego chłop nie wie, to go nie zaboli". Nie chciałam być taką żoną. Nie chciałam, żeby to się stało w ten sposób, podstępem.

Wyswobodziłam się z jego objęć.

— Pamiętaj, że od zeszłego tygodnia mam wyjętą spiralę — powiedziałam.

Na twarzy Chrisa mignęła irytacja i natychmiast usiadł, spuszczając nogi z łóżka. Obciągnęłam koszulę nocną, bo poczułam się nagle obnażona i bezbronna.

— O Jezu, dobrze, że trzymasz rękę na pulsie. Ten drink musiał mnie zamroczyć. Wiesz może, gdzie są prezerwatywy?

Omal się nie roześmiałam, widząc jego frustrację. Kiedy poprzedniego wieczoru padałam z wyczerpania, z obolałymi, wysuszonymi dłońmi, podrażnionymi przez przerzucane przez cały dzień papiery i kartony, Chris nie chciał położyć się spać. „Nie mogę jutro się obudzić i wleźć w ten bałagan. Nie zdołam zasnąć".

A teraz, chociaż wiedzieliśmy, gdzie jest sitko do herbaty, praska do czosnku i wyciskarka do cytryny, żadne z nas nie przypominało sobie, żebyśmy gdzieś widzieli kondomy.

W końcu i tak ich nie potrzebowaliśmy. Kiedy właśnie proponowałam, że skoczę do garażu, żeby sprawdzić, czy nie zostały tam jakieś kartony z rzeczami do łazienki, sprzątnięte wczoraj wieczorem, żeby rano nie raziły oczu Chrisa, gdzieś obok wybuchł potworny harmider.

Spojrzeliśmy na siebie, usiłując określić źródło hałasu. Wyjrzałam zza zasłonek przez okno sypialni do ogrodu sąsiada, gdzie stał facet i filmował gromadkę dzieci wskakujących na trampolinę, ustawioną tuż przy naszym ogrodzeniu.

— To dzieciaki sąsiadów.

Chris przewrócił oczami.

— O wpół do dziewiątej rano w sobotę? Niech lepiej tego nie robią w każdy weekend, bo będzie awantura.

Objęłam go od tyłu.

— Po prostu są podekscytowane, bo to wszystko jest dla nich nowe — powiedziałam łagodnie. — Tak samo jak dla nas. Uspokoją się.

— Powinniśmy byli sprawdzić, kto się wprowadza do domu obok. Gdybym wiedział, że mają czwórkę dzieci, może bym się dwa razy zastanowił.

Zmusiłam się do pogodnego tonu:

— Ale takie domy buduje się właśnie dla rodzin z dziećmi, no nie?

Napiął się, jakby wychwycił w moich słowach aluzję, zamiast potraktować je jako zwykłe stwierdzenie faktu.

— Nie — burknął. — To duże domy z mnóstwem przestrzeni, ale nie każdy ją wykorzysta na potrzeby dzieci. Nasz jest idealny: ty masz swój gabinet, ja mam swój i jeszcze został pokój gościnny dla znajomych.

Którzy już nie przyjeżdżali w odwiedziny, bo wszyscy mieli dzieci. A nawet najgrzeczniejszy smyk nie mógł sprostać standardom Chrisa, jeśli chodzi o niski poziom decybeli, nierozlewanie i nieplamienie oraz nieprzerywanie starszym. A że w dodatku marszczył się z lekkim obrzydzeniem i konsternacją, kiedy dzieciaci myśleli, iż mógłby być choć trochę zainteresowany czymkolwiek, co ma do powiedzenia ich „bąbelek", nasza lista znajomych pięknie się przerzedzała. Właściwie jedynymi osobami, które mogłyby zająć pokój gościnny, byli moi rodzice, ale nawet oni rzadko nas odwiedzali. Chociaż wcale tak bardzo nie dziwiłam się Chrisowi, że ma dość mojej matki i jej subtelnych aluzji w rodzaju: „Nie do wiary, że jesteście już dziesięć lat po ślubie. A razem od trzynastu!" czy: „Następne urodziny to już trzydzieste siódme, Sally!". Równie dobrze mogłaby pokazać gest kołosynia niemowlęcia.

To nie był odpowiedni moment na tę bitwę. Przytuliłam Chrisa.

— Mamy duże szczęście, że stać nas na taką ogromną przestrzeń — powiedziałam.

Będę musiała mądrze to rozegrać.

Z d j ę c i e: Dwa kieliszki koktajlu Buck's Fizz, jajka w koszulkach i łosoś na tacy ustawionej na białej lnianej pościeli.
P o d p i s: Pierwszy poranek w naszym nowym miłosnym gniazdku!
#ForeverHome

ROZDZIAŁ 4

GISELA

Sobota, 8 lipca

Zdjęcie: Długi stół zastawiony talerzami i kieliszkami, z ogromnym wazonem lilii. Wiadra wypełnione lodem i piwem. Lodówka na wino, w której widać owinięte złotkiem szyjki równo ułożonych butelek szampana.
Podpis: Szykujemy się na parapetówkę ze wszystkimi nowymi sąsiadami. Mam nadzieję, że nie pomyślą, że jesteśmy alkoholikami!!!
#PoznajSąsiadów #Posąsiedzku #Jaramsię

Półtorej godziny przed planowanym przyjściem gości Jack wychynął ze swojego gabinetu, nie odrywając wzroku od telefonu.

Stanęłam z rękami skrzyżowanymi na piersi.

— Czy jest jakiś dzień tygodnia, w którym mógłbyś poświęcić pełną uwagę swojej rodzinie? Kempingi na pewno mogą przetrwać bez ciebie jeden weekend z pięćdziesięciu dwóch.

— Jak dobrze wiesz, mamy teraz największy ruch, w końcu ludzie wynajmują przyczepy właśnie na wakacje, więc zawsze będę musiał rozwiązywać jakieś problemy w weekendy. Plus jest taki, że dzięki Painted

Wagon Holidays możesz sobie pozwolić, Giselo, na niezły poziom życia.

Tylko pragnienie uniknięcia karczemnej awantury tuż przed pojawieniem się gości powstrzymało mnie od stanowczej reakcji na rodzinną legendę głoszącą, jakoby to Jack zapieprzał, podczas gdy ja chodziłam sobie na pedikiur i lanczyki.

Mina Jacka wskazywała, że ma świadomość, iż mu się upiekło. Schował telefon do kieszeni i zapytał:

— To co mam robić?

Miałam ochotę dramatycznym gestem wskazać cały dom i zawołać: Co tylko chcesz — roboty jest od cholery! Ale poprzestałam na poleceniu:

— Idź sprawdzić, czy wyczyściłeś grill po tym, jak go ostatnio używaliśmy.

Jak na faceta, który nie odróżniał ściereczki do kurzu od zmywaka do naczyń, Jack był zadziwiająco skrupulatny — i zaborczy — w stosunku do tego sprzętu, jakby grillowanie było współczesnym odpowiednikiem stania przed jaskinią i wydawania groźnych pomruków.

Właśnie skończyłam czyścić klozet, kiedy Jack wbiegł z powrotem do domu.

— Włączyłem na próbę gaz — oznajmił — i okazało się, że się skończył. Skoczę na stację, zobaczę, czy mają butle.

Mój poziom stresu gwałtownie wzrósł. Nie tylko miało do nas przyjść czterdzieści osób, którym trzeba dać do zjedzenia coś więcej niż kilka listków rukoli i parę kromek bagietki, ale w dodatku liczyłam, że Jack porządnie powyciera wszystkie ogrodowe krzesła i stoliki. Sądząc po babkach, które widziałam dotąd na osiedlu, byłam pewna, że wiele z nich zjawi się w białych dżinsach. Zadowoliłam się krótkim:

— Tylko szybko, zaczynam się trochę denerwować.

Uśmiechnął się i wskazał gestem jadalnię.

— Wszystko wygląda pięknie. Świetnie się spisałaś. A jak nas nie polubią, to ich więcej nie zaprosimy.

Krzyknęłam do Hannah i Olliego:

— Pomóżcie mi tu na dole!

Zjawił się Ollie, w wyprasowanej koszuli i gładko ogolony, chociaż na wakacjach zwykle nosił kilkudniowy zarost, bynajmniej niezadbany.

— Elegancko wyglądasz — skomentowałam.

— Przyjdzie moja dziewczyna. Pomyślałem, że lepiej trochę się postarać. — Spuścił wzrok.

Herkulesowym wysiłkiem udało mi się zdusić w sobie urazę, że mi o niej nie powiedział. Zamiast tego postawiłam na efekt komiczny, unosząc wysoko brwi.

— Ho, ho, czyż to nie zaszczyt dla nas? Musi być wyjątkowa, skoro aż się ogoliłeś.

Nie odpowiedział.

— To w czym chciałaś, żebym ci pomógł? — zapytał tylko.

Wręczyłam mu wiadro z gorącą wodą z mydlinami i szmatę. Z jednej strony chciałam dowiedzieć się czegoś więcej o dziewczynie, o której ani razu wcześniej nie wspominał, z drugiej zastanawiałam się, czy to „ta jedyna", co było prawdopodobne, wnioskując z jego reakcji, tego, jaki wydawał się zawstydzony. Poprzednio rzadko kiedy chciało mu się wyskakiwać ze spodni od dresu. Zawsze potrafiłam pociągnąć go za język. Nie mogłam pozwolić, żeby ona się tu zjawiła, kiedy ja nie miałam podstawowych danych.

— No dobra, powiedz, jak jej na imię? — zagaiłam.

Ollie się uśmiechnął, jakby wspominał rzeczy, o których tak naprawdę nie chciałam wiedzieć. Jakby wykluczał mnie z jego życia.

— Natalie. Nat.

Imię kojarzyło mi się z drobną, szczupłą, ciemnowłosą osóbką. Przeciwieństwem Olliego, który pozostał niesamowicie jasnym blondynem, jak jakiś norweski bóg. Zbeształam się w myślach za wyobrażanie sobie, jak wyglądałoby dziecko z mieszanki takich karnacji i kolorów włosów.

— Masz jej zdjęcie?

Wzruszył ramionami, jakby chciał powiedzieć, że nie marnuje czasu na jej fotografowanie.

— Będzie tu za godzinę, wtedy sama ją zobaczysz.

Zaczęłam przekładać majonez do ładnej miseczki.

— Myślę, że to będzie trochę nieuprzejme, jeśli ona się tu zjawi, a my nic nie będziemy o niej wiedzieć. Gdzie ją poznałeś? Jest z twojej uczelni?

Ollie zerknął na swój telefon. Twarz mu się rozluźniła, a potem z powrotem się nachmurzył, spoglądając na mnie.

— No... tak jakby.

Czekałam, czując, jak rozsadza mnie ciekawość. Ollie zmarszczył nos.

— Poznałem ją w tym roku w Bristolu, kiedy byłem na stażu.

— To od jak dawna spotykasz się z uroczą Natalie? Nic o niej nie mówiłeś.

— Wiedziałem, że będziesz miała setki pytań, więc pomyślałem, że oszczędzę sobie całego maglowania. Spotykamy się od kilku miesięcy, czterech czy pięciu.

Udałam, że nie słyszę zniecierpliwienia w jego głosie, i brnęłam dalej z następnym pytaniem.

— Myślisz, że utrzymacie kontakt, kiedy wrócisz do Bath na ostatni rok? — Zanim zdążył odpowiedzieć, uderzyła mnie kolejna myśl. — Załatwiłeś już sobie mieszkanie? Nie płaciliśmy żadnej zaliczki ani nic.

— Załatwiam. Właśnie to ogarniam.

Z tymi słowami wycofał się do ogrodu, rozchlapując po drodze wodę po całej kuchni.

Idąc za nim po śladach ze szmatą, zastanawiałam się nad jego niechęcią, wahaniem przed mówieniem o dziewczynie, w której był wyraźnie zabujany. Poczułam ukłucie smutku, że tak się ode mnie odsunął. Ma kogoś w swoim życiu od kilku miesięcy i nawet o niej nie wspomniał. Ma kogoś innego, kto będzie powiernicą jego sekretów, zmartwień, o których nigdy nie mógł powiedzieć kumplom z obawy, że wyjdzie na niefajnego, osobę, która dostrzega jego drobne dolegliwości i nalega, żeby poszedł do lekarza. Niech lepiej będzie dobra i życzliwa. Skoro poznał ją na stażu, to przynajmniej dziewczyna studiuje albo pracuje. Oby tylko nie związał się z kimś, kto nie wie, czego chce, kto dryfuje przez życie bez jasnego planu. Jak ja w jego wieku.

Radosne podniecenie zbliżającą się imprezą, które czułam jeszcze przed chwilą, zaczynało się niebezpiecznie ulatniać. Wzięłam iPhone'a i znalazłam swoją „szczęśliwą" playlistę ze wszystkimi piosenkami z *Dirty Dancing*. Pobiegłam na górę po Hannah. Stała przed lustrem, ubrana w krótką koszulkę i majtki, podziwiając swoje odbicie. Też kiedyś miałam taki płaski brzuch. Serio. I nawet wystające kości biodrowe. Teraz mogłam do upojenia wypinać tyłek na zajęciach z body balance, a i tak nic mi nie zwróci takiego napiętego, gładkiego brzucha. Spojrzałam na swoje cycki, absurdalnie duże jak na moją drobną posturę. Jakieś dwadzieścia lat temu dodawały mi sto punktów do atrakcyjności, teraz niemalże potrzebowałam wózka na zakupy, żeby je podtrzymać.

— Hannah, możesz zejść na dół i mi pomóc?

— Jeszcze się ubieram.

— Miałaś na to cały ranek. Chodź, ponakładaj oliwki i pokrój chleb.

Popatrzyła na mnie, jakbym była najbardziej męczącą istotą na planecie.

— Za sekundę do ciebie przyjdę. — Po chwili dodała: — Przebierasz się?

— Nie, chciałam w tym zostać. A co?

— Nie jest trochę obciachowe?

Spojrzałam na swoje dżinsy i tunikę.

— A jak włożę obcasy?

Ale Hannah była już zajęta malowaniem brwi i obsesyjnym wygładzaniem dwóch włosków, które rosły w przeciwnym kierunku niż reszta.

— Po prostu wyglądasz trochę staro, bardziej jak babcia — rzuciła.

Pomaszerowałam z jej pokoju prosto do swojej szafy i zaczęłam wyciągać różne bluzki. Dżinsy były nowe, podnoszący tyłek fason dla kobiet w średnim wieku, pokazywany we wszystkich gazetach. Nie mogły być obciachowe. Przejrzałam dostępne opcje — ta cienka bluzeczka była trochę prześwitująca — wątpliwe, czy widok misternego rusztowania zapobiegającego swobodnemu spadaniu miseczki G zaostrzy komukolwiek apetyt na burgery. Jedwabista koszulka bez rękawów. Fuj. Skóra na ramionach zwisała mi jak wór pod dziobem pelikana. Przez chwilę rozważałam, czyby nie poprosić Hannah o pomoc, ale uznałam, że jej rady podziałają na moją samoocenę jak tłuczek w moździerzu.

Zdecydowałam się na bluzkę z długim rękawem i maskującą tłuszcz falbanką z przodu, kończącą się poniżej tyłka. Ech, gdybym w wieku Hannah wiedziała, że nigdy nie będę wyglądać lepiej, że trzydzieści lat później będę oceniać ciuchy nie według tego, czy są supermodne, tylko czy mogą optycznie wyszczuplić brzuch...

Zbiegłam na dół, zaczęłam się krzątać, nasypywać chipsów do misek, żałując, że Jack nie kupił żadnych innych poza pringlesami. Tęskniłam za dawną sobą, tą dwudziestolatką, która piła sok żurawinowy prosto z kartonu i poprawiała golnięciem wódki, opalała się półnaga, śmiała się długo i głośno, i było jej żal każdego, kto miał problem z jej zachowaniem. A teraz martwiłam się, co ludzie sobie pomyślą o moich chipsach.

Na szczęście do domu wparował Jack, dumnie dzierżąc dwie butle gazowe Calor, niczym łowieckie trofea.

— Udało się!

Ulga, że Jack jednak zajmie się górą mięsa i nie będzie to kolejna rzecz na mojej głowie — w dodatku musiałabym piec je w piekarniku, którego kaprysów nie zdążyłam jeszcze poznać — przeważyła nad wkurzeniem, że robi wszystko na ostatnią chwilę (Jack, nie piekarnik).

Nie miałam czasu pomyśleć ani powiedzieć niczego więcej, bo rozległ się dzwonek do drzwi, dziesięć minut przed czasem.

— Nie cierpię ludzi, którzy przychodzą za wcześnie — jęknęłam.

Jack się roześmiał.

— Dobrze, że jesteś taka zorganizowana. Spójrz na to optymistycznie, przynajmniej w ogóle ktoś przyszedł.

Przywołałam przyjemny wyraz twarzy, otwierając drzwi kobiecie po trzydziestce, tak wysokiej, że musiałam zadrzeć głowę, żeby spojrzeć jej w twarz. Z kilkoma rodzinami nie udało mi się jeszcze porozmawiać, więc wsunęłam im karteczkę z zaproszeniem w drzwi.

— Jestem Gisela — przywitałam ją. — Pani spod siódemki? A może spod trzynastki?

Roześmiała się głośno, z pewnością osoby, która już dawno temu zdecydowała, że jej wzrost jest zaletą.

— Nie, nie jestem spod siódemki ani spod trzynastki.

Spodziewałam się usłyszeć, że mieszka po przekątnej od nas i ma dwie córeczki albo pod numerem piętnastym, tam gdzie chłopiec cały czas jeździ na rowerze przed domem. Milczała, jak gdyby oczekiwała czegoś ode mnie. Czułam, jakby taksowała mnie wzrokiem, chociaż nie odrywała oczu od mojej twarzy.

— Pewnie jesteś mamą Olliego — odezwała się po dłuższej chwili. — Jestem Natalie.

Wiedziałam. Oczywiście, że wiedziałam, że to jego dziewczyna. „Natalie. Nat". Ale i tak czekałam, żeby powiedziała, że jest jego mentorką albo szefową, albo, nie wiem, partnerką ze ścianki wspinaczkowej, trenerką osobistą, fizjoterapeutką.

Bo kobieta — mająca metr osiemdziesiąt wzrostu, starsza od Olliego o co najmniej dziesięć lat, w drogiej, prostej krótkiej sukience i sandałach na koturnie, odsłaniających jaskrawoczerwone paznokcie, w których rozpoznałam dzieło profesjonalnej pedikiurzystki — nie pasowała do znanych mi parametrów wyglądu dziewczyn mojego syna. Czułam przemożną chęć, żeby poszukać towarzyszącej jej jakiejś chudzinki z rozwichrzonymi blond włosami, w porwanych dżinsach.

Natalie przekrzywiła głowę, z pewnością siebie, która świadczyła o doświadczeniu życiowym wykraczającym daleko poza weekend w błocie na festiwalu w Reading i jeden sezon pracy w ośrodku narciarskim.

— Jestem dziewczyną Olliego.

Zdusiłam w sobie instynktowne pytanie, co do diabła robi z moim synem. Przecież jest jeszcze chłopcem. Nie potrafi znaleźć swoich sportowych ciuchów bez mojej pomocy. Nadal to ja zapisuję go do dentysty. I nie obcina paznokci u nóg, dopóki nie zaczną mu robić dziur w skarpetkach. Zamiast tego uścisnęłam jej rękę tak entuzjastycznie, że na jej twarzy pojawił się na chwilę wyraz zakłopotania.

— No oczywiście! — wykrzyknęłam. — Mówił, że przyjdziesz. Cudownie cię poznać.

Nie mam pojęcia, czy zdołałam ukryć swoje osłupienie. Wprowadziłam ją do środka i przedstawiłam Jackowi, robiąc do niego ostrzegawczą minę, która miała znaczyć: Ani słowa!

Mój głos odbijał się echem w holu, wydawało mi się, że mówię coraz szybciej, coraz bardziej naglącym tonem:

— Ollie jest w ogrodzie. Zaprowadzę cię.

Kiedy wyszłyśmy z domu na drewniany podest, na twarzy mojego syna pojawił się niekłamany zachwyt. Dopiero po dłuższej chwili oderwał od niej wzrok, żeby spojrzeć na mnie i ocenić moją reakcję. Nie miałam zamiaru dać się tak łatwo przyłapać. Zaproponowałam jej coś do picia i szybko wróciłam do środka po napój.

Boże, proszę, niech zauroczenie Natalie okaże się przejściowe.

ROZDZIAŁ 5

SALLY

Sobota, 8 lipca

Strona na Facebooku Chrisa:
Z d j ę c i e: Selfie Chrisa z butelką szampana i Sally w białej dżinsowej sukience.
P o d p i s: Idziemy na grilla z naszymi nowymi sąsiadami. Okazja w sam raz na szampana. #Każdypretekst #PięknaPaniGastrell

Chris zagwizdał, kiedy zeszłam na dół.

— Ale ładna ta nowa sukienka. Świetnie w niej wyglądasz. — Wyciągnął telefon. — Koledzy z pracy będą mi zazdrościć. Potrzymaj szampana.

Przytulił się do mnie. Odwrócił butelkę tak, żeby na pewno było widać etykietę Taittingera. Nie wiedziałam, dlaczego mnie to irytuje, skoro jedną z rzeczy, które w nim uwielbiałam, było to, że odmawiał kupowania taniochy. Na początku bardzo mi się podobało, że zawsze nosił ubranie z dyskretnym logo, na długo zanim zaczęliśmy uważać się za zamożnych. Dzisiaj nie inaczej — biała koszulka polo Ralpha Laurena, dopasowane szorty, jachtowe mokasyny. Nie dla Chrisa sandały czy hawajskie koszule.

— Pokaż — powiedziałam, sięgając po jego komórkę.

— Nada się na Facebooka?

— Ujdzie. Lepiej chodźmy, bo się spóźnimy.

— O tak, byłaby straszna szkoda, gdyby nas ominęło kilka przypalonych burgerów.

— Nie bądź taki. Może kogoś poznamy i będziemy mieć znajomych na miejscu. Super byłoby móc wpaść na drinka po sąsiedzku, nie musieć nigdzie jeździć taksówką.

Poprawiłam włosy w lustrze i dostrzegłam, nawet bez uwag Chrisa, że wypadałoby zająć się odrostami.

— Wolałbym mieć cię tylko dla siebie. W poniedziałek znowu znikasz, prawda? — powiedział tak, jakbym leciała z koleżankami poimprezować, a nie w podróż służbową do Ribera del Duero jako specjalistka do spraw międzynarodowych zakupów wina. Słowo „międzynarodowe" figurowało w nazwie mojego stanowiska od co najmniej pięciu lat, ale Chris nadal traktował związane z tym realia jako osobistą zniewagę, chociaż sam pracował w logistyce globalnej i wyjeżdżał równie często.

Wykonałam sprytny manewr okrążający, rzucając:

— Może powinnam po prostu zostać niepracującą mamą, wtedy nigdy nie musiałabym podróżować służbowo?

Chris ledwie spojrzał w moją stronę.

— Raz-dwa byś się znudziła. Nie mogę sobie ciebie wyobrazić z bandą wrzeszczących dzieciaków kłębiących się wokół twoich kolan. Oszalałabyś od tych wszystkich kolorowanek, pieczenia babeczek i innego badziewia.

Powiedział to tak, jakbym była tak nienormalna, tak pozbawiona instynktu macierzyńskiego, że gdybym miała dzieci, tłukłabym je kijem. Usiłowałam sobie przypomnieć, skąd się wzięła nasza umowa, że nie będziemy ich mieć. Nie pamiętałam, żebyśmy kiedykolwiek to ustalali, wypowiedzieli te słowa. W którymś momencie, bez zbędnych ceregieli, zostało postanowione, niczym niepisane prawo, trochę jak to, kto odpowiada za przedłużenie ubezpieczenia domu. Początkowo w ogóle nie myśleliśmy o dzieciach. Byliśmy młodzi i ambitni, szybko robiliśmy karierę i jakoś płynnie przeszliśmy do akceptowania, że zawsze tacy będziemy. Z upływem czasu nie wiedziałam, jak powiedzieć, że naprawdę chciałabym mieć rodzinę. Tymczasem wystarczyło, że Chris zobaczył w oknie kawiarni kilkulatka umorusanego czekoladą, a omijał lokal szerokim łukiem.

Wręczył mi doniczkę z lawendą, którą kupił dla Giseli.

— No dobra, to chodźmy. Jak będzie strasznie nudno, powiemy im, że musisz się przygotować do wyjazdu.

Idąc ulicą, czułam ciepło nawierzchni nagrzanej lipcowym upałem. Chris mamrotał coś w stylu:

— Jak będą mieli na trawniku cholerny dmuchany zamek, wracam prosto do domu.

Ale słońce i skwar, krzyki dzieciaków dobiegające z różnych ogrodów, pluski z nadmuchiwanych basenów unoszące się w gorącym powietrzu przypominały mi dzieciństwo. Mama przynosiła nam lody na patyku, które zrobiła z soku pomarańczowego. Tata wykopał kilka kawałków darni z naszego trawnika, żebym mogła z przyjaciółkami upiec kiełbaski na ognisku. A ja leżałam na leżaku, wysmarowana olejkiem Hawaiian Tropic, i nie chciałam przejść do cienia, dopóki przynajmniej trochę się nie spalę. Marzyłam, żeby moje dzieci — nasze dzieci — też miały takie przeżycia. Może bez poparzeń słonecznych, na co Chris, znany jako Mein Führer Faktor 50, i tak nigdy by nie pozwolił.

Nacisnęłam dzwonek. Przećwiczyłam sobie w wyobraźni niefrasobliwy śmiech, którym zamierzałam zbyć pytanie, czy mamy dzieci. W swoich myślach rezerwowałam specjalne, najeżone dzidami miejsce pełne nienawiści dla ludzi, którzy o to pytali. A gdybym urodziła martwe? Poroniła? Gdyby dziecko mi umarło?

Przybrałam przyjemny wyraz twarzy, kiedy Gisela otworzyła drzwi i zaprowadziła nas do ogrodu, ciepła, serdeczna i zupełnie niezestresowana, przynajmniej nie tak, jak ja bym była, gdybym miała w domu pełno nieznajomych, których trzeba przywitać. Przywołała skinieniem młodego faceta z tacą szampana. Miał jasnoniebieskie oczy tak podobne do oczu Giseli, że musiał być jej synem.

— To jest Ollie. Właśnie przyjechał do domu ze studiów na wakacje — oznajmiła, podając nam kieliszki, i zaraz pognała do drzwi, bo znów rozległ się dzwonek. Ollie przeprosił, że nie może podać nam ręki, i zażartował, że czeka go wspaniała przyszłość w zawodzie kelnera.

Chris od razu zastawił na niego małą pułapkę.

— Co studiujesz?

Pomodliłam się w duchu, żeby się nie okazało, że poezję średniowieczną, bo pod pozorem zainteresowania Chris zacząłby pytać, co Ollie zamierza robić po czymś takim, aż zapędziłby chłopaka w kozi róg. Chris nie był osobą, która wierzyła w podążanie za marzeniami, jeśli na końcu nie czekał gwarantowany garniec złota.

— Właśnie skończyłem trzeci rok inżynierii w Bath. Odbywałem w tym roku praktyki. Mam nadzieję znaleźć pracę na platformach wiertniczych.

Jeden zero dla Olliego. Wywinął się Chrisowi, bo miał „porządne studia".

Ollie postał, gawędząc z nami przez kilka minut, potem się rozejrzał i przeprosił, mówiąc, że idzie dalej roznosić szampana.

Chris skinął głową z aprobatą, patrząc za nim.

— Całkiem uroczy chłopak, co? Zupełnie nie przypomina typowego burkliwego studenta.

Chciałam go złapać za ramiona i nim potrząsnąć. Zachowywał się, jakby dzieci były maszynami do produkcji smarków, zaprojektowanymi po to, żeby wydrenować ludziom konta bankowe. Kiedy czyjekolwiek dziecko powiedziało coś, co go zainteresowało, reagował tak, jakby odkrył gatunek, który zdążył uznać za wymarły.

Obok nas przemknęła Gisela, ciągnąc ze sobą moją najbliższą sąsiadkę, której kilka razy pomachałam, ale jeszcze nie rozmawiałyśmy.

— To jest Kate i jej córka Daisy. O kurczę, znowu dzwonek. Poczekajcie, zaraz wracam.

Kate była całkowitym przeciwieństwem Giseli, typem kobiety, która będzie siedzieć cicho przez całą rozmowę na jakiś niszowy temat, a potem oznajmi, że ma z niego doktorat, kiedy już wszyscy zdążą zrobić z siebie idiotów, naciągając znane sobie strzępy faktów, żeby sklecić z nich swoją argumentację. Wiedziałam, że Chris będzie kombinował, jak je spławić, skupiony na znalezieniu na przyjęciu ważnego biznesmena, „faceta, który może być przydatnym kontaktem", „gościa, z którym ciekawie byłoby się zapoznać".

Wzięłam na celownik Daisy, w jakiejś perwersyjnej próbie popisania się umiejętnością tworzenia więzi z nastolatkami.

— Chodzisz jeszcze do szkoły, Daisy?

— We wrześniu zaczynam college, żeby skończyć ostatni rok egzaminów maturalnych*.

— Już jesteś w połowie? To chyba trudny moment, żeby zmieniać szkołę.

Dziewczyna zerknęła na Kate.

— Mnie to nie przeszkadza — powiedziała. — Program z języków jest taki sam jak w mojej starej szkole.

Czekałam, żeby któraś z nich wyjaśniła, dlaczego przeprowadziły się właśnie teraz, ale żadna się nie kwapiła. Brnęłam więc dalej.

— To jakie znasz języki?

— Najlepsza jesteś z hiszpańskiego, prawda? — wtrąciła szybko Kate.

Daisy zmarszczyła brwi, a potem kiwnęła głową.

— Będę też zdawać francuski. I psychologię.

Na chwilę zapadła cisza.

* W Wielkiej Brytanii egzaminy maturalne — *advanced level qualification* czyli *A-levels* — są rozłożone na dwa lata, przy czym można się do nich przygotowywać, ucząc się w szkołach średnich lub w college'ach (wszystkie przypisy pochodzą od tłumaczki).

— To ciekawa kombinacja — podjęłam. — Nawet wyglądasz trochę na Hiszpankę, z tymi ślicznymi włosami i oliwkową cerą. Albo może na kogoś z Europy Wschodniej, bo masz takie piękne kości policzkowe.

Kate odpowiedziała za córkę:

— Może miałyśmy jakichś egzotycznych przodków. — Rozglądała się, a jej pragnienie ucieczki było równie ewidentne jak Chrisa. — Daisy, może pójdziesz zobaczyć, czy córka Giseli nie potrzebuje pomocy przy nalewaniu gościom napojów?

Daisy się skrzywiła. Nawet ja widziałam, że nie ma dość pewności siebie, żeby się przedstawić Hannah. Ale Kate już ją popychała w tamtą stronę, jakby córka była uciążliwą trzylatką, która ma się zaprzyjaźnić z dziećmi w piaskownicy.

Wychyliłam resztę szampana i pomachałam pustym kieliszkiem w stronę Daisy.

— Pójdę z tobą i wezmę jeszcze jednego, tego prawie nie poczułam.

Zignorowałam sygnały Chrisa oznaczające „nie zostawiaj mnie z nudziarą". Kiedy odchodziłyśmy, usłyszałam, jak pyta Kate:

— Pracujesz zawodowo?

Jeśli okaże się, że nie, Chris nie będzie już z nią stał, kiedy wrócę, a w drodze do domu niewątpliwie wysłucham tyrady pod hasłem: Co właściwie niepracujące kobiety robią przez cały dzień?

Nigdy nie udało mi się go przekonać, że zostanie z dziećmi w domu wcale nie jest łatwym wyborem. Na szczęście usłyszałam, jak Kate mówi:

— Jestem ratowniczką medyczną.

Chris będzie w swoim żywiole. Uważał się za eksperta od finansowania publicznej służby zdrowia: przecież można by zaoszczędzić miliardy funtów, gdyby każdy musiał pokazać paszport przed przyjęciem do szpitala, a za to przestano by płacić z budżetu za „głupoty w rodzaju in vitro". Wiedziałam też, że skorzysta z okazji, żeby uzyskać darmową poradę w sprawie męczącej go ostatnio niestrawności, zamiast iść do lekarza.

Kiedy szłyśmy w stronę Hannah, Daisy mnie zaskoczyła, nawiązując rozmowę o mojej pracy.

— Brzmi super, tak co parę tygodni jeździć do różnych krajów. Udaje ci się trochę podróżować po okolicy, kiedy już tam jesteś?

— Nie aż tak dużo, jak bym chciała. Na ogół jeździmy na targi, a poza tym umawiamy się na wizyty w winnicach, które nas interesują. Ale byłam w nowym regionie winiarskim w Argentynie, który nazywa się Chapadmalal i udało mi się zostać na kilka dni w Buenos Aires, bo to bardzo blisko.

— Mój tata mieszka w Argentynie, właśnie koło Buenos Aires. — Na koniec zdania zawiesiła głos, jakby chciała ugryźć się w język.

— O rany. Jak często go widujesz? Byłaś tam?

Zaczerwieniła się.

— Nie, nie byłam.

Zauważyłam, że nie odpowiedziała na moje pierwsze pytanie. Matka i córka miały wspólną cechę: nie czuły się zobowiązane do zaspokajania czyjejś ciekawości. Nie miałam szans na dalsze indagacje, bo córka Giseli przerwała nam, nie czekając na naturalną przerwę w rozmowie. Przepełniała ją pewność siebie, jaka bierze się z dorastania w przeświadczeniu, że jest się najważniejszą osobą na sali.

— Cześć! Jestem Hannah. — Odwróciła się do Daisy. — Czy to z tobą Ollie rozmawiał tego dnia, kiedy się wprowadziliśmy? Bogu dzięki, że są tu jacyś młodzi ludzie. Jak rodzice powiedzieli, że się przeprowadzamy na zamknięte osiedle, myślałam, że będę tu odcięta z mnóstwem starych dziadów.

Daisy się uśmiechnęła, może niekoniecznie nieśmiało, ale miała w sobie pewną ostrożność, powściągliwość kontrastującą z żywiołowym entuzjazmem Hannah, która właśnie opowiadała, że skończyła szkołę i zamierza codziennie imprezować aż do września, kiedy to zacznie studia na Uniwersytecie Exeter. Nie próbowała nawet włączyć mnie do rozmowy, przechodząc płynnie do omówienia najlepszych klubów nocnych w okolicy.

— Skończyłaś już osiemnaście? Dopiero w przyszłym roku w czerwcu? To pechowo być najmłodszą w klasie. No to trzeba będzie spróbować skombinować dla ciebie jakąś fejkową legitkę, bo do Shalimara inaczej nie wejdziesz. Znam typa, który sprzedaje prawa jazdy innych ludzi po dwadzieścia funtów. Najlepiej iść w czwartek, bo wtedy drinki są za pół ceny.

Nie mogłam się nadziwić, że Hannah bez żenady toczy tę rozmowę przy mnie.

Daisy skubała brzeg bluzki.

— Mama normalnie w czwartki pracuje na wieczorną zmianę. Nie bardzo lubi, jak wychodzę, kiedy jest w pracy.

— O której kończy? — spytałam.

Daisy wzruszyła ramionami.

— To zależy. Teoretycznie koło północy, ale jak coś się opóźnia z przekazaniem pacjentów szpitalowi, to może o pierwszej. Czasem o drugiej.

Hannah puściła oczko, jakby rodzice byli tylko drugorzędną niedogodnością.

Ku własnemu zaskoczeniu wypaliłam:

— Nie przeszkadza ci, że nikogo nie ma z tobą w domu o tak późnej porze?

— Właściwie nie — zmarszczyła nos Daisy. — Przyzwyczaiłam się.

Ciekawe, ile miała lat, kiedy Kate zaczęła ją zostawiać tak późno samą.

— Ja nadal czuję się trochę nieswojo w domu w nocy, kiedy nie ma Chrisa. Zawsze możesz do mnie wpaść, jeśli będziesz się denerwować albo poczujesz się samotna. Mamy dodatkowy pokój.

Podziękowała mi z miną osoby, która nie wyobraża sobie, że miałaby prosić o pomoc.

Hannah napełniła mi kieliszek, a kiedy skierowała rozmowę na ulubioną muzykę, zrozumiałam, że mnie spławia. Daisy zerkała w moją stronę, jakby chciała włączyć mnie w pogawędkę, ale Hannah miała w sobie pewną twardość, kojarzącą mi się z grupą dziewczyn w szkole uznawanych za najbardziej cool, takich, które nie są otwarcie nieprzyjemne, ale nie pozwalają ci ani przez chwilę myśleć, że mogłabyś dołączyć do ich grona. Jeśli kiedyś będę miała córkę, dopilnuję, żeby nikogo nie wykluczała.

Zawahałam się przez chwilę, usiłując zrozumieć, jak ktoś o połowę ode mnie młodszy przejął kontrolę nad tym, z kim rozmawiam, a potem wróciłam do Chrisa. Objął mnie w pasie.

— Kate była tak miła, że obiecała mieć oko na nasz dom, jeśli oboje wyjedziemy w tym samym czasie — oznajmił.

Kate pochyliła się w moją stronę, trochę zbyt gorliwie, jakby była gotowa skoncentrować się na każdym moim słowie, zamiast odbyć krótką pogawędkę o podlewaniu zielistki.

— Twoja praca musi być pasjonująca — zagaiła. — Latasz po całym świecie, na pewno odwiedzasz różne piękne miejsca.

Opowiedziałam jej o miasteczku Laguardia, w którym byłam niedawno, w samym środku regionu Rioja, pełnym staromodnych barów *tapas*, otoczonym winnicami.

— Jak dodasz mnie do znajomych na Facebooku, będziesz mogła zobaczyć zdjęcia.

Potrząsnęła głową, jakbym zaproponowała, żebyśmy zaczęły wysyłać sobie swoje nagie fotki.

— Nie korzystam z social mediów — powiedziała.

— Nie rozumiem ludzi, którzy w dzisiejszych czasach „nie korzystają z social mediów" — przewrócił oczami Chris. — Przecież to świetny sposób na podtrzymywanie kontaktów.

Do tego stopnia, że częściej rozmawiał z osobami, których nie widział od dziesięciu lat, niż ze mną.

Kate skrzyżowała ręce na piersi.

— Może — odparła. — Ale w moim przypadku nie bardzo widzę sens. Nie mam pojęcia, cóż takiego mogłabym tam zamieszczać, co kogokolwiek by zainteresowało. Po co ktoś miałby oglądać zdjęcia, na których biegam po Morrisonsie z rozwianym włosem po skończonej zmianie. Sally ze swoimi egzotycznymi podróżami po świecie to trochę co innego.

Chris zwęszył okazję.

— Cały czas powtarzam Sally, że musi odrobinę przystopować i mniej jeździć służbowo.

Nie cierpiałam, kiedy werbował innych ludzi do pomocy, żeby postawić na swoim. Starałam się, żeby mój głos brzmiał obojętnie, nie chcąc pokazywać Kate, że ten delikatny temat jest u nas wałkowany do upadłego.

— Nie podróżuję tak dużo jak ty — stwierdziłam.

— Wyjeżdżasz na dłużej. Mnie nie ma najwyżej dwie noce z rzędu.

Kate musiała wyczuć napięcie między nami, bo powiedziała:

— Cokolwiek robisz, trudno jest dobrze wyważyć proporcje, prawda? Żeby trzy razy w tygodniu móc być w domu po południu, biorę dwie naprawdę długie zmiany. Nie cierpię, jak mnie nie ma, kiedy Daisy wraca ze szkoły.

— Niech do nas wpada wieczorem, jeśli poczuje się samotna — zaproponowałam. — Będzie nam bardzo miło.

Kątem oka widziałam, że Chris marszczy brwi. Na szczęście dla niego Kate odparła:

— Dziękuję, ale mamy to już przećwiczone. Daisy jest bardzo zaradna i może pobyć sama.

Drążyłam temat, głównie po to, żeby Chris sobie nie myślał, że to on ma najwyższą kontrolę nad tym, kto przestępuje próg naszego domu:

— W razie czego pamiętaj o nas. Przecież nie możesz odejść z miejsca wypadku, bo akurat musisz zrobić kolację.

— Nie jeździmy do aż tak wielu wypadków, jak mogłoby się wydawać. Najczęściej wzywają nas do bólu brzucha i zwykle okazuje się, że to jakiś wirus — powiedziała Kate z taką samą miną jak Daisy, wyrażającą upór i samowystarczalność.

Chris zaśmiał się fałszywie, jak to on potrafi.

— Nie umiem sobie wyobrazić, jakby to wyglądało u nas w domu, gdybyśmy mieli dzieci. Nie ma mowy, żeby Sally funkcjonowała jak do tej pory, mając rodzinę.

Czyżbym znalazła się w latach sześćdziesiątych i była żoną serialowego policjanta? Byłam pewna, że Kate też tak pomyśli i będzie się zastanawiać, co ja w nim widzę. Nie chciałam jej litości, nie chciałam, żeby na mnie patrzyła, oceniała moje życie i uznała, że czegoś w nim brakuje, zwłaszcza dzieci.

— Ale takiego dokonaliśmy wyboru — powiedziałam szybko. Odetchnęłam, zadowolona, że padło słowo „wybór". Nie znosiłam, kiedy ludzie spekulowali, dlaczego nie urodziłam dziecka, czy to była moja „wina", czy męża.

Kate nie zmieniła obojętnego wyrazu twarzy. Nie byłam pewna, czy to oznaka braku zainteresowania, czy dezaprobaty, więc natychmiast zaczęłam ględzić dalej.

— Ale dzisiaj posiadanie dzieci nie oznacza, że kobiety muszą rezygnować z pracy. O wiele łatwiej jest teraz o elastyczne formy zatrudnienia. Mam w biurze koleżankę, która pracuje trzy dni w tygodniu, a jej mąż zajmuje się wtedy dziećmi.

— A, daj spokój — żachnął się Chris. — Coś takiego to śmierć zawodowa.

Zastanawiałam się, kiedy jego opinie zaczęły mnie żenować. Dawniej strasznie mi się podobało, że swoimi szokującymi uwagami dodawał pikanterii eleganckim przyjęciom. Najpierw wszystkich nakręcał, a kiedy znudziło go wysłuchiwanie dogmatycznych poglądów innych, wznosił kieliszek i mówił: „Zgódźmy się, że będziemy się pięknie różnić". W miarę upływu czasu jego twierdzenia miały coraz mniej wspólnego z głębokimi przekonaniami i przypominały hasła z magnesów na lodówce.

Kate sączyła drinka z obojętną miną, ale jej ciemne oczy były czujne, jakby odtwarzała sobie w głowie kilka felietonów z „Guardiana" o mężach, którzy zostają w domu z dziećmi.

Na szczęście podeszła do nas z tacą z mini bruschettami kobieta przed trzydziestką, której uroda prawdopodobnie przez całe życie otwierała przed nią wszystkie drzwi. Miała tak wyraźny akcent z wyższych sfer, że widok tatuażu z pszczołą na jej nadgarstku mnie zaskoczył. Ewidentnie zamieniałam się w swoją matkę: „Nie rozumiem tych młodych kobiet, dlaczego tak się oszpecają". Byłam ciekawa, czy dziewczyny takie jak ona, z blond włosami opadającymi w bujnych, mocno skręconych lokach, z młodziutką twarzą i szczupłymi biodrami, rzeczywiście mają łatwiejsze życie niż babki takie jak ja, przeciętniaczki bez figury modelki. Jednak bez względu na to, jak uprzywilejowaną wydawała się osobą, powitałam ją z takim entuzjazmem, że pewnie się zastanawiała, gdzie się poznałyśmy.

— Pod którym numerem mieszkasz? — zapytałam.

Roześmiała się.

— Cudowne, jak wszyscy staliśmy się tu numerkami. Jestem numer pięć, Sophie. Ale właściwie to dom mojej przyjaciółki. Pomieszkuję tu tylko tymczasem, dopóki ona nie wróci z Australii. Czekam, żeby się wprowadzić do nowej zabudowy na drugim końcu miasta, koło starej fabryki chleba. — Umilkła na chwilę, założyła blond lok za ucho. — Ale uwielbiam tu mieszkać. Czuję się naprawdę bezpiecznie z tymi wszystkimi rodzinami wokół, mimo że jestem sama. Nigdy się nie boję, że po powrocie zastanę otwarte łomem drzwi na taras, jak to było, kiedy mieszkałam w Londynie.

— Myślisz, że dzięki prokreacji człowiek robi się bardziej praworządny? — spytał Chris z pewnym napięciem w głosie.

Sophie zareagowała błyskawicznie. Roześmiała się i odparła:

— Jeszcze nie wiem. A ty już się przekonałeś?

Próbowałam złowić wzrokiem jego spojrzenie, żeby zapobiec przerodzeniu się tej wielkiej rany w sercu naszego małżeństwa w ogólną pyskówkę. Nawet nie zerknął w moją stronę.

— Nie mam dzieci — wyjaśnił sztywno. — Ale nie kradnę samochodów ani nie włamuję się sąsiadom do szopy, mimo braku wkładu w światową populację.

Sophie nie wycofała się do swojej skorupy, jak ja bym zrobiła, gdyby ktoś, kogo nie znam, odebrał rzuconą beztrosko uwagę jako obelgę. Po prostu uniosła podbródek i powiedziała:

— Niczego takiego nie sugerowałam.

Chris wzruszył ramionami, jakby to, co ona o nim myśli, nic go nie obchodziło.

Zrobiła minę, jakby chciała powiedzieć: Spadaj, zgorzknialcu. Poczułam znajomy ucisk w żołądku, tę potrzebę wkroczenia i załagodzenia sytuacji, nawet jeśli to nie ja byłam źródłem napięcia.

— Pracujesz w okolicy? — spytałam.

— Tak, właśnie otworzyłam swój gabinet weterynaryjny koło Albert Park.

Chris poderwał głowę.

— Ho, ho. Nieźle jak na kogoś w twoim wieku.

Najwyraźniej odhaczał kolejne punkty z listy kontrowersyjnych tematów, którymi można wkurzyć kobiety na imprezach.

Zwróciłam się do Kate, mając nadzieję, że mówię wystarczająco głośno, żeby zagłuszyć Chrisa i jego durne komentarze. Wystrzeliłam z pierwszą rzeczą, która mi przyszła do głowy.

— Czy tata Daisy jest w Argentynie na stałe?

— Mam nadzieję — odparła z taką stanowczością, że byłam zmuszona przewartościować swoją opinię o niej jako o kimś, kto nigdy nie pozwoli sobie na wypuszczenie w świat spontanicznej uwagi bez filtra autocenzury.

ROZDZIAŁ 6

GISELA

Sobota, 8 lipca

Zdjęcie: Jack stoi obok góry surowych kiełbasek, wokół duża grupa mężczyzn wznosi w toaście butelki piwa.
Podpis: Grillowanie czas zacząć!
#SzefKuchniJack #KrólGrilla

Za każdym razem, kiedy podchodziłam do Jacka, żeby zasugerować, by zajął się grillem, zanim całe towarzystwo w Parkview padnie na twarz w rabatki, z alkoholem wyciekającym wszystkimi porami skóry, kiwał głową i mówił: „Już idę". Tylko że wcale nie szedł, do cholery — dolewał sobie piwa i nawijał z jakimś gościem o zaletach bitcoina albo prowadził z innym fascynującą rozmowę, której fragmencik usłyszałam, o nowoczesnych toaletach kompostujących, które instalowali na kempingach Painted Wagon.

O wpół do trzeciej byłam już na etapie zaciśniętych zębów i sztucznego uśmiechu, w stanie, który Jack po dwudziestu dwóch latach małżeństwa znał na tyle dobrze, by wiedzieć, że pora wziąć się do roboty.

Przywołał gestem Chrisa.

— Wyglądasz na faceta, któremu grill nieobcy. I niestraszny.

— Tak się składa, że Sally kupiła mi na któreś urodziny kurs, więc rzeczywiście znam podstawy. Może przynajmniej uda mi się ocalić burgery od przypalenia.

Mijając mnie, Jack szepnął:

— Jezu, nie wiedziałem, że zaprosiliśmy pieprzonego Jamiego Olivera. Pan Master Chef brał lekcje grillowania.

— Ciii!

Sądząc po sposobie, w jaki Jack gestykulował i klepał po plecach przed chwilą poznanych ludzi, Chris był moją jedyną nadzieją na postawienie na stole czegoś, co nie będzie spalone z wierzchu i surowe w środku. Panowie od razu nawiązali przyjacielską relację, poruszając temat motoryzacji, bo Jack zaczął od:

— Ten twój fioletowy lotus to ładne cacko, stary. Naprawdę się wyróżnia. Rzadko się takie widuje.

Płynnie przeszli do porównywania wielkości silnika lotusa Chrisa i jaguara Jacka, więc ich zostawiłam i wróciłam do Sally i Kate.

— Jestem pod wrażeniem, że twój mąż brał lekcje grillowania — powiedziałam.

— Bardzo lubi gotować. Głównie on się tym zajmuje.

Byłam pełna podziwu dla każdej kobiety, której udało się znaleźć mężczyznę umiejącego cokolwiek zrobić w domu.

— Przyśrubuj go do podłogi. Jack sam potrafi najwyżej nałożyć sobie talerz płatków kukurydzianych.

Sally wyglądała na trochę zaskoczoną moim brakiem lojalności. Nie rozumiałam kobiet, które uważały, że ich mężowie są idealni. Po to chyba ma się męża, żeby móc zwalić na kogoś winę, kiedy coś pójdzie nie tak? To tylko kwestia czasu, zanim zacznę obwiniać Jacka o to, że Ollie zrobił ze mnie idiotkę, przyprowadzając do domu babkę, która — jeśli wierzyć talentom detektywistycznym Hannah — miała trzydzieści cztery lata. Wiekowo bliżej jej było do mnie niż do niego.

Dezaprobata Sally w połączeniu z moim stanem mocno wskazującym obudziła we mnie chęć, żeby trochę poszokować.

— Kiedy dzieci były małe — zaczęłam — jakoś nigdy nie mogłam się zorganizować, żeby gotować i robić zakupy. Menu lokalnych knajp z żarciem na wynos umiałam wyrecytować przez sen. Wydaje mi się, że pierwsze słowa Hannah brzmiały „chlebek naan".

Sally posłała mi cierpki uśmiech, jakby przyznanie się do karmienia dzieci czymkolwiek poza przecieranymi własnoręcznie batatami z odrobiną ziaren chia oznaczało kompletną macierzyńską porażkę. Rany boskie, wystarczyło, żeby spojrzała na Olliego: perwersyjny widok jego ręki wokół talii Natalie świadczył dobitnie o tym, że nie odniosłam oszałamiającego sukcesu wychowawczego. Bóg raczy wiedzieć, co takiego pociąga dorosłą kobietę w chłopcu, który nie wyczyści sobie uszu, jeśli nie będę za nim biegać z flanelową myjką.

Nie pogrążyłam się bardziej tylko dzięki Kate, która powiedziała:

— Gdybyś urodziła się w Europie, twoje dzieci cały czas jadałyby w knajpach. Sally właśnie mi opowiadała o swoim pobycie w Rioja, wśród tych wszystkich klimatycznych barów tapas.

Byłam jej wdzięczna za ratunek i skierowanie rozmowy na mniej kontrowersyjny temat, który nie skończy się u mnie wybuchem pijackiego płaczu. Zdecydowanie zbliżałam się do etapu imprezy, na którym potrzebny jest jakiś balast w żołądku, choćby i przypalony burger.

Słuchając, jak Sally wspomina swoje podróże, myślałam tylko o jednym: wsiąść rano do samolotu, tak jak za dawnych czasów, z plecaczkiem i przekonaniem, że rezerwowanie noclegów jest dla starych pryków, bo przecież wszyscy wiedzą, że człowiekowi wystarczy kawałek arbuza, paczka fajek Benson & Hedges i śpiwór.

Kiedy Sally narzekała na samotne podróżowanie, „bo przecież jesteś daleko od domu, bez nikogo, z kim mogłabyś się podzielić radością z tych pięknych widoków czy restauracji — dlatego wrzucam tyle zdjęć na Facebooka", dla mnie brzmiało to jak raj na ziemi. Dałabym wszystko, żeby móc sobie gdzieś pojechać bez sztywnego planu i ograniczeń, wybrać dowolną drogę, która mi się spodoba, bez kłótni z nikim, że inną trasą będzie szybciej. Połazić po rynku, targu, galerii albo pogapić się na toczące się wokół życie, siedząc na jakimś placu, bez nikogo, kto zaraz będzie potrzebował, żeby go nakarmić. Czy w ogóle czegoś potrzebował. Jedyny problem polegał na tym, że po latach podróżowania całym stadem, kiedy to Jack zajmował się paszportami, biletami i załatwianiem odpowiedniego ubezpieczenia, a ja dreptałam gdzieś na końcu, upewniając się, czy nie zgubiliśmy torby, kurtki albo dziecka, nie byłam pewna, czy potrafiłabym znaleźć drogę do sieciówki z kanapkami, gdyby ktoś mi jej nie pokazał palcem.

Niezła dawka syfu do zwalenia na głowę babce, której prawdopodobnie nigdy bym nie poznała, gdyby nie wprowadziła się na tę samą ulicę. Żeby ukryć fakt, że byłam matką w średnim wieku, która najwyraźniej trzyma się tylko prowizorycznie, jakby spięta spinaczem, uczepiłam się tematu Facebooka.

— O, tak, jest świetny do podtrzymywania kontaktów i sprawdzania, co u kogo słychać.

Na to Sally wyciągnęła telefon i zaczęła szukać mojego profilu. Podsunęła mi ekran pod nos.

— To ty z Olliem, prawda? Dodam cię do znajomych.

Kiwnęłam głową.

— To my w zeszłym roku, kiedy zawieźliśmy go do Bristolu na praktyki.

Nie wspomniałam, że Hannah przez całą drogę nam truła, jakim prawem śmieliśmy zerwać ją bladym świtem. Skończyło się awanturą w rodzaju tych, które od aktualnego wkurzającego zachowania prowadzą do całej litanii pretensji z powodu zabierania cudzych ładowarek do telefonu i ustawiania brudnych garów na zmywarce, zamiast zaryzykować jej otwarcie, bo mogłoby się okazać, że trzeba ją wypakować. Kiedy w końcu wysiedliśmy z samochodu przy nabrzeżu, byłam w stanie furii, bliska odmaszerowania z krzykiem i powrotu do domu pociągiem. Ollie odpowiadał monosylabami. Brutalna wymiana obelg między mną a Hannah stargała mu nerwy, już napięte perspektywą pierwszego dnia praktyk. Tuż przed pożegnaniem z Olliem poprosiłam Jacka, żeby zrobił zdjęcie, bo łaknęłam dowodów, iż przynajmniej jedno dziecko udało mi się jakoś wychować. Ollie posłusznie objął mnie ramieniem, mimo że chciał się od nas jak najszybciej oddalić. Uśmiechnęłam się do niego, spoglądając w górę, bo miał metr osiemdziesiąt osiem. Nie było widać, że oczy błyszczą mi od łez.

Właśnie w tym momencie podszedł Ollie z tacą pierwszych kiełbasek z grilla i dumnie kroczącą u jego boku Natalie.

— Właśnie mówiłyśmy o twoich praktykach w Bristolu — zagaiła Sally. — Sama zaczynałam tam karierę, w hurtowni wina. Będziesz tęsknił za tym miastem, kiedy we wrześniu wrócisz do Bath?

Ollie zerknął nerwowo na mnie, a potem na Natalie. Patrzyła na niego wyczekująco, z uniesionymi brwiami. Zaczerwienił się.

— Nie będę mieszkać w Bath. Nat ma dom w Bristolu, więc zatrzymam się u niej.

Nagle zrozumiałam tę niechęć do opowiadania mi o swoich planach mieszkaniowych na następny rok. Słyszałam w jego głosie błaganie: „Proszę, nie rób sceny i nie rób mi wstydu przed tą kobietą w średnim wieku, która, akurat tak się składa, jest moją dziewczyną".

— Nie wykończą cię dojazdy? — rzuciłam lekkim tonem. — Zwłaszcza jak zacznie się zima? Nie będziesz czuł, że omija cię ostatni rok z chłopakami?

Wzruszył ramionami.

— W zasadzie nie. I tak będę ich widywał na uniwerku. Pewnie też uda mi się więcej pracować i się uczyć. A poza tym strasznie trudno jest znaleźć sensowny dom dla pięciu osób. — Wziął Natalie za rękę, taca z kiełbaskami zachwiała się niebezpiecznie. — Oboje tego chcemy.

Odczułam tę liczbę mnogą jak cios w żołądek. To koniec. Mój syn oderwał ostatni kawałek rzepu, którym był do mnie przyczepiony, i związał się z inną kobietą, wiele lat wcześniej, niż przewidywałam. Nawet nie zdążyłam się na to przygotować.

Najwyraźniej ten dwudziestoletni chłopak z mojego zdjęcia profilowego, zdenerwowany i niepewny, o kogo zapytać na recepcji pierwszego dnia pracy, był teraz dwudziestojednoletnim mężczyzną, wprowadzającym się do kobiety, która zapewne już odkłada na emeryturę.

Uśmiechnęłam się promiennie.

— No to całe szczęście, że masz załatwione mieszkanie na następny rok. Koniecznie trzeba to oblać. Więcej szampana!

Wbiegłam do domu. Zamknęłam się w łazience i zapłakałam rzewnie nad tym chłopaczkiem, który nie pozwolił mi wyrzucić niebieskiego króliczka przytulanki z czasów, kiedy był malutki, ale rezygnował z ostatniego beztroskiego roku na studiach dla kobiety, która powinna wiedzieć lepiej i się opamiętać. Cała nadzieja w tym, że ręczniki na podłodze łazienki, puste rolki po papierze toaletowym i okruszki na kuchennych blatach będą studzić namiętność narzeczonej, która jest w na tyle zaawansowanym wieku, by posiadać mop, druciak do szorowania patelni oraz szczotkę do kibla i by wkurzać się niemożebnie, kiedy te przedmioty nie są używane.

Trzymam kciuki.

ROZDZIAŁ 7

KATE

Piątek, 28 lipca

W ten piątek w pracy było spokojnie: mieliśmy wezwanie do dziewięćdziesięcioletniej kobiety, która upadła, i do faceta, który myślał, że dostał zawału w indyjskiej knajpie, ale okazało się, że w ramach zakładu zjadł cztery surowe papryczki chili i po prostu cierpiał na potworną niestrawność. Kiedy więc szef zaproponował, że puści mnie wcześniej, ponieważ poprzedniego dnia zatrzymano mnie na dłużej w szpitalu, pokusa powrotu do domu przed północą była zbyt silna, by się jej oprzeć.

Jechałam przez Parkview. Z przyzwyczajenia wypatrywałam zaparkowanych samochodów, w których ktoś siedzi. Minęłam dom Giseli, gdzie w oknie od frontu paliły się świece. Sama jedna musiała się poważnie dokładać do globalnego ocieplenia. Zobaczyłam ją na kanapie z Jackiem, przed nimi na stoliku stała butelka wina. Nie potrafiłam dokładnie określić emocji, którą poczułam. Coś jakby zazdrość, ale bez pragnienia, by Gisela była nieszczęśliwa zamiast mnie.

Właśnie myślałam o tym, jak dawno już nie robiłam czegoś tak prostego jak wypicie kieliszka wina przed telewizorem z kimś innym niż mama — a teraz nie miałam nawet jej — kiedy uświadomiłam sobie, że w moim domu palą się wszystkie światła na dole. Skręciłam na podjazd, czując wzbierającą irytację. Daisy zapewniała, że kiedy mnie nie ma, kładzie się spać najpóźniej o jedenastej. Budzenie jej w sobotę, żeby zdążyła na 5.30 do weekendowej pracy w Tesco, już wystawiało moją cierpliwość na próbę, do czego dochodziło poczucie winy. Nie było mnie stać na fundowanie jej żadnej z tych rzeczy, które robiła Hannah — „Lunch z mamą w Shardzie", „Dzisiaj kino, a potem coś przekąsimy w Nando's", „Mały wypad na zakupy do Guildford".

Pchnęłam frontowe drzwi i usłyszałam stłumiony hałas w salonie. Wparowałam do środka, gotowa kazać Daisy iść do łóżka, i zobaczyłam Hannah, która z trudem usiłowała usiąść, podciągając ramiączka stanika, a chłopak, którego nie rozpoznałam, wkładał przez głowę T-shirt. Daisy znikała właśnie w kuchni, a za nią wysoki chudzielec, któremu nie dodawał urody ogromny kolczyk rozpychający płatek ucha.

— Daisy!

Stanęła w drzwiach z rumieńcem na policzkach.

Hannah odezwała się pierwsza, zalewając mnie potokiem afektowanych słówek z pewnością siebie osoby przyzwyczajonej do tego, że się jej wybacza.

— Dobry wieczór, Kate. Mam nadzieję, że się nie gniewasz, że tu jesteśmy. Daisy wysłała mi esemesa, bo usłyszała jakiś hałas, więc pomyśleliśmy, że dotrzymamy jej towarzystwa, dopóki nie poczuje się na tyle bezpiecznie, żeby się położyć spać.

Nie kazałam jej się zamknąć tylko dlatego, że lubiłam Giselę. Mała tupeciara.

Daisy, oparta o framugę, wyglądała, jakby się miała rozpłakać.

Wzięłam głęboki wdech.

— Kim są twoi znajomi?

Czekałam, żeby mi powiedziała, że to koledzy Hannah ze szkoły, ale przygryzła wargi i wskazała skinieniem głowy chłopaka stojącego obok Hannah, tego z uśmieszkiem, który z rozkoszą starłabym mu z twarzy.

— To Ryan — powiedziała Daisy — a to Joe.

— W porządku? — wykrztusił Joe w moją stronę.

Przełknęłam ślinę.

— No dobra, jest dosyć późno, więc chyba pora, żebyście wy dwaj zmykali do domu, bo Daisy ma jutro pracę.

Hannah zerwała się z miejsca, gotowa się zmyć, ale zdążyłam dostrzec malinkę na jej szyi. Powstrzymałam ją gestem dłoni.

— Poczekaj, odprowadzę chłopców do drzwi.

Podniosłam ze stołu bibułki do robienia skrętów i rzuciłam nimi w Joego, który wypadł na zewnątrz w takim tempie, że mignęły mi jego gołe stopy z pośpiesznie wciągniętych adidasów.

Ryan się nie spieszył, wychylił się zza mnie i puścił do dziewczyn oko.

— Do miłego, Helen. Wspaniały wieczór. Dzięki, Daisy — powiedział, jakby występował w swojej własnej telenoweli.

Zatrzasnęłam za nimi drzwi.

Spojrzałam przelotnie na Hannah, która zakładała włosy za uszy i usiłowała nawiązać ze mną kontakt wzrokowy.

— Co to za chłopcy, Daisy? Nie wiedziałam, że już kogoś tutaj znasz?

Zawahała się i spojrzała na Hannah, szukając wsparcia. Ta otworzyła usta, żeby coś powiedzieć, ale spiorunowałam ją wzrokiem i zrezygnowała.

— Daisy? — ponagliłam.

— No, tak normalnie ich poznałyśmy.

— Normalnie? Czyli jak?

Hannah była jak uczennica w klasie, która zna odpowiedź i wyciąga rękę aż pod sufit.

— Znam ich ze szkoły — wypaliła.

— Myślałam, że chodziłaś do szkoły dla dziewcząt?

Umilkła na sekundę.

— No tak — powiedziała — ale boiska i basen dzieliłyśmy ze szkołą dla chłopców, świętej Etelburgi, kawałek dalej przy tej samej ulicy.

Przejeżdżałam obok szkoły świętej Etelburgi po drodze do pracy. Był to miejscowy odpowiednik Eton, z basenem olimpijskim i boiskami do rugby.

— To twoi koledzy? Twoja matka wie, że jesteś tutaj z nimi?

— Nie wiedziałyśmy, że przyjdą — uśmiechnęła się Hannah. — Tak wyszło, trochę w ostatniej chwili. Mama wie, że dotrzymuję Daisy towarzystwa. Nie miałaby nic przeciwko.

Dobił mnie ten lekko urażony ton, jakbym robiła aferę bez powodu. Nie wytrzymałam.

— Nie jestem pewna, czy nie będzie miała nic przeciwko temu, że migdalisz się z chłopakiem i wracasz do domu z wielką malinką na szyi.

Jeden zero dla mnie. Hannah na chwilę spuściła oczy i spochmurniała. Mina Daisy wyrażała mieszankę buntu i strachu.

— No dobrze, wyjaśnijmy sobie raz na zawsze, że kiedy jestem w pracy, bardzo chętnie się zgadzam, żebyś tu przychodziła, Hannah, ale tylko ty, nikt inny. Nigdy. Czy to jasne?

— Jak słoneczko.

Cóż za pyskata dziewucha. Osiemnastolatka, której się wydaje, że może mnie wykiwać.

— Jeszcze jedno. Skoro to byli twoi koledzy, dlaczego Ryan nazwał cię Helen?

— Wcale nie.

— Chcesz się przekonać?

W oczach Daisy zaczynały wzbierać łzy. Nieźle się wkopałam. Skoro zaciągnęłam Daisy do innego miasta, z dala od wszystkich jej znajomych, powinnam być wdzięczna, że tak szybko znalazła sobie towarzystwo. Ale dlaczego musiała to być akurat Hannah? Nie mogłam się doczekać września, kiedy ta mała zaraza wyfrunie na studia.

Na widok błagalnej miny Daisy ustąpiłam.

— Chyba wszystkie powinnyśmy iść spać. Musimy jutro wcześnie wstać.

Hannah odwróciła się do Daisy.

— Pa. Napiszę jutro.

Odprowadziłam ją do drzwi.

Kiedy wróciłam do salonu, Daisy płakała, ale nie mogłam odpuścić, dopóki nie dowiem się prawdy.

— Jak poznałyście tych chłopaków?

Przyciągnęła poduszkę z kanapy i przykryła nią kolana.

— Tak jak mówiła Hannah. Znała ich ze szkoły.

— Daisy, nie ma mowy, żeby skinhead z wielką ziejącą dziurą w uchu mógł chodzić do liceum świętej Etelburgi. Nie z takim wyglądem.

Daisy wstała i zaczęła się krzątać, zbierać szklanki i pudełka po pizzy.

— Jeśli mi nie powiesz, porozmawiam z Giselą.

Odwróciła się, jej twarz wyrażała absolutną panikę.

— Nie możesz.

— No to skąd ich znacie? — Strach zmieniał mnie w despotyczną jędzę.

— Poznałyśmy ich na Facebooku — powiedziała ledwie słyszalnie. — Hannah należy do grupy osób, które lubią klub Shalimar. Właściwie nie chciałam, żeby przychodzili, ale ona stwierdziła, że będzie fajnie.

— Ale ty nie jesteś na Facebooku, co?

Daisy zaczęła mocniej płakać.

— Jesteś. Proszę, powiedz, że nie podałaś, gdzie mieszkamy. Daisy! Na litość boską! Pokaż. Pokaż mi w tej chwili. — Podbiegłam do komputera. — No, już!

Omal jej nie darowałam, patrząc, jak z ociąganiem stuka w klawiaturę. Moja biedna córeczka, która nigdy nie mogła być normalną nastolatką. Przeze mnie.

W końcu weszła na swoje konto, ze stokrotką jako zdjęciem profilowym. Bicie serca mi się uspokoiło, kiedy przeczytałam: „Mieszka w Peterborough". Bogu dzięki, nie zaktualizowała adresu. Na świecie muszą być tysiące dziewczyn o nazwisku Daisy Jones. I właśnie o to mi chodziło.

Położyłam jej rękę na ramieniu.

— Myślałam, że uzgodniłyśmy, że nie będziesz miała konta w mediach społecznościowych. Kiedy je założyłaś?

— Cztery lata temu.

— Jak miałaś trzynaście lat?

Kiwnęła głową. Mieszkałyśmy wtedy w Peterborough mniej więcej od roku. Zaczęła nową szkołę, od drugiej klasy gimnazjum, a do tego czasu dziewczyny zdążyły już się podobierać w koteryjki, okopać na swoich pozycjach i podnieść most zwodzony. Byłam bliska załamania, widząc codziennie rano jej pobladłą twarzyczkę, kiedy wchodziła do szkoły, niepewna, czy będzie próbowała się przyłączyć do innych, czy pogodzi się z byciem outsiderką.

— Po prostu chciałam się dopasować, mamo. Inni byli na Facebooku i wszystko mnie omijało. Przepraszam.

— Zamkniesz swoje konto?

Zgarbiła się nad komputerem.

— Nie mogę.

— Nie będziesz utrzymywać jakiegoś głupiego konta na Facebooku tylko dlatego, że musisz rozmawiać z chłopakami w rodzaju Ryana i Joego. — Usiłowałam nie podnosić głosu do krzyku, ale czułam, że w tej walce jestem daleka od zwycięstwa.

Daisy podniosła głowę.

— Mamo! — powiedziała tonem, w którym błaganie mieszało się ze sprzeciwem. — Nie mogę go zamknąć.

— Chcesz, żeby zaczęło się po raz kolejny? Chcesz znów bać się wyjść z własnego domu?

Zrobiło mi się niedobrze. Jej głos przepełniony wściekłością i smutkiem. Twarz, kiedyś bezpieczna przystań, ciepło i serdeczność, twarz, której wypatrywałam w tłumie, dziś wykrzywiona i mściwa.

Daisy wytarła nos rękawem. Uniosła podbródek w geście sprzeciwu, który tak rzadko widywałam.

— Nie zamknę konta na fejsie, bo w ten sposób gadam z tatą.

Opadłam na kanapę.

— Nie wiedziałam, że jesteś w kontakcie z Oskarem. Zastanawiałam się, dlaczego przestał przysyłać kartki i listy.

Szesnaście lat, a ja wciąż czułam się, jakby ktoś owinął moje serce w folię bąbelkową i wrzucił na samo dno zamrażarki. Wiedziałam, że jestem zdolna do odczuwania emocji tylko wtedy, kiedy myślałam, że coś mogłoby się stać Daisy.

— Jest beznadziejny, jeśli chodzi o telefon — wyjaśniła. — Nigdy mi nie odpowiada na esemesy. Ale zawsze odpisuje, jak mu wyślę wiadomość na Facebooku. I mogę też zobaczyć wszystkie jego zdjęcia.

Powstrzymałam się, by nie spytać, co takiego widziała, jak teraz wygląda jego życie.

— Muszę wiedzieć, co tam robisz, z kim się kontaktujesz.

— Nie dam ci swojego hasła. Jak mam pisać tacie o tym, co chcę, skoro będziesz to czytać?

Bałam się myśleć, o czym go informowała. Mogłam się założyć, że Oskar ma setki cholernych uwag co do tego, jak ją wychowywałam. Jego szczęście, że był tysiące kilometrów stąd i nikt nie kontrolował, jakim jest rodzicem, chociaż pewnie sam nie widział tego w ten sposób.

Daisy popatrzyła na mnie z nadzieją.

— A może mogłabym założyć ci konto? Wtedy dodałabyś mnie do znajomych i widziałabyś, co robię. Ale nie mogłabyś zobaczyć moich prywatnych wiadomości do taty.

Cisnęła mi się na usta odpowiedź, żeby nie była taką głupią dziewczyną. Ponieważ jednak rozpaczliwie pragnęłam wynagrodzić jej wszystko, co musiała znosić, zgodziłam się:

— No dobrze, ale nie wrzucaj mojego zdjęcia ani niczego, po czym można by się zorientować, gdzie mieszkamy.

ROZDZIAŁ 8

GISELA

Czwartek, 17 sierpnia

Zdjęcie: Hannah robi dramatyczną, przerażoną minę do obiektywu.
Podpis: Nie śpimy od 6 rano, czekając, aż UCAS się zaktualizuje! #TrzymamKciuki #WynikiMatury

Strona UCAS*, z której mieliśmy się dowiedzieć, czy Hannah dostała się na Uniwersytet Exeter, czy na uczelnię w Sussex, będącą jej drugim wyborem, jeszcze nie została zaktualizowana, kiedy o wpół do ósmej wyruszyłyśmy z domu, żeby odebrać wyniki matury.

Hannah przez całą drogę do szkoły klikała „odśwież", głośno klnąc.

— Nie wiem, dlaczego nie mogą, dzbany jedne, zamieścić wyników wcześniej. Przecież uczelnie musiały wiedzieć w zeszłym tygodniu, jakie mamy stopnie, żeby mieć czas zdecydować, komu przyznać miejsce.

* Universities and Colleges Admission Service — serwis internetowy obsługujący rekrutację do szkół wyższych w Wielkiej Brytanii.

— Tak samo było, jak Ollie sprawdzał wyniki — uspokajałam ją. — Zdążyliśmy już dotrzeć do szkoły, kiedy się dowiedział, że dostał się do Bath.

Do wjazdu na parking czekała długa kolejka samochodów. Hannah otworzyła drzwiczki.

— Znajdź miejsce, a ja pójdę po wyniki — rzuciła.

— Nie chcesz, żebym poszła z tobą?

— Nie. Poradzę sobie.

Ukryłam rozczarowanie. A tak chciałam zobaczyć ten moment, kiedy spływa na nią ulga. W końcu zaparkowałam gdzieś daleko na poboczu i szybkim krokiem zmierzałam w stronę szkoły, mijając inne matki, z którymi życzyłyśmy sobie wzajemnie powodzenia. Czułam irytację, że to właśnie te, których dziecko miało same szóstki, mistrzowsko grało na fortepianie i ogólnie było wunderkindem, wieszczyły katastrofę: „No, zobaczymy, zawsze jest jeszcze rekrutacja uzupełniająca", co tak naprawdę oznaczało „Zdecydowanie będzie cztery razy po 90 procent".

Pierwsi maturzyści już wychodzili, kierując się na parking. Niektórzy podbiegali, machając papierami, inni szli wolnym krokiem, żeby pokazać, jacy są cool, jeszcze inni wygłupiali się, robiąc sobie selfie, przysunięci blisko siebie, ich młodzieńcze twarze rozświetlała radość. Wypatrywałam Hannah w tym tabunie, przygotowując aparat w telefonie, żeby uchwycić moment, w którym wybija się, jak na trampolinie, by skoczyć ku reszcie swojego życia.

Tłum się przerzedzał. Zakiełkowało we mnie ziarenko niepokoju. Wróciłam na parking, skąd miałam widok na schody prowadzące do auli. Wciąż zbiegały po nich dziewczyny i chłopaki, ku nowemu życiu i wolności — za chwilę wyjadą z domu, ale jeszcze nie będą musieli brać na barki ciężaru odpowiedzialności związanej z dorosłością. Te wszystkie szczęśliwe twarze, na których wypisana była wiara, że przyszłość przyniesie im coś dobrego, i przekonanie o własnej sile, o swoim znaczeniu w świecie. Bił z nich blask młodości, świeżość jeszcze nie przeorana zgryzotami dorosłego życia. Powietrze wypełniały okrzyki: „Dostałam się do Bristolu!", „Politologia w Manchesterze!", „Dziewięćdziesiąt pięć z matmy!".

Wciąż nigdzie nie było widać Hannah. Mój telefon zawibrował. Zerknęłam na ekran, spodziewając się od niej wiadomości w rodzaju: „jest kolejka" albo „pocieszam koleżankę", albo „robimy sobie grupowe zdjęcie".

„Bardzo źle mi poszło. Podjedź po mnie na parking dla nauczycieli, żebym nie musiała mijać wszystkich".

Żołądek mi się zacisnął. Co to znaczy „źle"? Siedemdziesiąt zamiast dziewięćdziesięciu?

Zadzwoniłam do niej.

— Co? — warknęła, szlochając, do telefonu.

— Kochanie, co się stało? Co dostałaś? Nie może być aż tak źle. Załapałaś się na swój rezerwowy wybór?

— Nie chcę teraz o tym mówić.

— Ale czy nie musimy z kimś porozmawiać o rekrutacji uzupełniającej, jeśli nie dostałaś się tam, gdzie chciałaś?

— NIE IDĘ, KURWA, NA ŻADNE STUDIA. Podjedź po mnie, do cholery.

Rozłączyłam się. Nie było sensu z nią rozmawiać, kiedy była w takim stanie. Miałam nadzieję, że nauczyciele jej nie słyszą.

Uznałam, że najszybszym sposobem ograniczenia szkód będzie pójście po nią. Wbiegłam po schodach, przeklinając się w duchu za wybór szkoły na wzgórzu. Zasapana przedarłam się przez świętujące i wiwatujące grupki, wyrzucające pięści w powietrze i śpiewające *We are the Champions*. Hannah siedziała skulona na ławce, a karta z wynikami jej matury leżała na ziemi w postaci drobniutkiego confetti.

Usiadłam obok niej.

— Może pójdę pogadać chwilę z nauczycielkami, żeby zobaczyć, co powinniśmy zrobić?

— Maaamooo! Nie da się nic zrobić. Dostałam sześćdziesiąt parę, pięćdziesiąt parę i czterdzieści.

Cóż, w tej sytuacji Uniwersytet Exeter, ze swoim „Jeśli będziemy twoim pierwszym wyborem, zaakceptujemy wyniki powyżej 80%-80%-70%", rzeczywiście wydawał się nieco ambitnym celem.

Miałam ochotę wparować do auli, gdzie wszyscy nauczyciele pewnie gratulowali sobie, że wyciągnęli tyle osób na szóstki, i zażądać zwrotu mojej cholernej kasy. Wydaliśmy Bóg wie ile na prywatną szkołę, ale teraz żałowałam, że nie przepuściłam wszystkiego na wycieczkę na Borneo, żeby zobaczyć orangutany.

— Chodź, wracamy do domu — zadecydowałam.

Szlochała, kiedy schodziłyśmy po schodach, a mijane matki zaciskały usta i patrzyły na mnie, jakbym była w żałobie po stracie kogoś bliskiego. Bo byłam. W żałobie po śmierci swojego marzenia dotyczącego córki.

Przez lata chodziłam na firmowe imprezy Jacka, gdzie sadzano mnie między jakimiś ważniakami z korporacji, którzy w pewnym momencie podczas wieczoru zwracali się do mnie słowami: „A pani czym się zajmuje?". I natychmiast, słysząc odpowiedź: „Domem i dziećmi", uciekali wzrokiem, szukając kogoś godniejszego ich wyrafinowanego intelektu. Raz jakiś zażywny jegomość z włosami w nosie, które wyglądały, jakby można było z nich zrobić szczotkę do szorowania, powiedział: „Czy to nie marnowanie wykształcenia uniwersyteckiego?", a ja wymamrotałam, że poszłam do pracy zaraz po szkole. Zerknął ponad stołem na Jacka i powiedział: „Ale przecież pani mąż jest taki inteligentny. No, ale z pani, trzeba przyznać, istna ślicznotka". Jack to zlekceważył: „Stary głupi buc. Gdybyś nie została w domu, żeby opiekować się dzieciakami, nie mógłbym robić tego, co robię".

Za każdym razem, kiedy działo się coś takiego, zjawiał się z brylantową bransoletką albo wystrzałową torebką, mówiąc: „Ja cię doceniam". Co było cudowne — ale o wiele bardziej wolałabym być wielką ważną prawniczką niż siedzącą w domu „ślicznotką".

Jeszcze przed urodzeniem Hannah obiecałam sobie, że jeśli kiedyś będę miała córkę, dostanie najlepsze wykształcenie, jakie mogą zapewnić pieniądze. To, że w mojej lokalnej grupie dla matek z dziećmi największym atutem okazywało się poświęcenie kariery czy wyzwań intelektualnych, umocniło mnie w tym przekonaniu. Kobiety, które studiowały na najlepszych uczelniach, a potem miały niezłą pracę — adwokatki, nauczycielki, księgowe — dziwnym trafem uważały, że mają monopol na uznawanie macierzyństwa za ciężkie. „Mam poczucie winy, że to mówię, ale nie mogę się doczekać powrotu do stymulacji intelektualnej, jaką daje mi praca". „To dla mnie strasznie trudne, po kierowaniu własnym zespołem, że mam być na zawołanie małego człowieczka, który nie chce słuchać poleceń", potem następował autoironiczny śmiech. Najwyraźniej zakładały, że reszta z nas jest zbyt tępa, żeby odczuwać jakieś intelektualne potrzeby, jakby nasze szare komórki zadowalały się jedynie odmierzaniem calpolu w dawkach po pięć mililitrów.

A teraz historia miała się powtórzyć.

Kiedy wróciłyśmy do domu, Jack spojrzał na Hannah, która wyglądała jak uosobienie nieszczęścia, zaryczana i czerwona, jednak i tak powiedział:

— Jak wyniki, dostałaś to, co potrzebne do Exeter?

Wrzasnęła na niego i pognała na górę.

— Na litość boską! Przecież widziałeś, w jakim jest stanie. Umknęła ci zależność między tym, że płacze, a tym, że zapewne nie dostała potrzebnych punktów? W dniu ogłoszenia wyników?

Jack wzruszył ramionami.

— Przepraszam. Po prostu próbowałem…

— Co próbowałeś? Zrobić z beznadziejnej sytuacji jeszcze bardziej beznadziejną i napiętą? No, to ci się udało.

Po kilku minutach trzaskania garami w kuchni, z Jackiem kręcącym mi się za plecami, wydusiłam, jakie dostała wyniki, i sama się rozpłakałam. Zrobił krok w moją stronę, ale go odpędziłam.

— Jak to się stało, że tak słabo zdała? Myślałem, że całkiem sporo się uczyła — powiedział.

Nie byłam pewna, skąd Jack miałby to wiedzieć, skoro przez ostatnie pół roku rzadko bywał w domu. Na pewno nie zawracał sobie głowy pomaganiem w kuciu do cholernych testów z biologii. Wystarczyło, że usłyszałam słowo „drożdże", a już chciałam krzyknąć, że są jednokomórkowe.

— Bóg raczy wiedzieć — wymamrotałam poirytowanym tonem i skupiłam się na swoim laptopie. Weszłam na Facebooka, żeby skasować zdjęcie Hannah sprzed kilku godzin, kiedy pełna nadziei czekała na potwierdzenie przyjęcia na studia, a ja w duchu byłam jeszcze pewna, że największą tragedią będzie 70 procent z geografii.

Mój facebookowy timeline był zapchany zdjęciami uśmiechniętych nastolatków. Każda matka na świecie była #TakaDumna, oprócz mnie, która byłam #TakaWkurwiona.

Zaczęłam czytać komentarze pod tym nieszczęsnym zdjęciem Hannah z dzisiejszego poranka. Wśród wszystkich „Powodzenia!" i „Na pewno świetnie jej pójdzie!" ujrzałam wpis Sarah, matki Faith, koleżanki Hannah z podstawówki (Faith przeżywała załamanie, jeśli Hannah dostała lepszą od niej ocenę z dyktanda): „Dostała się do Exeter na studia biznesowe? Moja córka jedzie do Bristolu na filologię klasyczną — jej pierwszy wybór!". A dalej butelki szampana i fajerwerki. Założę się, że już wiedziała, że Hannah umoczyła. Jej radar wykrywania katastrof maturalnych pewnie pracuje na granicy przegrzania. Wyobrażając sobie, jak będą się z Faith napawać, kręcąc głowami i mówiąc „Ciekawe, co poszło nie tak?", miałam ochotę rozbić pięścią ekran laptopa.

Zamiast tego napisałam: „Hannah jeszcze się zastanawia, czy warto zaciągać taki duży dług, chociaż biznes jest znacznie praktyczniejszy od wielu innych kierunków". W chwili, kiedy wcisnęłam „Wyślij", wiedziałam, że właśnie zrobiłam sobie wroga na całe życie. Sarah nie puści takiego komentarza płazem, ale w tej chwili byłam gotowa do walki z każdym, kto się odważy podjąć rękawicę.

Poszłam na górę do Hannah. Leżała na łóżku z głową schowaną pod poduszką — obraz nastoletniej rozpaczy. Przewróciła się na bok.

— Idź sobie.

— Kochanie, porozmawiajmy. Wiem, że jesteś rozczarowana — powiedziałam, z całych sił tłumiąc chęć, żeby krzyknąć, że ja też. — Ale znajdzie się jakieś rozwiązanie. Możemy zobaczyć, co z rekrutacją uzupełniającą albo z poprawką, jeśli tego chcesz.

Usiadła i spuściła nogi z łóżka, a ja poczułam dumę, że potrafię dotrzeć do córki nawet w najgorszych chwilach.

Na jej twarzy dojrzałam wyraz obrzydzenia, kiedy stwierdziła:

— Jestem tępa. Tak jak ty.

Zignorowałam potworne ukłucie bólu i krzywdy, i tym samym spokojnym tonem tłumaczyłam, że nie miałam tyle szczęścia, żeby otrzymać taką wspaniałą edukację jak ona, i kiedy byłam w jej wieku, moi rodzice bynajmniej mnie nie zachęcali do pójścia na studia. Wystarczała im wizja mojej przyszłości, w której przez parę lat poobijam się w jakimś biurze, a potem znajdę męża. Zresztą tak mniej więcej to wyglądało. Ten moment nie był jednak właściwy, by zauważyć, że w istocie zdałam maturę lepiej od Hannah.

— No tak, ale byłaś biedna, mamo. Normalnie słyszę te smutne skrzypce. Idź sobie. Nie pomagasz mi.

Nic nie odpowiedziałam i zeszłam na dół. Niemal żałowałam, że nie nawrzeszczałam na nią, zamiast pozwalać jej wyżywać się na mnie za doznany zawód. Z kolei Jack stwierdził, że musi wykonać kilka pilnych telefonów, co z pewnością potrwa tak długo, aż zblednie ryzyko, że zostanie wezwany, by zająć się nie tylko jasną stroną rodzinnego życia.

Zalogowałam się, żeby napisać maila do szkoły z pytaniem, jakie są następne kroki w tej sytuacji. Na monitorze wciąż miałam otwartą swoją stronę na Facebooku. A tam cholerna Sarah napisała: „Faith ma prawdziwą pasję — i talent — do swojego przedmiotu i jestem pewna, że pracodawcy zobaczą, że każdy, kto skończył taki trudny kierunek, bije na głowę kogoś po studiach, które z pozoru wydają się praktyczniejsze".

Głupia krowa.

Ktoś inny przystąpił do ataku: „Za dużo dzieciaków idzie dziś na studia. Za dużo ściemnionych, bezużytecznych kierunków! Młodzi powinni iść do roboty i poznać wartość prawdziwej pracy".

Na co partner biznesowy Jacka, Mike, odpisał: „Ale studia to nie tylko dyplom. To całe doświadczenie, poznawanie nowych ludzi z różnych środowisk".

Wtrącił się facet, którego poznaliśmy na wakacjach na Sri Lance: „Można to zrobić równie dobrze i w pubie, bez wydawania dziewięciu tysi rocznie".

A potem, niczym pytania do premiera w parlamencie, dyskusja wymknęła się spod kontroli. Włączali się ludzie, których ledwo znałam — chłopak, który kiedyś wyprowadzał naszego psa, jakaś apodyktyczna małpa z klubu tenisowego, dawna koleżanka ze szkoły, której nie widziałam od trzydziestu lat.

„Potrzebujemy mniej dyplomów z nauk o sporcie, a więcej młodych ludzi, którzy są w stanie przyjść punktualnie i znają tabliczkę mnożenia".

„Pokolenie płatków śniegu!* Połowa w ogóle nie kończy studiów, a mają internet. Nawet nie muszą chodzić do biblioteki i przedzierać się przez setki podręczników, żeby znaleźć to, co im potrzebne".

„Znacznie lepiej zdobyć konkretny zawód!"

Trener osobisty, z którym kiedyś ćwiczyłam przez jakieś dwa tygodnie, zanim uznałam, że jednak za bardzo lubię pić, napisał: „Wywalanie kasy w błoto. Sorry, ale kto potrzebuje gównianego dyplomu ze starorzytnej greki?".

Sarah odpowiedziała: „Zapewne myślisz, że biblioteki, muzea i galerie sztuki powinno się zamknąć, bo kultura jest nieistotna? Albo ortografia, przy okazji! To przez takich jak ty UK głosowało za brexitem!".

No oczywiście, nie ma dyskusji na fejsie bez wspominania o brexicie. Pewnie przy debacie o tym, co zrobić, żeby powstrzymać kłusowanie na nosorożce w Afryce, też by się pojawił.

* Pokolenie ludzi wchodzących w dorosłość w II dekadzie XXI w. Ma ich charakteryzować przekonanie o własnej wyjątkowości (każdy jest niepowtarzalny, jak płatek śniegu), nadwrażliwość, brak umiejętności radzenia sobie z przeciwnościami.

Próbowałam zastopować lawinę złośliwości, którą uruchomiłam: „Może zgodzimy się wszyscy, że mamy różne zdania na ten temat? Trzymam kciuki za tych, którzy chcą iść na studia, i za tych, którzy wolą od razu znaleźć pracę. W życiu z punktu A do punktu B można dojść na dużo różnych sposobów".

Ale Sarah, która kiedy dziewczynki miały sześć lat, naskarżyła nauczycielce, że Hannah odpisywała od Faith na klasówce z matematyki i dostała od niej dwa punkty więcej, nie miała zamiaru z nikim się zgadzać. „Świetna filozofia, za którą można się schować, jak nie dasz rady dostać potrzebnych ocen, żeby iść na studia".

Zatrzasnęłam laptop. Niech reszta moich „znajomych" się z nią rozprawi.

ROZDZIAŁ 9

SALLY

Piątek, 1 września

Zdjęcie: Sally i Chris w dniu ślubu.
Podpis: Szczęśliwej dziesiątej rocznicy mojemu kochanemu mężowi.
#Zmiłością

Trzymałam rzecz w tajemnicy, czekałam, żeby zrobić mu niespodziankę w piątek rano, w dniu naszej rocznicy ślubu. Dałam mu kartkę ze zdjęciem butikowego hotelu w Hove, który dla nas wybrałam, tylko dla dorosłych. Ostatni raz, jeśli wszystko pójdzie zgodnie z planem. Ale miałam większe szanse na sukces, jeśli wokół nie będzie żadnych dzieci, które mogłyby pokazać Chrisowi, jak może wyglądać przyszłość.

— Pracujesz dzisiaj z domu, więc może moglibyśmy wyjechać troszkę wcześniej? — zaproponowałam.

Przegarnął palcami włosy.

— Nie wiedziałem, że to wszystko zaplanowałaś. Mam do przygotowania prezentację dla zarządu, a wpół do szóstej telekonfę i muszę jeszcze porozmawiać z FD o naszej prognozie na Q3. Chciałem pracować z domu właśnie po to, żeby móc dłużej posiedzieć.

Starałam się nie zwracać uwagi na pompatyczne skróty pana ważniaka. Jakby celowo bombardował mnie swoim biznesowym żargonem, czekając, żebym zapytała, kto to ten FD, by mógł mi cierpliwie wyjaśnić, że ma audiencję u dyrektora finansowego (o, przepraszam: financial directora) i utwierdzić się w przekonaniu, że jest wyżej ode mnie na korporacyjnej drabinie.

— Nie chciałeś skończyć wcześniej, skoro to nasza rocznica?

— Pomyślałem, że załatwię kwiaty i takie tam dziś wieczorem, kiedy następnego dnia nie spieszymy się do pracy.

Widziałam, że cała radość z mojej niespodzianki zmienia się w kolejny punkt do odhaczenia na liście obowiązków: „Przyjemnie spędzić czas z żoną. Kolacja z żoną bez sprawdzania komórki. Seks z żoną".

— Przepraszam. Chyba chciałam za dużo zrobić naraz. Nie spiesz się. Nawet jeśli dotrzemy tam o dziewiątej, pewnie jeszcze będziemy mogli zjeść kolację. Zadzwonię i się dowiem.

Chris kiwnął głową i zniknął w swoim gabinecie, z takim wyrazem twarzy, jakby właśnie odkrył, że ma półpaśca. Niezagrażającego życiu, ale powodującego poważne podrażnienie.

Wszystkiego najlepszego z okazji pieprzonej rocznicy.

Spędziłam dzień na nadrabianiu zaległości w papierkowej robocie, licząc po cichu, że Chris wpadnie do mojego gabinetu i powie, że przełożył parszywą „telekonfę" i możemy jechać. Czułam przemożną pokusę, żeby wyjąć z walizki jedwabną bieliznę, na którą się szarpnęłam w Victoria's Secret, i spakować cieliste nieobciskające gatki. Tylko że to zniweczyłoby mój plan.

Zapukałam do gabinetu Chrisa i zaraz uświadomiłam sobie, co robię. Pukam do drzwi we własnym domu, jak jakaś cholerna sekretarka. Weszłam do środka.

Zerknął na mnie poirytowany, warcząc do komórki:

— Oddzwonię.

— Wybacz. Nie chciałam przeszkadzać. Pomyślałam, że może cię spakuję, żeby przyspieszyć wyjazd.

— Jesteś kochana — uśmiechnął się. — Przepraszam, że taki ze mnie maruda. Strasznie ciężki tydzień.

Poszłam do naszej sypialni, żeby wybrać dla Chrisa kilka koszul i spodni, zmuszając się do ich starannego poskładania, zamiast wrzucić wszystko byle jak. Włożyłam obie nasze walizki do mojego samochodu, a potem siedziałam na dole i czekałam, usiłując nie liczyć mijających minut i nie myśleć o tym, że nie będę miała czasu, żeby popływać przed kolacją.

Weszłam na Facebooka i przewijałam stronę, przeglądając posty. Gisela wrzuciła zdjęcie curry na wynos — #gotowaniezklasą #piąteknaluzie. Jak na mój gust Gisela zawsze była na luzie. Nie byłam pewna, co właściwie robiła, poza kupowaniem przez internet świec zapachowych, narzut i przedmiotów, które moja matka nazywała durnostojkami — zabawnych talerzyków czy półmiseczków, zupełnie nienadających się do tego, by cokolwiek na nich podawać, szklanych pryzmatów i tabliczek z napisami, że gdzieś na pewno jest już „godzina wina". Jej facebookowy timeline był pełen hasztagów #naszdombardziejnasz #wdomunajlepiej #dekoracjawnętrz. Dom rzeczywiście wyglądał pięknie, ale byłam przekonana, że z nieograniczonymi zasobami czasu i pieniędzy większości ludzi udałoby się całkiem nieźle urządzić mieszkanie.

Zaczęłam się już zastanawiać, czy nie odwołać kolacji, kiedy Chris zjawił się na szczycie schodów.

— No dobra. Wreszcie. Przepraszam. Jedźmy i się zabawmy.

— Wszystko gotowe. — Zerwałam się z kanapy.

Chris ustawił alarm, a ja otworzyłam swój samochód.

— Dlaczego nie bierzemy lotusa? — zdziwił się.

Miałam ochotę powiedzieć, że prowadzi stanowczo za szybko, nie wrzuca kierunkowskazu przy zmianie pasa i śmiertelnie mnie przeraża, jak opiera jeden palec na kierownicy sportowego samochodu z absurdalnie mocnym silnikiem, a pozostałymi stuka w komórkę, żeby wykonać jeszcze te ostatnie telefony, które najwyraźniej nie mogą poczekać do poniedziałku.

Zamiast tego udobruchałam go, mówiąc:

— Pomyślałam, że w drodze mógłbyś się zrelaksować, tak żeby być w imprezowym nastroju, kiedy dotrzemy na miejsce. Chodź, mój samochód jest spakowany.

Wstrzymałam oddech. Gdyby była tu moja matka, zbeształaby mnie, że go „pozbawiam męskości", jakby samo posiadanie penisa równało się prawu do prowadzenia.

Chris wyglądał, jakby miał zamiar się spierać, ale w końcu usiadł nabzdyczony na fotelu pasażera. Usiłowałam ruszyć z podjazdu bez pisku opon, ale chciałam już tam być, wypić ten pierwszy kieliszek wina i poczuć się jak każda normalna para. Założę się, że Gisela nie musiała wyciągać Jacka siłą do luksusowego hotelu na gwarantowane bzykanko.

Zawracając, zerknęłam na ich dom. Przez okna było widać, że wszyscy tańczą. Gisela naprawdę się wczuwała, cycki latały jej na boki, a Jack okręcał ją w piruetach. Jaka rodzina spontanicznie wstaje po obżarciu się kurczakiem tikka masala i zaczyna pląsać po salonie? Gisela chyba nigdy nie zaciągała zasłon — z Designers Guild, po sto funtów za metr, sprawdzałam w internecie — żebyśmy my, sąsiedzi, mogli podglądać jej życie i poczuć, że czegoś nam brakuje. Trudno było mi nie dostrzec kontrastu między ciepłymi, dusznymi oparami cynamonu i kolendry w jej domu a cytrynowym chłodem płynu po goleniu Chrisa i napiętą atmosferą w naszym samochodzie.

Kiedy dojechaliśmy do Hove, Chris przynajmniej zaczął się odzywać.

— Przejdziemy się jutro po klifach Seven Sisters? — zaproponował.

— Byłoby super. Spakowałam nasz sprzęt. Zobaczymy, jaka będzie pogoda. — Gdybym to ja decydowała, robilibyśmy zupełnie co innego.

Na szczęście kiedy tylko Chris zobaczył pokój, poweselał.

— Wow. Tu jest cudownie. Dziękuję ci. Przepraszam, że byłem takim marudnym gnojkiem.

Przytulił mnie, popychając na łóżko i rozpinając mi bluzkę.

Nie chciałam psuć tej chwili, ale wiedziałam, że jeśli na kolację dostaniemy tylko kanapkę klubową z room service, będzie pomstował na te cholerne brytyjskie hotele, gdzie chodzą spać z kurami.

— O wpół do dziesiątej zamykają kuchnię — powiedziałam. — Może najpierw zjemy kolację? Nie musimy jutro wcześnie wstawać.

Przekornie poczułam się nieco urażona, że tak ochoczo przerwał czynności, chcąc mieć pewność, że nie ominą go frytki blanszowane, podwójnie smażone.

Kiedy usiedliśmy w restauracji w kameralnym boksie, idealnym na romantyczne okazje, zaczęliśmy się odprężać. Pozwoliłam mu zamówić wino — malbec, który preferował, zamiast mojej ulubionej riojy. Chciałam, żeby zaproponował szampana, żeby myślał, że dziesięć lat ze mną jest warte tego, by trochę zaszaleć. Ale powiedział tylko:

— Mamy szampana w pokoju. Możemy napić się go później. Albo jutro.

Na początku naszego związku, kiedy Chris zarabiał znacznie mniej niż teraz, obstawał przy szampańskich piątkach. „Koniec tygodnia trzeba świętować, a ja mam podwójne szczęście, bo ty jesteś tu ze mną".

No ale ja też kiedyś spędzałam przerwy na lunch, szukając czegoś nowego w La Senza i Victoria's Secret, tylko po to, żeby usłyszeć, jak mówi: „Podoba mi się. Bardzo mi się podoba". A teraz, poza specjalnymi okazjami takimi jak dzisiaj, często wybierałam wygodny biustonosz zamiast jedwabnego z fiszbinami, które wbijały mi się w żebra. Może tak właśnie ewoluuje małżeństwo, chociaż jednak czułam, że frywolne drobiazgi w postaci koronkowej bielizny i szampana nie pozwalają parom osunąć się w otchłań niewdzięcznej harówki, kredytów hipotecznych i pamiętania o odkamienianiu żelazka.

Moja matka zawsze mówiła, że szukam powodów, żeby być nieszczęśliwa, co brzmiało śmiesznie w ustach osoby, która wybrała się latem na rejs i narzekała, że nie lubi być otoczona wodą. Skoro jednak przepuściłam znaczną część swojej podwyżki na ten weekend, z rozmysłem poszukałam poprawiającego nastrój tematu rozmowy. Takiego, który dałby Chrisowi się wykazać.

— Jak tam poszła telekonfa? Robisz postępy z yyy, z tą rzeczą, z tym projektem, nad którym pracujesz? — zapytałam, uświadamiając sobie, że jeśli mówił mi, czym dokładnie się teraz zajmuje, to ja nie zapamiętałam.

Ściągnął brwi i podał mi szczegóły. Albo wcześniej go nie słuchałam, albo w ogóle o tym nie rozmawialiśmy. Czasem po prostu nie miałam dość energii, żeby słuchać o jego biurowych niedolach, bo moja własna praca wymagała ode mnie superkoncentracji i bystrości umysłu, zwłaszcza teraz, kiedy awansowali mnie na starszą specjalistkę do spraw zakupów, odpowiedzialną głównie za zaopatrywanie w wino restauracji. Będzie się to wiązało z trochę częstszymi podróżami, może trzy razy w miesiącu, ale uznałam, że na razie jeszcze nie obciążę Chrisa tą wiedzą.

W każdym razie, jak nam się poszczęści, będę siedzieć w domu tak dużo, jak chciał.

— A myślisz, że za pięć lat będziesz nadal pracował w biurze w Staines? — zapytałam, mając nadzieję, że planuje starać się o jakieś prestiżowe stanowisko w Londynie.

— Interesujące pytanie — powiedział takim tonem, jakbym zazwyczaj zadawała tylko banalne. Dolał nam wina i stuknął swoim kieliszkiem o mój. — Jest możliwość, że awansują mnie na międzynarodowego menedżera analityka, co oznacza znacznie częstsze wyjazdy. Musiałbym się zajmować między innymi Ameryką Północną, więc może wyjeżdżałbym na dłużej, tydzień czy dwa. Miałabyś coś przeciwko? Nie czułabyś się samotna?

Adrenalina we mnie wystrzeliła z bloków startowych. Jeśli Chris robił to, na co miał ochotę, to teoretycznie ja powinnam móc spełnić swoje marzenie o dziecku.

— Nie chodzi o to, czy będę się czuć samotna, raczej o to, czy nie będziemy się mijać. Nie jestem pewna, czy naszemu małżeństwu tak świetnie by zrobiło, gdybyśmy oboje dużo wyjeżdżali.

— Czyli ty możesz się rozbijać po świecie? — Chris wysunął wojowniczo podbródek.

Zanim zdążyłam odpowiedzieć, podano nam przystawki. Demonstracyjnie wszystko obfotografowałam — „Jakie piękne szparagi. Dobrze wyglądają te kalmary, prawda, Chris?" — i wesoło gawędziłam z kelnerem. Kiedy robiłam rezerwację, mówiłam, że to nasza rocznica, więc nie chciałam, żeby wrócił do kuchni i śmiał się z pary, która będzie mieć szczęście, jeśli przetrwa kolejny rok.

Poczekałam, aż kelner odejdzie i powiedziałam:

— Nie chciałam powiedzieć, że nie powinieneś decydować się na pracę wiążącą się z wyjazdami do Stanów, jeśli pojawi się taka okazja. — Wyciągnęłam rękę, by położyć ją na jego dłoni. Nadal trzymał swoją sztywno zaciśniętą.

— Co w takim razie?

— Może pora przemyśleć, w jakim zmierzamy kierunku. Ktoś musi być w domu, inaczej będziemy jak te dwa statki, które mijają się nocą.

— To co, zgłosisz się na ochotnika, żeby cię zdegradowali? — Chris grzebał widelcem w kalmarach, nie oddając im należnego hołdu, zważywszy, że każda chrupiąca macka wychodziła po mniej więcej półtora funta.

— Niezupełnie. — Kiedy już stworzyłam odpowiedni moment, trudno mi było zrobić ostatni krok, wypowiedzieć te słowa na głos.

— To o co chodzi?

Odkroiłam czubek szparaga i długo maczałam go w sosie holenderskim.

— Chciałabym mieć dziecko — powiedziałam w końcu. Zanim podniosłam wzrok, zdążyłam policzyć pozostałe na talerzu szparagi.

Chris gapił się na mnie z otwartymi ustami, z których zwisała macka kalmara.

— Co byś chciała? — W pytaniu brzmiało takie niedowierzanie, jakbym zaproponowała założenie rezerwatu goryli w ogródku za domem. — Ale przecież nigdy nie chciałaś dzieci. My nigdy ich nie chcieliśmy.

Starałam się, żeby głos mi się nie łamał.

— Nie jestem pewna, czy w ogóle kiedykolwiek o tym rozmawialiśmy, Chris. Chyba po prostu nie podjęliśmy świadomej decyzji, że chcielibyśmy je mieć, a ponieważ wydawało mi się, że ty nie chcesz, coraz trudniej było mi powiedzieć, że ja bym chciała. Naprawdę tego chcę. Kiedy myślę o sobie, o nas, po pięćdziesiątce, nie wyobrażam sobie przyszłości bez dzieci. A jeśli wkrótce się nie zdecyduję, będzie za późno.

Chris wycisnął więcej soku z cytryny na kalmary.

— Kiedy ja myślę o życiu po pięćdziesiątce, wyobrażam sobie, jak jedziemy na jakieś fantastyczne wakacje: Sri Lanka, RPA, Australia. Wszystkie te miejsca, które chcieliśmy poznać na początku naszego małżeństwa, ale nie było nas stać.

— Ale nie sądzisz, że właściwie to trochę puste? Jaki sens mają takie rzeczy, jeśli nie masz się z kim nimi podzielić?

— Mnie się to wcale nie wydaje puste. Dzieliłbym się tym z tobą.

— I to ci wystarczy? Praca, wakacje, gapienie się na mnie przez stół przez następnych pięćdziesiąt lat?

Chris odwrócił wzrok.

— Tak. Mnie to wystarczy.

Kelner zabrał talerze i siedzieliśmy w milczeniu. Poczułam, że do oczu napływają mi łzy.

— Czy przynajmniej możesz się zastanowić? Mógłbyś dalej skupiać się w stu procentach na karierze. Przestanę w ogóle pracować, jeśli tego chcesz. Nie wyjeżdżałabym już służbowo i mogłabym urządzić nam prawdziwy dom, zamiast miejsca, do którego tylko wpadamy i wypadamy między wyjazdami.

Wrócił kelner z daniami głównymi.

— Proszę bardzo, czy państwu odpowiada?

Otarłam oczy i zdołałam wydusić:

— Tak, tak, wszystko wygląda wspaniale.

Żeby odwrócić jego uwagę od kapiących na lnianą serwetkę łez jak grochy, zaczęłam wygrzebywać z torebki telefon, czekając, aż błyszczące buty skierują się z powrotem do kuchni. Zanim zdążyłam się uspokoić, wrócił z sosjerką salsy do mojego okonia morskiego. Nałożyłam sos na talerz i udawałam, że jestem pochłonięta robieniem zdjęć jedzenia, a w tym czasie kelner pytał, czy nie chcemy wina lub wody.

Potem wstałam i wyszłam, zostawiając Chrisa, żeby świętował naszą dziesiątą rocznicę ślubu w towarzystwie łososia w glazurze z miso oraz frytek z batatów.

Zdjęcia: Talerze z wykwintnymi daniami
ze szparagów, kalmarów i okonia morskiego.
Hotel otoczony pięknymi pelargoniami i ławeczki
pod pergolami obrośniętymi pachnącym
groszkiem.
Podpis: Świętuję dziesięć lat małżeństwa
z panem G.!
#IdealnyDzień #MiłośćMojegoŻycia #Błogostan
TylkoDlaDorosłych #SpokójBezDzieci

ROZDZIAŁ 10

KATE

Piątek, 1 września

Byłam na zmianie od szóstej rano i marzyłam o długiej kąpieli w wannie, kiedy zostaliśmy wezwani na miejsce wypadku: dachował samochód z osiemnastolatką za kierownicą. Starałam się robić wszystko z życzliwością i spokojem, adrenalina buzowała we mnie jak nigdy.

Badając, czy nie ma obrażeń kręgosłupa, wpatrywałam się w twarz dziewczyny i mówiłam do niej:

— Wiem, że jesteś przestraszona, ale dobrze się trzymasz, zajmiemy się tobą.

Kłamałabym, twierdząc, że nie usiłowałam w ten sposób uspokoić także i siebie. Rany szarpane twarzy i klatki piersiowej. Otwarte złamanie kostki i wszędzie krew.

Była w zbyt dużym szoku, żeby płakać. Pytała tylko w kółko:

— Mogę zadzwonić do mamy?

— Za chwilę. Ułożę cię w wygodnej pozycji i dam ci środek przeciwbólowy.

Proszę, Boże, spraw, bym nie musiała odbierać takiego telefonu od Daisy. Nigdy więcej nie chciałam usłyszeć — ani wypowiedzieć — tych słów: „Lepiej przyjedź". Niemal czułam, jak rozbrzmiewają mi w mózgu, odbijają się echem, nawet po prawie siedemnastu latach, ciężkie i złowrogie.

Mój głos brzmiał nie tak, jak trzeba. Słyszałam w nim drżenie, kiedy dalej do niej mówiłam, dalej ją uspokajałam. Miała na imię Bella. Mimo całego swojego przygotowania, kwalifikacji i wiadomości, że sama się na to pisałam, chciałam wysiąść z karetki, oddalić się od pecha innej matki. Matki, która w tej chwili pewnie stoi przed otwartą lodówką, usiłując wypatrzyć cudowne składniki, które złożyłyby się na obiad, bez wyprawy do supermarketu.

Myśl, że w dachującym samochodzie mogłaby siedzieć Daisy, a los mi odpłaci pięknym za nadobne, przygniatała mnie i sprawiała, że byłam tylko odrobinę mniej przerażona od Belli.

Nawet kiedy już przekazałam pacjentkę na SOR, wciąż nie mogłam zapomnieć widoku niebieskich świateł, chociaż widziałam je tysiąc razy, były przecież częścią mojej codziennej pracy. Ale teraz miałam przed oczami tylko światła z tamtego dnia, wydobywające z mroku zgrozę malującą się na j e j twarzy. Pojechałam do domu, oddychając spazmatycznie, na ruchliwych skrzyżowaniach mamrotałam pod nosem: „Uwaga na motory", przypominając sobie samej, żeby patrzeć w boczne lusterka.

Kiedy weszłam do pokoju, Daisy siedziała nad książkami, z podwiniętymi nogami, w pozycji, która z pewnością była zła dla kręgosłupa. Chciałam ją błagać, żeby nie robiła prawa jazdy, a jeśli już, to żeby nigdy nie jeździła autostradą, nie pisała esemesów, prowadząc, nie pędziła, niech dojedzie spóźniona, ale żywa. Pragnęłam wyrzucić z siebie, jak bardzo ją kocham, jaka jestem z niej dumna, rzeczy, które Gisela mówiła Hannah z taką łatwością. Niemalże bałam się to powiedzieć, w razie gdyby jakaś siła wyższa usłyszała i zdecydowała, czy zasługuję na to, żeby mieć córkę. Właśnie się przełamywałam, kiedy się odezwała:

— Idę zaraz do Hannah.

— Nie chcesz zaprosić jej tutaj? — zapytałam, zawstydzona, że moje rozczarowanie tym, że Hannah nie dostała się na studia, nie miało nic wspólnego z jej edukacją, za to wiele z faktem, iż w najbliższej przyszłości będzie tkwić po drugiej stronie ulicy, niczym syrena wabiąca Daisy co weekend swoim śpiewem.

— Może w przyszłym tygodniu — Daisy wzruszyła ramionami. — Dzisiaj obejrzymy coś na Netfliksie, a potem zamówimy pizzę z Domino's.

Już wcześniej zdusiłam w sobie ukłucie zazdrości, kiedy odkryłam, że Gisela i Jack często oglądali z dziewczynami filmy: „Jack nawet płakał na *Gnomeo i Julii*!". Nie mogłam z nimi konkurować. Gisela była matką idealną — zawsze w domu, umiała się poprzekomarzać i dogadać z nastolatkami, podchodziła też ze znacznie większym luzem do plam na dywanie i na stole. Ja niczym domowa policja pilnowałam zdejmowania butów i rzucałam się z podkładką pod szklankę, kiedy tylko usłyszałam syk kapsla zdejmowanego z butelki coli light. Decydujące było jednak to, że Gisela lubiła zakupy, ciuchy i kosmetyki. Chciałam dzielić z Daisy tę płomienną pasję, ale za każdym razem, kiedy chodziłyśmy po sklepach, zaczynałam pomrukiwać, że nie potrzebujemy niczego z tego badziewia, i mówić: „Przecież masz już czarne dżinsy. Widziałam czerwoną szminkę w twoim pokoju", najwyraźniej niezdolna pojąć, że te drobne różnice były dla Daisy warte wydania ciężko zarobionych w Tesco pieniędzy.

Kiedy przyjrzałam się dokładniej zdjęciom Daisy i Hannah, które Gisela czasem zamieszczała na Facebooku, nie dziwiło mnie, że moja córka woli przesiadywać u sąsiadów. Laptop Mac, wielki telewizor z płaskim ekranem, kremowa sofa. Wokół zawsze poniewierało się mnóstwo opakowań po chipsach, herbatnikach, cukierkach. Na tym tle moje wysiłki w kierunku zdrowego odżywiania wypadały absurdalnie, całe to ganianie przed pracą do Morrisonsa, żeby kupić jej mango albo arbuza.

Daisy zebrała swoje rzeczy, żeby czmychnąć na drugą stronę ulicy.

— Powinnaś spróbować lepiej poznać rodziców Hannah — powiedziała. — Są naprawdę fajni. I ciągle coś robią, mogliby cię kiedyś zaprosić. Urządzają mnóstwo imprez. Hannah twierdzi, że Gisela bardzo cię lubi.

Roześmiałam się, bo powiedziała to z takim zdziwieniem w głosie.

— Może jednak nie jestem taka zła.

— Mamo, wiesz, o co mi chodzi. Po prostu chcę, żebyś zrobiła coś normalnego, na przykład zjadła lunch ze znajomymi albo poszła na piwo.

Brzmiało to tak łatwo. Ale paraliżował mnie strach, że dowiedzą się, kim jestem, że przyjdzie chwila, kiedy będę siedzieć naprzeciwko nich, patrzeć, jak obracają im się trybiki w mózgu i kawałki układanki trafiają na swoje miejsce. Jakoś dziwnym trafem po czymś takim większość ludzi nie paliła się, żeby się ze mną zadawać, powoli wyczerpywały się zaproszenia i esemesy. Tygodnie przeciągały się w miesiące milczenia, a jeśli wpadliśmy na siebie przypadkiem, następowało przewidywalne „sorry, że się ostatnio nie odzywaliśmy, urwanie głowy, wiesz, jak to jest".

Na razie jednak Facebook otworzył przede mną możliwość nowego życia towarzyskiego z Sally i Giselą. Daisy niedawno założyła mi konto, z kotem jako zdjęciem profilowym, a już przyszła prośba od Giseli o dodanie jej do znajomych.

— Skąd ona w ogóle wie, że jestem na Facebooku? — zapytałam.

— Powiedziałam Hannah.

Nie miałam serca, żeby ją zrugać. Potem przyłączyła się Sally i obie bombardowały mnie wiadomościami: „Kto może się spotkać jutro na kawę?", „Kto ma ochotę na kino w następny czwartek?", „Planuję dzień w spa w lutym. Wchodzicie w to?". Na razie odmawiałam, tłumacząc się pracą, ale było coś zaskakująco podnoszącego na duchu w świadomości, że chcą się ze mną spotykać, że osoby wiodące dobre, zwyczajne życie uważają mnie za wartą swojego towarzystwa.

Kiedy już opanowałam niepokój, że na Facebooku ktoś zawsze może mi wyskoczyć ni stąd, ni zowąd, znów poczułam ciekawość, zaczęłam myszkować w życiu innych ludzi, znajomych, których nadal mogłabym mieć, gdyby nie musieli wybierać między Becky a mną. Znalazłam nawet samą Becky. Ku mojemu rozczarowaniu jej ustawienie prywatności pozwalało jedynie na zobaczenie zdjęcia profilowego. Po bruzdach wokół ust dało się poznać, że życie jej nie oszczędzało, ale w oczach ciągle tlił się szelmowski błysk. Żałowałam, że nie potrafię jej nienawidzić. Jednak miałam nadzieję, że wciąż ją napędza wrodzony optymizm.

Kusiło mnie, żeby poszukać Oskara, ale za każdym razem, kiedy mój palec zawisał nad „O" na klawiaturze, w końcu go cofałam. Jeśli tych jedenaście lat, odkąd mnie zostawił, czegoś mnie nauczyło, to tego, by nie wynajdywać rzeczy, którymi mogłabym karmić czarne myśli o trzeciej nad ranem.

Po pożegnaniu się z Daisy uległam ciekawości co do moich nowych sąsiadek, chociaż wiedziałam, że w efekcie facebookowego podglądactwa będę się czuć niezadowolona z własnego życia.

Zajrzałam na profil Sally. Rano zamieściła ślubne zdjęcie swoje i Chrisa. „Szczęśliwej dziesiątej rocznicy mojemu kochanemu mężowi. #Zmiłością". Poszło jej lepiej ode mnie. Ja ledwo dociągnęłam do dziewięciu lat małżeństwa.

Chris we fraku i cylindrze. Sally cała w koronkach i welonach. To mnie zaskoczyło. Wydawała się taka niezależna, podróżowała po całym świecie. Trudno mi było sobie wyobrazić, że odpracowuje całą tę kościelną celebrę. Chris niewiele się zmienił, ale Sally na ślubnej fotografii wyglądała o wiele łagodniej, delikatniej. Teraz składała się z ostrych kantów, z tym wiecznie czujnym wyrazem twarzy, jakby życie było zbiorem błędów i wad do wytropienia. Pewnie gdyby spojrzeć na moje zdjęcie z dnia ślubu, byłabym na nim promienna i świeża jak poranek w porównaniu z tym, jak wyglądałam teraz.

Zanim położyłam się do łóżka o jedenastej, zerknęłam jeszcze raz na posty Sally. Jej wieczór poza domem był tak dobrze udokumentowany, jakbyśmy sami tam byli. Łóżko z baldachimem na tle śmiałej kwiecistej tapety, obok wiaderko z butelką szampana. Na następnym zdjęciu koszyk z mydłami i szamponami Molton Brown oraz prysznic z ogromną główką. #ObchodyDziesiątej-Rocznicy #ZPrzyjemnością #RozpustnyWeekend.

No przepraszam, ale to było po prostu dziwne. Chyba nikt nie musiał oglądać wstępu do namiętnej nocy? Nie mogłam być jedyną osobą na świecie, która uważała, że hasztag powinien raczej brzmieć #BylaKolacja-TerazKopulacja. Uh. Sally poświęcała tyle trudu na pokazanie wszystkim, jacy są z Chrisem szczęśliwi, że zakrawałoby na cud, gdyby mieli czas w ogóle skorzystać z tego łóżka.

Przeczytałam komentarze — były różne, od prostolinijnego: „Bawcie się dobrze, gratulacje" po: „Coś z tego będzie! Pan G. to szczęściarz!".

W ciągu jakichś pięciu minut post polubiło dwadzieścia dziewięć osób.

Szkoda, że nie było przycisku „rzyg".

Przeszłam do jej starszych postów, chociaż z góry wiedziałam, że w efekcie poczuję, iż mam najnudniejsze, najbardziej prozaiczne życie, bez perspektyw na zmianę.

I nie myliłam się. Sally zaczęła niedawno tak zwany słoik szczęścia — zbieranie małych codziennych radości.

„Dzień pierwszy: śniadanie w łóżku przyniesione przez mojego cudownego męża. Jajka w koszulkach na liściach szpinaku i domowy chleb na sodzie. #NieprzyzwoicieRozpieszczana #MogłabymSięPrzyzwyczaić".

Nie dla Sally coś tak pospolitego jak talerz płatków śniadaniowych. Już samo to, że kliknęłam zdjęcie i odnotowałam z satysfakcją, iż żółtka nie były płynne, pokazywało, jak małostkową stałam się osobą. Powinnam usunąć swoje konto. Miałam tylko dwie znajome, ale przeglądanie postów z ich życia było jak wstrzykiwanie sobie w żyłę narkotyku niezadowolenia, coś w rodzaju samookaleczania się online, bez żyletek. Jeśli Sally nie będzie uważać, zacznę odpowiadać na jej słoik szczęścia własnym słoikiem wkurzenia — krzesło, na którym powinna siedzieć Daisy, zamiast być u Giseli; budzik nastawiony na 5.30 rano; wielka kupa na moim trawniku, zrobiona przez kota sąsiadów, który uznał, że moja trawa to centralna kuweta.

„Dzień drugi: Chris odwiózł mnie na lotnisko, chociaż trzeba było wstać o piątej. #ŻonaSzczęściara #Superbohater".

O matko. Mój samochód w końcu wyzionął ducha w pracy i o północy czekałam na pomoc drogową na parkingu pogotowia. Połowa świateł zgasła, a z pozostałych sączył się lekko upiorny pomarańczowy blask. Deszcz walił w przednią szybę. Drzwi miałam porządnie zamknięte, ale i tak oglądałam się co jakiś czas na tylne siedzenie, żeby sprawdzić, czy ktoś się tam nie zakradł przez dziurkę od klucza. Kiedy wreszcie przyjechali, mechanik był dla mnie bardzo miły. „Bidulka, tak pani siedzi sama w tej ulewie. Trochę tu strasznie, co? Nie mogła pani zadzwonić po męża, żeby przyjechał dotrzymać pani towarzystwa?"

Czułam zażenowanie, mówiąc, że nie mam męża, i poirytowana jego założeniem, że mam. Mechanik jednak był po prostu grzeczny. Zapewne nie oczekiwał długiej odpowiedzi, z takimi detalami jak stopniowe odsuwanie się ode mnie Oskara przez okres pięciu lat, aż przestaliśmy „tkwić w tym razem", tylko ja zostałam „w tym po uszy sama". Zdążyłam sobie wyobrazić, jak mechanik przesuwa umazanymi smarem palcami po łysinie i mówi: „Ciężka jazda, nie ma co. No, w każdym razie autko naprawione, jeśli chce pani ruszać", następnie z ulgą odjeżdża z piskiem opon, biorąc zakręt na dwóch kołach.

„Dzień trzeci: Piękny wschód słońca i jego odblask na tytanowym dachu hotelu Marqués de Riscal #Hiszpania #BezFiltra #ŻycieWPracy #KochamTęRobotę".

Zamknęłam stronę Sally.

Moje życie było #jednymwielkimfiltrem, a mój słoik szczęścia był dziś #szczególniepusty.

ROZDZIAŁ 11

SALLY

Piątek, 20 października

Słoik szczęścia, dzień trzynasty
Zdjęcia: Szyld Fortnum & Mason.
Śmietankowa angielska bułeczka i herbata.
Podpis: Dzień wolny (a to rzadkość) z moją uroczą mamą.
#LondyńskieŻycie #Najlepszeprzyjaciółki

Umówiłam się z mamą na podwieczorek jeszcze przed wakacjami, myśląc, że od października dzielą nas całe wieki, ale przynajmniej mogę przestać czuć się winna, że ją zaniedbuję. Czas zleciał błyskawicznie i chociaż spotkanie miałam zapisane w kalendarzu od kilku miesięcy, było dla mnie po prostu jeszcze jedną rzeczą do wciśnięcia między wyjazdami z pracy a umówieniem się z wykonawcą, żeby spojrzał na rysy w ścianie w sypialni.

Miałam poczucie winy, że zaliczam popołudnie z mamą do obowiązków, zwłaszcza gdy zobaczyłam jej stronę na Facebooku: „Córka globtroterka robi sobie wolne, żeby zjeść ze mną elegancki podwieczorek w Londynie — nie mogę się doczekać!".

Wcale jednak nie było tego po niej widać, kiedy zaaferowana przedzierała się w moją stronę ulicą Piccadilly, w swoich najlepszych rękawiczkach i apaszce, niemalże odpychając sprzedawcę pisma „Big Issue", który znalazł się na jej drodze. Ale uścisnęła mnie mocno i poczułam przez chwilę zapach Je Reviens, wspomnienie tylu przytuleń na dobranoc.

— Nie wiem, dlaczego zawsze musimy przyjeżdżać do Londynu. No naprawdę, pociągi z Yorku to było dzisiaj coś potwornego. A na King's Cross... W życiu czegoś takiego nie widziałaś. Zamknęli schody ruchome do metra Piccadilly, nogi tak mnie bolą, cud, że mi nie odpadły...

Na szczęście po litanii skarg na transport do Londynu w końcu usłyszałam: „Wspaniale cię widzieć". Spotkałyśmy się pierwszy raz od maja. Odkładałam jej przyjazd do nas, bo się przeprowadzaliśmy, a nawet w czasach absolutnego spokoju tolerancję Chrisa dla mojej matki dałoby się zmieścić w jednym centymetrze sześciennym. Przy całym stresie związanym z pakowaniem i organizowaniem przeprowadzki nie czułam się na siłach, by wykrzesać z siebie zdolności dyplomatyczne niezbędne do powstrzymania jej przed poukładaniem nam wszystkiego w szufladach i szafkach zgodnie z własną wypaczoną logiką — plastikowe pudełka do przechowywania żywności w szafce z wybielaczem, łyżeczki do herbaty w szufladzie na samym końcu kuchni, imbryk razem z deską do prasowania. Nie mówiąc już o uruchamianiu zmywarki, kiedy tylko znajdzie się w niej pięć kubków na krzyż — bo „przecież ci to podśmierduje". Albo, co gorsza, zmywaniu ich w zimnej wodzie szmatą, którą wcześniej wytarła coś z podłogi.

Odsunęłam od siebie myśl o wszystkich mailach wypełniających moją skrzynkę i skoncentrowałam się na udobruchaniu mamy.

— Przykro mi, że miałaś okropną podróż. Pewnie rodziny z dziećmi wyjeżdżają już wcześniej na ferie półsemestralne.

Już samo wyobrażenie sobie, jak ze swoją córką albo synem zajmujemy miejsca w pociągu zmierzającym do Yorku podczas ferii czy wakacji, jak tata oprowadza nas po Muzeum Kolejnictwa, a mama drepcze obok z torebką owocowych cukierków Opal Fruits w kieszeni, napełniło mnie dojmująca tęsknotą. Nie zanosiło się, żeby miała mi szybko minąć. Przełknęłam ten smutek jak gorzką pigułkę.

— Tata kazał cię ucałować. Całymi dniami gra w golfa, odkąd przeszedł na emeryturę. Widuję go rzadziej, niż kiedy chodził do pracy.

Brawo tato, świetny pomysł!

Prowadziłam mamę przez Fortnum & Mason, a ona gdakała:

— Spójrz na to! Dwanaście i pół funta za puszkę herbaty. Ludzie mają więcej forsy niż rozumu. Ale takie rzeczy to pewnie cudzoziemcy kupują.

— Ciii. — Mama uważała za cudzoziemca każdego, kto nie pochodził z Yorkshire.

Postanowiłam zaciągnąć ją do Diamond Jubilee Tea Salon, zanim zobaczy kogoś w burce i podzieli się swoją opinią na ten temat.

Kiedy usiadłyśmy, zamówiłam podwieczorek z szampanem.

— Coś świętujemy? — zapytała i od razu przeniosła wzrok na mój brzuch. — Powinnaś pić?

Popatrzyła na mnie z taką nadzieją, że rozpaczliwie zapragnęłam przeżyć z nią taką chwilę, dzięki której mogłabym na nowo przerzucić most między nami, znów mieć z nią coś wspólnego, pozwolić jej być tą, która wie więcej ode mnie, zamiast wiecznie się męczyć, próbując wciągnąć ją do mojego świata.

Na razie jednak nic takiego się nie stanie.

— Pomyślałam po prostu, że trochę zaszalejemy. Tak rzadko się widujemy.

Spochmurniała. Uniosła lekko brwi, co zwiastowało wykład na temat tego, że kariera jest ważna, ale kiedy będę w jej wieku... Wcisnęłam plecy w aksamitne obicie krzesła, przygotowując się na sakramentalne: „Nikt nigdy nie leżał na łożu śmierci, żałując, że nie spędzał więcej czasu w biurze".

Moja frustracja i poczucie krzywdy, że mama nawet nie bierze pod uwagę, że może chcę mieć dziecko, ale nie mogę, były dziś tak silne, że nie byłam pewna, czy zniosę szykujący się wykład i przypadkiem nie zacznę biegać w amoku po restauracji, przewracając piętrowe patery z ciastkami i wyrzucając w powietrze wszystkie kanapeczki z wędzonym łososiem. Powiedziałam pierwszą rzecz, która przyszła mi do głowy, żeby odwrócić jej uwagę.

— Co u twojej sąsiadki Edie?

Popatrzyła na mnie w osłupieniu.

— Umarła. W zeszłym roku. Cóż to był za koszmar. Przecież ci mówiłam, byłam na pogrzebie. Jej córce nawet nie chciało się przylecieć z Nowej Zelandii.

Można mi wybaczyć, że zapomniałam o śmierci Edie. Mama często dzwoniła, kiedy skompilowała całą listę dolegliwości i zgonów wśród sąsiadów. Musiałabym zapisywać to sobie w Excelu, żeby wszystko spamiętać.

— A co u Chrisa? — zapytała mama, kiedy kelner już opisał nam dostępne kanapki.

— Dobrze, ma szansę na nowe stanowisko, duży awans. Kazał cię pozdrowić.

Absolutnie nic takiego nie zrobił. Przeciwnie, mimo że wrócił z imprezy firmowej o drugiej w nocy i nie musiał dziś rano wstawać, bo pracował z domu, zbiegł na dół, kiedy wychodziłam, żeby krzyknąć: „Nie zapraszaj ich na święta!".

— Czy wy w ogóle spędzacie czas razem? Oboje tak ciężko pracujecie. Martwimy się z tatą o was.

A w podtekście, że martwią się, iż nie znajdziemy czasu, żeby zrobić dziecko. W tej chwili jednak każda moja rozmowa — nie tylko z mamą — wydawała się nawiązywać do patowej sytuacji, w jakiej znaleźliśmy się z Chrisem. Jak przy pierwszym rozstaniu z kimś, kogo kochałaś, i każda piosenka w radiu brzmiała tak, jakby była przeznaczona właśnie dla ciebie i twojego samotnego, zdruzgotanego serca. Gdyby mama tylko wiedziała, gdybym tylko mogła jej powiedzieć o pełnych niepewności dniach po naszej dziesiątej rocznicy, kiedy przechodziliśmy raz po raz od wzajemnych oskarżeń — „Jesteś egoistą" — do smutnych, trzeźwych rozmów — „Żałuję, że tak właśnie to czuję" — o tym, że każde z nas chce czego innego. Kręciliśmy się w kółko, rozważaliśmy nawet nieśmiało rozstanie, jakbyśmy wyciągali rękę, by dotknąć czegoś, co musiało nas poparzyć, następnie szybko ją cofaliśmy i przytulaliśmy się mocno, mówiąc sobie, że znajdziemy sposób, żeby przez to przejść. Tak naprawdę mieliśmy jednak na myśli, że ta druga osoba w końcu przejrzy na oczy i ulegnie.

Czasem późnym wieczorem dostawałam od niego esemesa, w którym pisał, że zostaje w Londynie, bo ma wcześnie rano spotkanie w centrali firmy. Najwyraźniej noc przespana przy moim boku nie rekompensowała już konieczności jechania taksówką o szóstej rano. Za każdym razem, kiedy się napiliśmy, wybuchały zażarte kłótnie, a po nich następowało kilka dni cichych wyścigów: kto rano pierwszy wyjdzie z domu bez pożegnania. W końcu Chris nabierał ochoty na seks — o ironio — i potrafiliśmy przeżyć nawet tydzień w zgodzie, zanim cały cykl zaczynał się od nowa.

Mama nalała sobie herbaty, zajrzała do filiżanki i zmarszczyła brwi.

— Mogli nam powiedzieć, że to sypana.

Rozejrzałam się, żeby zawołać kelnera i poprosić, by przyniósł jej czystą filiżankę. Wykorzystałam okazję, żeby skierować rozmowę na inne tory.

— Musicie przyjechać obejrzeć nasz nowy dom. Jesteśmy z niego naprawdę zadowoleni.

— Tata czuje się bardzo urażony, że go nie poprosiliście, żeby przyjechał i powiesił wam obrazy, zdjęcia i zamontował półki.

— Nie chcę go zapraszać w odwiedziny, a potem kazać mu zapracować na kolację — odparłam, przypominając sobie, jak go kiedyś poprosiłam, żeby powiesił nam lustro w toalecie na dole, a on zamocował je nad klozetowym rezerwuarem zamiast nad umywalką.

Zbyłam to śmiechem, ale Chris omal nie dostał apopleksji: „Który facet musi widzieć swoją twarz w lustrze, kiedy się odlewa?". Nigdy by się nie zgodził, żeby tata machał młotkiem w pobliżu naszych ścian w idealnym odcieniu gołębiej szarości.

— Myślisz, że mógłby zasadzić u nas trochę żonkili? — spytałam teraz. — Na razie traktujemy ogród trochę po macoszemu.

Mama posłała mi uśmiech, jaki pamiętałam z dzieciństwa, kiedy czytałam jej na głos *Carbonela* albo recytowałam wiersz *The Lion and Albert* z akcentem z Lancashire. Zastanawiałam się, kiedy stałam się rozczarowaniem dla rodziców, mimo że wszyscy inni uważali, że „dobrze sobie radzę". Miałam ochotę się rozpłakać.

Mama zebrała palcem okruszki angielskiej bułeczki.

— Tata będzie zachwycony.

Rozluźniłam mięśnie brzucha, przestało zbierać mi się na płacz.

— No to będziemy musieli zorientować się w terminach — powiedziałam, już czując wyczerpanie na myśl o upchnięciu w kalendarzu kolejnego zobowiązania poza pracą i znalezieniu odpowiedniego momentu, żeby powiedzieć Chrisowi o wizycie moich rodziców. To ostatnie przypominało grę w rosyjską ruletkę, więc może lepiej postarać się tak manewrować, żeby przyjechali, kiedy tylko ja będę w domu.

Mama postukała łyżeczką w filiżankę, jakby chciała ogłosić coś ważnego.

— Ale tak naprawdę to tata chciałby mieć wnuczka. Albo wnuczkę, też by się nie pogniewał. Cały czas zbiera jakieś kawałki drewna, jak to mówi: „na wypadek, gdybym musiał wykorzystać swoje talenty do zmajstrowania domku dla lalek".

Obraz, jaki stanął mi przed oczami — mój stary ojciec odkłada drewniane skrzynki, wyciąga jakieś deski ze śmietnika — napełnił mnie dojmującym smutkiem. Zmrużyłam oczy, żeby powstrzymać łzy.

Przysunęłam swoje krzesło do mamy.

— Chodź, poprośmy kelnera, żeby zrobił nam zdjęcie przy podwieczorku. Może następnym razem tata z tobą przyjedzie.

Zdjęcie: Sally i jej mama trzymają filiżanki, zginając mały palec, i machają do obiektywu kanapkami z kurczakiem koronacyjnym.
Podpis: Jeśli pani pozwoli, z przyjemnością! #IdealnePopołudnie

ROZDZIAŁ 12

GISELA

Poniedziałek, 23 października

Początkowo byłam bardzo pojednawcza.

— Chcesz podejść do rekrutacji uzupełniającej? Zdawać jeszcze raz? Zrobić sobie rok przerwy, znaleźć jakąkolwiek pracę i zastanowić się, co chciałabyś robić w życiu?

Teraz jednak byliśmy już w połowie semestru bez żadnych postępów, więc musiałam przycisnąć Hannah, żeby podjęła jakąś decyzję, dopóki jeszcze mamy nadzieję na cywilizowaną relację. Wstawała w południe, schodziła na dół w spodenkach od piżamy tak króciutkich, że wystawała z nich większa część pośladków, i paradowała tak bez względu na to, czy w pobliżu był akurat ogrodnik albo sprzątaczki. Szła do lodówki, otwierała po kolei wszystkie szafki z takim rozmachem, że drzwiczki kołysały się na zawiasach, i narzekała, że w tym domu nie ma nic do jedzenia — pod którym to pojęciem rozumiała chipsy Pringles, ciasteczka z czekoladą i austriacki wędzony ser, ten w kształcie kiełbasy, a nie banany, brokuły czy brukselkę. W końcu szła oglądać Netfliksa, zostawiając za sobą okruszki, rozpaprane masło i torebki po bajglach.

W połączeniu z tym, że Jack wiecznie zapominał schować mleko do lodówki, wpadał na psie miski i rozlewał wszędzie wodę, doprowadzało to do scen prosto z sitcomu — zaczynałam nagle krzyczeć w przestrzeń:

— No tak, nie wycierajcie tego, po co, przecież wszyscy jesteście zbyt ważni i zbyt cholernie zajęci, żeby wziąć szmatę do ręki i z wielkim wysiłkiem wykonać parę ruchów okrężnych dłonią!...

Hannah zerkała wtedy na mnie z kanapy.

— W porządku, mamo? — I wracała do oglądania wampirów.

Jeśli Jack miał pecha i wchodził do kuchni podczas jednej z moich tyrad, śmiał się i mówił:

— Dobrałaś się do wódki?

Po kilku tygodniach, kiedy stało się jasne, że Hannah nie ma zamiaru wziąć przykładu z Daisy i zarabiać na swoje utrzymanie w Tesco, zaczęłam przeglądać kursy zawodowe.

— Co sądzisz o fotografii? Jesteś dobra z plastyki.

— Raczej nie moja bajka.

— To może fizjoterapia? Na fizjoterapeutów zawsze jest zapotrzebowanie.

— Nie będę przez całe życie dotykać czyjegoś spoconego cielska. A jak przyjedzie ktoś z naciągniętą pachwiną? Dziękuję bardzo.

— A co powiesz na założenie własnej firmy? W college'u technicznym jest taki kurs wieczorowy, który ma pomóc szukać pomysłów i zrozumieć, jak to się robi?

Nie przestawało mnie zadziwiać, jak cienka jest w macierzyństwie granica między pragnieniem chronienia swoich dzieci przed wszelkimi niebezpieczeństwami a stawaniem się samej zagrożeniem dla ich życia.

Kiedy nie chciało jej się oderwać od powtórek *The Jeremy Kyle Show*, żeby popatrzeć, co dla niej znalazłam, sama zapisałam ją na kurs gotowania Le Cordon Bleu. Nawet jeśli nie wykorzysta tego w swojej karierze, przyda jej się w życiu — a poza tym będzie musiała codziennie wyjść z domu.

Zareagowała tak, jak przewidywałam:

— Dlaczego to zrobiłaś? Nie chcę się uczyć, jak gotować jakąś gównianą potrawkę z jagnięciny.

— Idziesz.

— Nie idę.

Wystarczyły mi tylko czterdzieści trzy lata, żeby nauczyć się likwidować opór metodycznie, zamiast wdawać się w otwartą wojnę.

W końcu musiałam wytoczyć ciężkie działa — w postaci Jacka, który w wychowaniu dzieci uczestniczył sporadycznie, ale w kryzysowej sytuacji można było nim potrząsnąć i skłonić, by przyjął postawę autorytarną. Nawet Hannah musiałaby mieć (metaforyczne) jaja ze stali, żeby mu się sprzeciwić w jego obecnym stanie ducha. Zrobił się strasznie opryskliwy. Po dwudziestu latach całowania mnie w usta po przyjściu do domu ostatnio burczał tylko: „Cześć" i gnał na górę do swojego gabinetu, mamrocząc coś o robocie, mnóstwie roboty. Zaczęłam się nawet zastanawiać, czy nie ma romansu, chociaż zawsze z taką pogardą odnosił się do niewiernych mężczyzn. Na tyle się tym przejęłam, że zerknęłam — jednym okiem, drugie z przerażeniem zamknęłam — na wyciąg z jego karty kredytowej, ale jeśli kombinował na boku, Gisela Numer Dwa była modelem oszczędnościowym.

Plusem jego rozdrażnienia było to, że rzeczywiście odegrał wobec Hannah rolę złego gliny.

— Sorry, koniec imprezy. Nie będziesz się obijać, snuć po domu i pasożytować na nas. Zbieraj dupę w troki i jazda na ten kurs albo twoje kieszonkowe... — Zrobił ruch ręką oznaczający koniec dopływu gotówki. — Bardzo chętnie dam ci pracę na kempingach przy sprzątaniu łazienek. Twój wybór.

Najwyraźniej podziałało, bo Hannah trochę się podąsała, pytając: „Ile osób będzie na tym kursie?", „Czy to same odrzuty w średnim wieku z *Bake Off — Ale ciacho*?", „Czy w ogóle ugotuję tam cokolwiek, co będę chciała zjeść?", ale w końcu zgodziła się spróbować. Kiedy jednak przyszedł rachunek za kurs, Jack wpadł do kuchni jak chmura gradowa i pomachał mi nim przed nosem.

— Jasna cholera, osiem tysięcy, żeby się nauczyć, jak ugotować jajko? To więcej niż czesne za semestr szkoły, które nas mało nie puściło z torbami! Kto ją będzie uczył? Pieprzony Gordon Ramsay?

— A co ty robiłeś, żeby się jakoś ogarnęła? — odparowałam. — Łatwo ci mówić, wybywasz codziennie do biura albo fundujesz kolacyjki w Londynie swoim cholernym inwestorom kapitałowym. Nie musisz patrzeć, jak siedzi tu smętna niczym siedem deszczowych niedziel. Jakie proponujesz tanie rozwiązanie?

Pokręcił głową, jakbym myślała, że pieniądze rosną na drzewach. Niesamowite, że z biegiem lat kasa, nawet w przypadku najhojniejszych mężczyzn, stawała się źródłem kontroli: „Nie musisz pracować. Moje pieniądze to twoje pieniądze". Oczywiście podtekst zawsze brzmiał: „Będę mógł się wtrącać w to, na co je wydajesz, ale jeśli najdzie mnie fantazja, żeby puścić forsę na nowy samochód, to co z tego? To ja ją zarobiłem".

Ostatecznie stałyśmy przed szkołą gotowania, ja w roli tego nieszczęśnika, który ma za zadanie rozgrzać publiczność przed występem wielkiego komika.

— Świetna ta czapka, Hannah! Wyglądasz jak profesjonalny kucharz! Nie mogę się doczekać, żeby zobaczyć, co przyniesiesz do domu na kolację.

Dopiero przy jakimś piętnastym zdjęciu raczyła się leciutko uśmiechnąć. I to tylko dlatego, że cofając się, wdepnęłam w psią kupę.

Mała imprezka na moje urodziny za kilka tygodni — oto, czego mi potrzeba, żeby wnieść w nasze życie trochę radości. I jeszcze ta torebka, którą widziałam w internecie, na stronie z okazjami od znanych projektantów. Lepiej dopłacić za dostawę w konkretnym dniu, kiedy Jack będzie w Londynie, skoro tak się ostatnio czepia o wydawanie kasy. O tak. To mi poprawi humor.

Zdjęcie: Hannah w czapce kucharskiej.
Podpis: Pierwszy dzień w szkole gotowania.
Czekam niecierpliwie, żeby skosztować efektów!
#NowePoczątki #SzefKuchniCordonBleu
#ŚwiatNaWidelcu

ROZDZIAŁ 13

KATE

Poniedziałek, 6 listopada

Facebook otwierał przede mną zupełnie nowe życie. Dostałam od Giseli prawdziwe zaproszenie: „Moja impreza urodzinowa w sobotę 18 listopada, żeby łatwiej było przeżyć beznadziejny, zimny miesiąc".

Musiałam ją podziwiać. Nie tylko nie stała sparaliżowana przed zamrażarkami w Icelandzie, zastanawiając się, czy zaserwowanie mieszanki indyjskiej, kiełbasek koktajlowych i nuggetsów z kurczaka z dipem — wszystko z mrożonki — byłoby zbyt obciachowe, ale też nigdy chyba się nie martwiła, że nikt nie przyjdzie. Gdybym kiedykolwiek zrobiła przyjęcie, biegałabym w tę i z powrotem jak pies wzdłuż siatki, zestresowana, że goście nie dopiszą, a ja zostanę z górą profiterolek do szybkiego rozmrażania i skrzynkami piwa Beck's.

Kiedy powiedziałam Daisy o zaproszeniu, odparła:

— Idziesz, prawda?

— Trochę mi głupio, bo nigdy nie zrobię tutaj imprezy, żeby móc się zrewanżować zaproszeniem.

— Mamo! Jej to nie obchodzi. Ona nie jest typem osoby, która liczy, ile razy u nich byłaś. Po prostu zgódź się i wyluzuj.

Daisy patrzyła na mnie z wielkim przejęciem, tak jej zależało, żebym dołączyła do towarzystwa...

— Właściwie nie wiem, czy w ogóle chcę iść — powiedziałam.

— Ale ty jesteś dziwna. Nie nudzi ci się, jak siedzisz w domu w każdy wieczór?

— Raczej nie. — Chociaż to nie była prawda.

Śledzenie życia sąsiadek na Facebooku podziałało jak potrząsanie marakasami i obudziło we mnie osobę, którą kiedyś byłam. Tę, która wyciągała Oskara na parkiet, wymyślała nowe drinki, a najszczęśliwsza była, kiedy zbierał się u nas tłum ludzi na moje legendarne pierogi. Wmawiałam sobie, że dopóki nikt nie dowie się prawdy, do szczęścia wystarczy mi oglądanie *Gry o tron*, a praca zapewnia mi aż nadto dramatyzmu w życiu. Wszystko jednak wskazywało na to, że Daisy coraz mniej mnie potrzebuje, więc czułam, jakbym wkraczała w pustkę, gdzie za jedyne towarzystwo wieczorami będę miała chmarę wspomnień skradających się pod drzwi, których przenigdy nie chciałam otwierać. Ten krzyk. Te pięści wymierzone we mnie. Jej całkowita niezdolność, żeby mnie wysłuchać, zrozumieć, co mówię, co ktokolwiek mówił. I zbolała twarz Oskara, kurczowo trzymającego Daisy w ramionach.

Powiedziałam pierwsze, co przyszło mi do głowy, żeby w uszach słyszeć swój głos zamiast słów Becky, tamtych potwornych, przeklinających mnie słów, na zawsze wypalonych w moim mózgu.

— Zastanowię się. A ty idziesz?

— No raczej. — Daisy rozłożyła ręce w geście, że to oczywiste. — Dlaczego miałabym nie iść? Ich imprezy są genialne. Poproś Giselę, żeby przedstawiła cię któremuś z kolegów Jacka. Hannah mówi, że jej tata ma paru przystojnych kumpli.

Wydało mi się niepokojące, że Hannah w ogóle dostrzega, jak wyglądają koledzy ojca. Kiedy byłam w jej wieku, znajomi mojego taty zlewali mi się w jedną masę rozpinanych swetrów i workowatych spodni.

— Pewnie wszyscy są żonaci, głuptasku. A poza tym, co byś sobie pomyślała, gdybym nagle zjawiła się z facetem?

— Byłabym zachwycona.

— Naprawdę?

— Tak! Powinnaś zajrzeć na któryś z tych portali randkowych. — Westchnęła. — Tata nie wróci, no nie?

W głowie mignął mi obraz: Oskar śpiący na plaży; nagle zrywa się w szoku, kiedy Daisy, czteroletnia psotnica w różowym kostiumie z falbankami, potknęła się i wylała na niego wiaderko lodowatej wody. To były nasze ostatnie rodzinne wakacje. Kiedy jeszcze mieliśmy nadzieję. Kiedy jeszcze myśleliśmy, że jakoś przetrwamy. Kiedy sądziłam, że miłość wystarczy.

Skupiłam się z powrotem na Daisy.

— Nie, kochanie. Minęło jedenaście lat. Teraz raczej już nie wróci.

Zmarszczyła czoło.

— Chodzi mi o to, że przecież nie jesteś taka stara. I na dodatek dużo szczuplejsza od wielu innych mam na osiedlu. Ta spod dziewiątki, która ma bliźniaki, wygląda jak stary hefalump.

— Karolina!

Daisy otworzyła szeroko oczy. Już od dawna tak jej nie nazywałam.

— Daisy — ciągnęłam, nie tłumacząc się z błędu — nie mów tak o ludziach. Jej dzieci są jeszcze małe. Trochę to trwa, zanim po ciąży wróci się do normalnej wagi. Nie mamy pojęcia, co się dzieje w jej życiu. Może choruje i nie jest w stanie schudnąć. Po prostu nie wiemy. Pewnie już i tak wstydzi się swojej wagi, nie musimy jej tego wytykać.

Wiedziałyśmy, jak to jest być osądzanym przez ludzi, którzy nie znali faktów.

Daisy patrzyła na mnie czystymi, ciemnymi oczami. Nie byłam pewna, czy czeka, żebym skończyła truć, tak by mogła zniknąć w swoim pokoju, i czy cokolwiek z tego, co mówiłam, do niej trafiało. Ostatnio trudniej było ją przejrzeć. Poza sporadycznymi pogawędkami z koleżankami z pracy tak rzadko rozmawiałam z innymi matkami, że nie miałam pojęcia, czy zachowanie Daisy to normalna, typowa nastoletnia naiwność i egoizm, z których później wyrośnie, czy nie.

— I tak uważam, że powinnaś znaleźć sobie faceta — powiedziała po chwili. — Założyć ci profil na jakimś portalu randkowym? Mogłabym pomóc ci przesiać kandydatów i znaleźć kogoś fajnego. — W jej głosie brzmiała ekscytacja, jakby to był nowy projekt.

— Nie. Absolutnie nie.

Westchnęła ciężko, z frustracją.

— Nikt się nie dowie, że to ty. Ona nie będzie cię szukać na takiej stronie.

Wrócił strach. Strach, że Daisy jednak nie rozumie, że zdecydowanie zbyt swobodnie podchodziła do tego, kto co wie.

— Nawet nie chcę mieć chłopaka. — Bardzo starałam się nie burczeć i nie krzyczeć. — Dobrze nam tak, jak jest, prawda?

— Chyba tak. — Jej twarz była nieprzenikniona, zamknęła się przede mną.

Znałam prawdziwą odpowiedź. Ciążyła jej odpowiedzialność za mnie, zamartwiającą się, siedzącą samotnie. Gdyby udało jej się przerzucić ten ciężar na kogoś innego, mogłaby odfrunąć, czuć się wolna.

Jak jednak jakikolwiek związek miał pokonać choćby pierwszą przeszkodę, jeśli nigdy nie przyznam się, kim jestem?

Usiadłam na kanapie z laptopem na kolanach. Daisy zbierała swoje zeszyty i telefon, gotowa zniknąć. Chciałam jakoś ją zatrzymać, porozmawiać z nią, nie pozwolić, by odpływała coraz dalej, aż wymknie mi się zupełnie.

Zerknęłam jeszcze raz na wiadomość od Giseli i zobaczyłam coś, co wcześniej mi umknęło.

— Na litość boską! — jęknęłam. Daisy natychmiast się zainteresowała. — To impreza przebierana. Szlag by to. Na pewno nie idę.

Ale oczywiście Daisy zapaliła się, żeby „ogarnąć przebranie dla mnie”, a jeśli wspólne googlowanie pomysłów na kostium to coś, w co moja córka w pełni się zaangażuje, bez pisania esemesów i gapienia się w telefon, byłam gotowa spędzić wieczór na rozważaniu zalet stroju Wonder Woman, Marilyn Monroe czy Królowej Wiktorii.

— To musi być coś, co już mamy albo możemy zrobić same. Nie wydam ani pensa na ciuch, którego nigdy więcej nie założę.

Poderwała głowę.

— A zmieściłabyś się w ten strój babci, z białą bluzką i taką jakby chłopską spódnicą?

— Możliwe, ale na pewno tego nie włożę. — Zbyt polskie. Za bardzo się kojarzyło.

— Pięknie byś w tym wyglądała.

— Dzięki, ale nie.

— Dlaczego? Leży gdzieś upchnięty. Babcia byłaby zachwycona, gdyby wiedziała, że się na coś przyda.

Kiedy opróżniałyśmy dom mojej matki, nie byłam w stanie się z nim rozstać. Chociaż suta spódnica na halkach zajmowała całą walizkę i zdecydowanie zaliczała się do kategorii rzeczy, na które ani nie spojrzę, ani ich nigdy nie użyję, niemożliwością było się jej pozbyć, bo w błękitno-zielonych pasiastych fałdach kryło się wspomnienie o mamie. Przypominała mi polonijne letnie obozy, na które jeździliśmy do Pwllheli, kiedy cała moja rodzina — dziadkowie i rodzice — ożywała, odprężała się, jakby wdychali hołubione w sercach swojskość, zwyczaje i tradycje, po wysiłku budowania życia w kraju, który kochali i szanowali, ale którego nie czuli.

Mimo że matka przeprowadziła się tu w wieku szesnastu lat, z rozmysłem pozostała obca, inna, różna od matek moich koleżanek. Wyszła za Polaka i żyła w społeczności definiującej się przez kraj, który jej członkowie opuścili. Moje niespodziewane pojawienie się na świecie, kiedy miała czterdzieści sześć lat i już dawno porzuciła nadzieję na dziecko, zmieniło jej sposób myślenia. Była przekonana, że powinnam otworzyć się na Wielką Brytanię i oferowane przez nią możliwości.

Tak też zrobiłam. Mama była strasznie dumna, że zostałam ratowniczką medyczną. „Moja córka ratuje ludziom życie". Starałam się nie rozmyślać za dużo nad ironią tego stwierdzenia.

Niechętnie dałam się Daisy zaprowadzić na górę. Ściągnęłam walizkę z szafy, przypominając sobie wszystkie rzeczy, które mnie żenowały w mamie, kiedy byłam dzieckiem, samą jej polskość. To, że wymawiała „r" z lekką wibracją, mimo ponad trzydziestu lat mieszkania w Anglii. Pierogi, które pakowała mi na drugie śniadanie, jeszcze ciepłe, zawinięte w folię aluminiową, zamiast kanapek z szynką, jakie dostawali moi koledzy i koleżanki. To, jak mnie pilnowała na huśtawkach, gadając z tatą po polsku i częstując zupełnie obcych ludzi pączkami własnej roboty, których ci oczywiście odmawiali.

Strasznie chciałam móc wziąć ją jeszcze raz za rękę i zapewnić, jak bardzo ją kocham. Jaka jestem z niej dumna. Ile znaczyło jej wsparcie, jej absolutna wiara we mnie. Pragnęłam powiedzieć mamie, że jestem dumna z bycia Polką i nawet jeśli musiałam trzymać teraz swoje pochodzenie w tajemnicy, wciąż we mnie tkwiło, otulało moje serce.

Daisy stała obok mnie.

— Przymierz, przymierz — powiedziała prosząco. — Nigdy cię w tym nie widziałam.

Była podekscytowana, jeszcze za młoda, by wiedzieć, że ruszanie rzeczy należących do zmarłych jest jak otwieranie wieka skrzyni, którą czasem lepiej zostawić szczelnie zamkniętą.

W ramach „życia swoim życiem" — do czego usilnie namawiała mnie mama, nawet w ostatnich dniach, kiedy wypowiadanie słów przychodziło jej z trudem — dałam się ponieść entuzjazmowi Daisy. Kiedy tylko szczęknął otwierany zamek walizki, przy pierwszym szeleście spódnicy, gdy przygładziłam szlaczek w róże na dole spódnicy, zawirowały wokół mnie emocje, które często usiłowałam stłumić. Żal za cały ten czas, którego mama nie mogła spędzić z Daisy, bo się przeprowadziłyśmy, za to, że jej życie tak bardzo zmieniło się na gorsze z powodu tego, co stało się ze mną. Słyszałam teraz jej głos: „Gdybym mogła zwrócić ci tę osobę, którą byłaś wcześniej, kosztem tego, że sama byłabym nieszczęśliwa do końca życia, nie wahałabym się ani chwili".

Chciałam schować twarz w halkach i tkaninie spódnicy i płakać. Moja zwykła mama. Słabo wykształcona. Niezbyt zamożna. Nie olśniewająco piękna. Ale osoba, która mnie kochała bez względu na wszystko.

Daisy wyjęła spódnicę z walizki.

— Ale czad. Przymierz.

Wciągnęłam bluzkę z haftowanymi rękawami, a potem włożyłam przez głowę spódnicę i serdaczek.

— Wspaniale wyglądasz — klasnęła w dłonie Daisy.

Już tak dawno nie widziałam siebie w niczym innym niż służbowy mundurek albo legginsy i długa bluzka, dlatego ledwie się poznawałam.

— Potrafisz zatańczyć któryś taniec?

Stanęłam w pozycji wyjściowej, przypominając sobie głos mamy, kiedy instruowała mnie, co robić — wspomnienie lekkie jak piórko. Szybko stało się jasne, że znacznie bardziej interesowało mnie jeżdżenie na wrotkach i zabawy w parku z moją najlepszą przyjaciółką Becky. Imię Becky przybrało wyraźny kształt w moich myślach i już samo to sprawiło, że byłam o krok od wybiegnięcia na zewnątrz, by zaczerpnąć wielki haust świeżego powietrza. Zaczęłam rozpinać spódnicę.

— Nie — odparłam. — W ogóle nie pamiętam kroków. Dobry pomysł, ale nie sądzę, żebym miała w tym pójść.

— Musisz! Daj mi telefon, to ci zrobię zdjęcie.

Podałam jej komórkę, zaciskając usta, żeby powstrzymać się od komentarza.

— No, uśmiechnij się normalnie, mamo. Ale jesteś podobna do babci.

Jej podekscytowanie sprawiło mi przyjemność, i chociaż nie cierpiałam, jak mnie fotografowano, zapozowałam do zdjęcia

— O matko, ale mi w tym gorąco. — Zdjęłam spódnicę i serdaczek. Przed oczami miałam obraz mamy wciągającej czarne trzewiki, przekopującej się przez ciężkie warstwy, poprawiającej falbanki na rękawie.

Powiesiłam ludowy strój na wieszaku i ubrałam się z powrotem w swoje ciuchy.

Daisy nadal patrzyła w mój telefon.

— Hannah właśnie napisała, że wyglądasz cudownie. — Uśmiechała się, cała zarumieniona.

— Skąd Hannah wie, jak wyglądam? — Zerknęłam na zasłony, czy są zaciągnięte, w razie gdyby w okno mojej sypialni był wycelowany jakiś cholerny teleskop.

— Wysłałam jej zdjęcie.

— Błagam, powiedz, że jej nie napisałaś, że to strój babci? — jęknęłam. — Ani że jesteśmy Polkami?

— Nie jestem głupia. Nikomu nie powiedziałam. Że niby ja miałabym szczerze przyznać, kim jestem? — Rzuciła mój telefon i wypadła z pokoju.

Raz jeszcze udało mi się zmienić króciutką chwilę porozumienia z Daisy w kolejną przepaść między nami. Wzdychając, wróciłam na dół i usiadłam przy laptopie, gotowa, żeby skontaktować się z Giselą i wymówić się od imprezy. Zanim zdążyłam, wyskoczyła wiadomość: „Właśnie widziałam twoje przebranie! Świetnie wyglądasz. Podniosłaś nam wszystkim poprzeczkę. Jakieś pomysły dla mnie? Ludzik Michelina? Dmuchany zamek? Shrek?".

Pokręciłam głową. Cholerne telefony i przesyłanie zdjęć. Nie mogłam się już wycofać, byłoby niegrzecznie. Będę musiała powiedzieć, że znalazłam strój w jakimś lumpeksie i że przebrałam się za egzotyczną dójkę. Miejmy nadzieję, że akurat to kłamstewko nie spowoduje zawalenia się całej wieży pozostałych, jak poruszenie niewłaściwego klocka w grze w jengę.

ROZDZIAŁ 14

GISELA

Sobota, 18 listopada

Zdjęcia: Czekoladowy croissant, filiżanka herbaty, talia kart.
Podpis: Znów mam dwadzieścia jeden lat! #WszystkiegoNajlepszego #NieprzyzwoicieRozpieszczana

Jack wyskoczył z łóżka, śpiewając *Sto lat*.

— Nie ruszaj się! — zakomenderował. — Zrobię ci śniadanie i przyniosę!

Już chciałam powiedzieć, że nie, nie trzeba i zejdę na dół, ale się powstrzymałam. Wiedziałam, że nawet po dwudziestu latach małżeństwa Jack przyniesie mi słabą herbatę, zamiast siekiery, jaką lubiłam pić. Ale był ostatnio takim zrzędą, że czułam wdzięczność, że jest w dobrym humorze. No i mogłam dzisiaj liczyć na to, że dostanę parę nowych rzeczy i nie będę musiała czuć się winna. Ostatnio zawsze, kiedy coś kupiłam, Jack rzucał jakąś kąśliwą uwagę, na przykład: „Nie mamy już wystarczająco dużo cholernych ramek do zdjęć? Jakbym mieszkał w pieprzonej galerii". A kiedy mu powiedziałam, że zaprosiłam na imprezę czterdzieści osób zamiast pierwotnie planowanych dwudziestu, stwierdził, że mam zapomnieć o zamawianiu dla nich wszystkich szampana.

Jak zawsze jednak, niczym obłąkana optymistka, która nigdy nie widziała *Titanica*, czekałam na urodziny z dużą ekscytacją, co niewątpliwie oznaczało, że przez następnych kilka dni będę się czuła źle rozumiana i urażona.

Wszedł Jack ze sporym pudełkiem obwiązanym wstążką. Jak co roku doznałam idiotycznego przypływu nadziei, że tym razem znalazł prezent, dzięki któremu poczuję się, jakbym znów miała dwadzieścia trzy lata, zanim ta zmarszczka nad górną wargą rozgości się tam na dobre, jak szczelina w górskim zboczu, zasysająca szminkę. Prezent sugerujący, że co prawda nie planowaliśmy tak wcześnie się pobrać i tak szybko mieć dzieci, ale cudownie, że to zrobiliśmy.

Potrząsnęłam paczką.

— Brzmi obiecująco.

Zerwałam papier.

Wąskie białe pudełko, a w środku szczotka klozetowa. Aczkolwiek designerska szczotka klozetowa, którą pokazałam Jackowi w jednym z katalogów wnętrzarskich, regularnie lądujących w naszej skrzynce. Spojrzał wtedy jednym okiem i stwierdził: „Siedemdziesiąt pięć funtów, żeby wyczyścić ślady po gównie? Bez jaj!".

A więc już wiedziałam, że kiedy drapał się po brodzie i zamyślił głęboko nad tym, co takiego na pewno sprawiłoby mi radość w urodziny, do głowy przyszła mu szczotka do kibla.

Patrzył na mnie wyczekująco, jakbym miała zaraz zacząć bić brawo. Nie zaczęłam, więc uśmiech powoli zamarł mu na ustach.

— Mówiłaś, że nie potrzebujesz więcej biżuterii.

O Jezu. Odkąd to „nie potrzebuję" równa się „nie chcę"?

— To oryginalny prezent, dziękuję — wymamrotałam, myśląc, że istnieje duża szansa, że zanim dzień się skończy, wsadzę mu ją w tyłek aż po designerską, ręcznie wykonaną, ceramiczną rączkę.

— Hannah też ma coś dla ciebie, ale jeszcze nie wstała.

Cisnęło mi się na usta, że jeśli to uchwyt na papier toaletowy do kompletu, to mogą je oddać do sklepu, ale ugryzłam się w język.

Czasy, kiedy dzieci w moje urodziny stawały nade mną o szóstej rano i siłą otwierały mi powieki, chowając za plecami własnoręcznie zrobione laurki niczym bezcenne skarby, wydawały się odległe o milion lat.

Ollie, jeszcze niedawno chłopak, który przyjeżdżał do domu z uniwerku w piątek wieczorem bez zapowiedzi — często z bandą swoich kumpli oberwańców, z których wszyscy wyglądali, jakby przydał im się porządny talerz kiełbasek z ziemniaczanym purée i zapoznanie się na nowo z proszkiem do prania — teraz nie dawał znaku życia.

— Pewnie Ollie się do ciebie nie odzywał? Chyba nie powinnam robić sobie nadziei, że w ramach niespodzianki zjawi się na moich urodzinach?

— Gisela, nie możesz oczekiwać, że będzie co roku przyjeżdżał — powiedział Jack. — Ja nigdy nie wracałem do domu na urodziny matki, jak już wyjechałem na studia. Uważam, że to całkiem normalne u młodego faceta, który układa sobie własne życie. Zwłaszcza wtedy, gdy ma dziewczynę na poważnie.

— A ty się w ogóle nie przejmujesz, że ona jest o trzynaście lat starsza i to trochę obsceniczne, że zainteresowała się Olliem?

— Nie dramatyzuj. Popatrz na Macrona, prezydenta Francji. Ma dużo starszą żonę, ale nikt nie robi z tego afery.

— To zupełnie co innego. Francuzi mają dziwny stosunek do seksu.

Jack się roześmiał.

— Ollie jest dorosły. Musi popełniać własne błędy. Tak jak my. — Wyciągnął do mnie rękę. — Chodź tu, moja ty matko niedźwiedzico, zajadle broniąca młodych. Ty na pewno nie byłaś błędem. A chociaż twoi rodzice sądzili, że kiepska ze mnie partia, to jednak nie okazałem się taki najgorszy.

Uśmiechnęłam się, natychmiast zapominając o szczotce klozetowej.

— Tata był po prostu rozczarowany, że nie poszłam na studia po całym tym wysiłku z powtarzaniem matury — powiedziałam. — Poza tym, nie ma co porównywać, nie byłam o trzynaście lat starsza od ciebie. Mógłbyś pogadać z Olliem?

Jack pokręcił głową.

— Po prostu daj mu przejść tę fazę. Teraz jest z Natalie, ale kiedy skończy studia, może postanowi spędzić rok na surfowaniu w Australii, zamieszka w Irlandii i otworzy garncarnię albo będzie pracować w winnicach w południowej Francji... Swojej ścieżki w życiu można szukać na wiele sposobów, i Ollie znajdzie swoją.

Logicznie rozumując, wiedziałam, że Jack ma rację. Nie zmieniało to jednak faktu, że robiło mi się niedobrze za każdym razem, kiedy wyobrażałam sobie, że Ollie ląduje prosto w życiu złożonym z kłótni o to, kto zużył resztkę mleka i otworzył kolejne pudełko płatków, zanim pierwsze się skończyło.

Zwróciłam się do Hannah, żeby zaprosiła jego i Natalie na moją przebieraną imprezę urodzinową. Sama nie chciałam, wydawało mi się, że będzie to zbyt namolne, skoro dokładnie wiedział, kiedy mam urodziny. Jednak albo nie dostała odpowiedzi, albo ukrywała tę wiedzę, żeby mnie ukarać za zmuszenie jej do pójścia na kurs gotowania. „Mam gdzieś zasrane *noisettes* z jagnięciny i cytrynowy posset. I tak zamierzam zostać weganką".

Kiedy więc do szóstej wieczorem Ollie nie dał znaku życia, a Jack dostał szału, dowiedziawszy się, że zapłaciłam sto pięćdziesiąt funtów za wypożyczenie stroju Kopciuszka wraz z nadmuchiwaną karocą, która teraz zdobiła kąt salonu, miałam ochotę odwołać całą imprezę w cholerę.

Jak zwykle jednak dzwonek do drzwi oznaczający początek przyjęcia zrobił swoje: kurtyna w górę, Andersonowie zachowują się wzorowo. Hannah zeszła lekkim krokiem po schodach w kostiumie Czarnej Wdowy z Avengersów, a Jack zjawił się z tacą prosecco, które być może sprawi, że część gości po kilku kieliszkach dostrzeże jego nieznaczne podobieństwo do Daniela Craiga jako agenta 007.

Pierwsi przyszli Chris i Sally w strojach z *Grease*. Hannah nie wiedziała, kto to byli T-Birds — paczka Johna Travolty w skórzanych kurtkach — wpędzając nas w poczucie, że mamy po jakieś dziewięćdziesiąt pięć lat. Z kolei chcąc zrekompensować jej drwiny, pozachwycałam się ich kostiumami, zrobiłam zdjęcie i od razu wrzuciłam na Facebooka. Zdusiłam szybko myśl, że zawsze na przyjęcia pierwsi zjawiają się ludzie, których trzeba najbardziej zabawiać. Zwłaszcza że wisiała między nimi taka atmosfera, jakby jedno z nich niezbyt miało ochotę przyjść. Może powinnam im powiedzieć, że mnie też się nie chce robić tej cholernej imprezy, więc moglibyśmy wszyscy spadać na chatę, żeby pooglądać Netfliksa, wyjadając lody Ben & Jerry's z pudełka, a towarzyskie gadki zostawić sobie na inną okazję.

Jednak już po kilku minutach goście zaczęli napływać nieprzerwanym strumieniem, zapanował znajomy gwar, odgłosy wyciągania korków z butelek cabernet sauvignon i prosecco mieszały się z pierwszymi rozmowami:

— Jesteśmy spod dziewiątki.

— A, mieszkacie koło tego faceta z lotusem.

— Czy to wasz ogród styka się z rogiem starego placu zabaw?

Olliego nie było. Nieważne, z kim rozmawiałam, na jak fascynujący temat — jeden z sąsiadów okazał się wizażystą wykonującym makijaż pośmiertny w kostnicy — cały czas czujnie nasłuchiwałam dzwonka do drzwi, jak rozbitek na bezludnej wyspie wyczekujący pojawienia się statku na horyzoncie.

Przybycie Kate sprawiło, że otrząsnęłam się z przygnębienia. Bez uniformu ratownika, ze spiętymi włosami ozdobionymi różowym kwiatem, w wirującej spódnicy wydawała się zupełnie inną osobą, jakby przysadzisty wróbelek zamienił się w barwną papużkę. Gapiłam się na nią i tę niewiarygodną metamorfozę, aż się przestraszyłam, że ją tym urażę. Postanowiłam więc trzymać się faktów.

— Wyglądasz zjawiskowo — powiedziałam.

I nie tylko ja to zauważałam. Zebrani przypominali stado czujnych surykatek, mnóstwo głów obróciło się w jej stronę, jak u surykatek węszących niebezpieczeństwo.

— Dzięki. No, a co mogę zrobić, żeby ci pomóc?

Już miałam zbyć ją machnięciem ręki i powiedzieć, żeby poszła pogadać z ludźmi, kiedy dostrzegłam jej błagalną minę. To nie była kobieta przyzwyczajona do bycia w centrum uwagi.

— Mogłabyś poroznosić bruschettinki? Są z serem halloumi i pieczarkami. I te roladki z łososiem?

Kate wzięła talerze.

— O rany, sama je zrobiłaś?

Gdybym usłyszała to pytanie od kogokolwiek innego, może uznałabym je za krytykę, bo równiutki, jednakowy kształt przekąsek dość jasno wskazywał, że wysypałam je na blachę w piekarniku prosto z opakowania. W przypadku Kate jednak najwyraźniej wypływało ono ze szczerego podziwu. Była taka skromna i — jak podejrzewałam — niezbyt przyzwyczajona do przyjmowania gości. Nie widziałam, żeby ich dom odwiedzał ktoś oprócz Hannah.

— No co ty — roześmiałam się. — Dzięki mnie sklepowi COOK w miasteczku nigdy nie zagrozi bankructwo, wykupuję połowę asortymentu.

Zerknęła na rzędy półmisków z najróżniejszymi wypiekami: były tam małe Yorkshire puddingi, bliny i nadziewane sakiewki z ciasta francuskiego.

— Jesteś niesamowicie hojną i bardzo życzliwą osobą — powiedziała.

Przez sekundę myślałam, że się rozpłaczę. Zatuszowałam to machnięciem ręki.

— Dziękuję. To tylko coś na ząb, żebyśmy nie padli na pysk po pierwszym kieliszku. — Złapałam jeden z półmisków i zanurkowałam w tłum.

Właśnie zajmowałam się kobietą spod siódemki, która miała chyba wszystkie alergie pod słońcem — „Czy to zawiera nabiał? Gluten? Jajka?" — co oznaczało, że musiałam iść pogrzebać w śmieciach w poszukiwaniu opakowań, kiedy w drzwiach stanął Ollie przebrany za jaskiniowca.

Serce mi urosło, kiedy wpadł do środka i podniósł mnie, całe moje metr sześćdziesiąt, aż zamachałam bezradnie nogami nad podłogą.

— Sto lat, sto lat, sto lat, sto lat, niechaj żyje nam! — zaśpiewał.

Otrzepałam się, wygładzając strój.

— Przyszedłeś! Świetny kostium. — Powstrzymałam się przed pytaniem, czy przyjechała z nim Natalie, ograniczając się do poprawiania mu futrzanego stroju na ramieniu, i lustrując przy okazji pokój, tak by on nie widział.

Ogrom rozczarowania, który poczułam, kiedy spostrzegłam Natalie śmiejącą się z Jackiem przy drzwiach, mnie samą zszokował. I wkurzyłam się, że Jack tak ją serdecznie witał, niemalże poklepując po plecach.

Odwróciłam się z powrotem do Olliego, żeby go zapytać, jak tam studia. Udało mi się prawie dojść do pytania, jak mu się mieszka z Natalie, ale wycofałam się w ostatniej chwili.

— Podoba ci się mieszkanie w Bristolu?

Zanim zdążył odpowiedzieć, zjawiła się przy nim Natalie w przebraniu parszywej pastereczki Bou, z jakąś sterczącą spódnicą na drucianym rusztowaniu, która sprawiała, że miałam ochotę przyłożyć złożone dłonie do ust i zawołać: Uwaga, landara!

Natalie wręczyła mi kopertę.

— Wszystkiego najlepszego! To prezent od nas. Ale możesz go otworzyć dopiero, jak sobie pójdziemy.

Baba, której nie znam, mówi mi, co mogę, a czego nie! Miałam ochotę rozedrzeć kopertę, wyciągnąć prezent, pomachać nim i krzyknąć: No i co teraz zrobisz!? Zdecydowanie musiałam odszukać w sobie stateczną dorosłą.

Spojrzałam na Olliego.

— To bardzo specjalna niespodzianka. — Objął Natalie w pasie. Nadal czułam, jakby przytulał swoją nauczycielkę. Miałam nadzieję, że ta „specjalna niespodzianka" nie będzie się wiązała z koniecznością spędzania przeze mnie czasu z Natalie.

— Niesamowicie miło z waszej strony. Bardzo dziękuję. — Właściwie to musiałam jej przyznać, że przynajmniej wręczyli mi prezent i kartkę urodzinową we właściwym dniu. Normą Olliego w ostatnich latach było: „Sorry, nie zdążyłem wysłać ci kartki, ale mam nadzieję, że miło spędzisz dzień".

Zmusiłam się do odgrywania matki, o której dziewczyny syna mówiłyby: Ja to mam szczęście, mama mojego chłopaka jest cudowna.

Wlałam w siebie resztę prosecco z kieliszka.

— Powiedz, Natalie, Ollie dobrze się sprawuje? Nie jestem pewna, czy tak świetnie mi poszło przyuczanie go do uroków gospodarstwa domowego. Robiłam, co mogłam, ale chyba odziedziczył po Jacku antydomatorski gen.

Popatrzyła na mnie, jakbym była jakimś niezwykłym eksponatem w muzeum, Enigmą albo może wyżymaczką.

— Jest znacznie bardziej kompetentny, niż myślisz — stwierdziła.

Powinien to być miód na moje uszy, ale ponieważ wyczułam w tym zdaniu podtekst: Chyba nie znasz Olliego tak dobrze jak ja, kusiło mnie, by zaprezentować przegląd wszystkich jego domowych wtop z ostatniej dekady, dowodząc tym samym swej macierzyńskiej wyższości.

Na szczęście zjawiła się Sally, żeby mnie spytać, gdzie kupiłam sztućce do sałatek, więc wykorzystałam okazję i uciekłam, zostawiając ją rozmawiającą z Natalie.

Ogarnęło mnie potężne znużenie. Potrzebowałam więcej prosecco. Podeszłam do Jacka, który pełnił honory przy otwieraniu butelek. Gadał właśnie z Chrisem, Kate i kobietą, która wydała mi się znajoma, ale nie miałam pojęcia, jak ma na imię. Była ubrana w biały fartuch, na szyi miała stetoskop, a na ramieniu plastikową papugę. Rzuciłam Jackowi spojrzenie oznaczające: Pomocy, kto to?, a on uśmiechnął się i powiedział:

— Pamiętasz Sophie spod piątki?

Uścisnęłyśmy sobie dłonie.

— Poznałyśmy się u was na grillu w lipcu. Czuję się trochę jak uzurpatorka, bo tylko pomieszkiwałam u koleżanki pod jej nieobecność, ale w przyszłym tygodniu wreszcie gotowy będzie mój własny dom, więc długo już tu nie zabawię.

Zachowałam się jak typowa Brytyjka — udałam, że pamiętam dokładnie, kim jest, skoro już mi przypomniała, że się kiedyś spotkałyśmy.

— No oczywiście. Przepraszam, było tyle ludzi, że nie zdążyłam ze wszystkimi dłużej porozmawiać.

Chris nachylił się w moją stronę.

— Sophie jest weterynarką — poinformował.

Kobieta uśmiechnęła się, jakby była przyzwyczajona, że jej zawód robi wrażenie na ludziach. Szczęściara. Ja musiałam się zadowolić wywieraniem wrażenia za pomocą dressingu do sałaty z soku z cytryny i granatów.

— Stąd ten kostium doktora Dolittle'a. — Wskazała swój strój.

— Pracujesz w okolicy? — spytałam.

— Tak, mam własny gabinet koło Albert Park.

Założę się, że wychowała się w domu w typie starej plebanii, pełnym zakamarków, gdzie po kuchni łaziło stado kotów, przed kominkiem wylegiwały się kudłate psy, a do tego znalazło się parę kucyków, na których mogła eksperymentować, w ogrodzie zaś grzebały kury z prawdziwie wolnego wybiegu.

— Sophie właśnie nam opowiadała o swoim basenie do hydroterapii dla psów — powiedział Chris, przekrzywiając głowę.

— Jest duże zapotrzebowanie na coś takiego? — spytał Jack.

— Zdziwiłbyś się. To świetna sprawa dla psów z artretyzmem albo dochodzących do siebie po urazach, bo woda pozwala odciążyć stawy i układ kostny. Hydroterapia przyspiesza proces leczenia.

Miała w sobie coś takiego, tę pewność siebie osób wykształconych, sprawiającą, że potrafią bronić swojego zdania w każdej intelektualnej debacie, bo jakoś udaje im się chłonąć z gazet fakty i liczby, a nie tylko — jak mnie — zapamiętywać zdjęcia kaczki drepczącej do stawu ze swoimi kaczuszkami w wiosenny dzień albo jeleni odprawiających gody w leśnym parku.

Jack wyglądał, jakby chciał wrzucić ją na półmisek i zjeść skropioną sokiem z cytryny. Może jednak był zdolny do romansu. Szybko odepchnęłam od siebie tę myśl. Jeszcze tego brakowało, żeby ostatni bastion utrzymujący mnie przy zdrowych zmysłach okazał się bagiennym trzęsawiskiem.

Mój mąż niemalże spijał słowa z jej ust.

— Potrzebujemy nowego weterynarza — powiedział. — Wet Titcha odszedł na emeryturę, a dogi niemieckie rzadko dożywają w zdrowiu późnej starości.

Sophie wyciągnęła wizytówkę i wręczyła ją Jackowi.

— Do usług.

— Jakaś specjalna cena po znajomości? — mrugnął do niej.

Chyba go uduszę. Wychodziliśmy na jakichś chytrusów, a przecież ledwo ją znaliśmy.

Sophie tylko się roześmiała.

— Może będę mogła zaoferować zniżkę. Jeśli do nas przyjdziesz, powiedz mojej sekretarce, że jesteśmy sąsiadami, a ona to zanotuje.

Dwudziestoparolatka z własną sekretarką. Ja miałam czterdzieści trzy lata i w ciągu ostatnich dwudziestu nie udało mi się nawet delegować kogoś do powieszenia kurtki.

Wzięłam kopertę od Olliego i Natalie, którą wcześniej odłożyłam na bok, i poszłam na górę, żeby przeczytać liścik w zaciszu sypialni. Miałam nadzieję, że napisał jakieś piękne słowa, które podziałają kojąco. W środku była zwykła kartka urodzinowa — żadnych tam: „Dla wspaniałej Mamy" czy „Wyjątkowej Mamie" — i mniejsza koperta. Na kartce tekst: „Kochana Mamo, wszystkiego naj, najlepszego. Mamy nadzieję, że niespodzianka Ci się spodoba! Uściski, Ollie i Nat". Jak na razie bez rewelacji. Przyjrzałam się mniejszej kopercie. Dzień w spa? Metamorfoza u stylistki? Voucher na analizę kolorystyczną? Otworzyłam ją i wyjęłam kawałek cienkiego papieru.

Zdjęcie USG dziecka.

Zdjęcia: Sally i Chris w kostiumach z *Grease*.
Gisela z wypchanym szczurem.
Podpis: Strasznie fajne urodziny!
#ParkviewPinkLady #T-birds #Kopciuszek
#UrodzinowyJubel

ROZDZIAŁ 15

KATE

Sobota, 18 listopada

Szukałam Daisy, żeby jej powiedzieć, że zaraz wychodzę. Rozdałam już bliny, pozbierałam puste szklanki, siedziałam i głaskałam Titcha, aż ręce zaczęły mi śmierdzieć psem, ale wciąż nie udało mi się wpasować w żadną z orbitujących wokół mnie grupek. Prawdopodobnie zapomniałam, jak prowadzić towarzyskie pogaduszki i wejść w rytm wymienianych uprzejmości. Założenie, że mogę poznać ludzi, nie dając im dowiedzieć się niczego o mnie, było chyba nieco zbyt ambitne, trochę jakbym chciała popływać, ale się nie zamoczyć. Sally od razu mnie zdenerwowała, mówiąc:

— Wow! Ale wspaniały kostium. Wyglądasz jak jedna z tych laleczek w tradycyjnym stroju, które się przywozi na pamiątkę z wakacji. Skąd go masz? Z Rosji? Bułgarii? Na pewno z Europy Wschodniej. Może z Polski?

Serce zamarło mi z przerażenia.

— Nie mam pojęcia. Nie chciałam za dużo wydawać na przebranie, akurat zobaczyłam to w lumpeksie i spodobały mi się kolory. W ogóle to nie znoszę imprez kostiumowych.

Zamrugała, zaskoczona moją niewdzięcznością. Trzeba jej jednak przyznać, że rzuciła mi koło ratunkowe, bo powiedziała:

— Rzeczywiście, trudno wymyślić, w co się ubrać, prawda?

— No, w każdym razie, pójdę się rozejrzeć. Miło cię widzieć. Jeszcze pogadamy. — I uciekłam, zostawiając Sally samą i pewnie zdziwioną, że jej komplement spotkał się z tak gburowatą ripostą z mojej strony.

Dostrzegłam Daisy szepczącą w kącie z Hannah, która, jak zwykle, miała wyraz twarzy pełen satysfakcji, jakby zastawiła na kogoś pułapkę i teraz spokojnie czekała na swoją ofiarę. Nigdy nie udało mi się rozwiązać zagadki, jak to możliwe, że w towarzystwie niektórych osób mających mniej niż połowę mojego doświadczenia życiowego potrafiłam czuć się głupia, gruba i niezdarna. Próbowałam nie przejmować się tym, co myślą inni, ale doszłam do wniosku, że takie rozwiązanie jest zarezerwowane dla ładnych, superinteligentnych i bogatych, które tak górowały nad wszystkimi, że po prostu nie musiały się nikim przejmować. Reszcie z nas nadal zależało, żeby mieć ludzi po swojej stronie. Albo przynajmniej nie przeciwko sobie.

Daisy posłała mi ten swój uśmiech, który ostatnio często u niej widywałam. Oznaczający: Cześć mamo, możesz mnie zostawić w spokoju?

— Zaraz znikam — oświadczyłam.

— Ale dopiero wpół do dziesiątej! — jęknęła Daisy, jakbym była największą sztywniarą na kuli ziemskiej.

— Trochę boli mnie głowa.

Wytrzeszczyła oczy.

— Nie siedź za długo. Masz rano pracę.

— Dobrze — odparła, ale było w tym słychać nutkę przekory, takiego: Zrobię, co będę chciała, tonu, który wkradał się w jej słowa od kilku miesięcy.

Chciałam się przysunąć i ją pocałować na pożegnanie, ale w końcu tylko niezgrabnie pomachałam i ruszyłam do drzwi, mając nadzieję wymknąć się tak, żeby Gisela mnie nie zauważyła.

Rozejrzałam się, próbując ją zlokalizować, ale nigdzie jej nie było. Właściwie nie widziałam jej już od dłuższego czasu. Pewnie poszła po alkohol do garażu, istnej jaskini Aladyna.

Akurat przechodziłam koło toalety na dole, kiedy wyszedł z niej facet w kosmatym czarno-pomarańczowym kostiumie pająka i zawadził mnie jednym ze swoich licznych odnóży.

— Ups. Przepraszam! Jeszcze się nie przyzwyczaiłem, że mam osiem nóg. — Spojrzał w dół. — Piękna spódnica. Czy przywiał cię wiatr znad austriackich Alp?

— Nie — odparłam szybko i pewnie. — Przykro mi. Z drugiej strony ulicy. Nic aż tak efektownego.

— Ale wychwyciłem chyba lekki północny akcent?

— Lancashire, lata temu. — Miałam nadzieję, że nie będzie mnie naciskał, żebym sprecyzowała, skąd dokładnie. Na szczęście większość południowców nie dostrzegała różnicy między akcentem z Manchasteru a z innych miejsc na północy.

Odepchnął kilka pajęczych odnóży i wyciągnął rękę.

— Jestem Alex.

— A ja Kate. Miło mi. Nie bierz tego do siebie, ale właśnie wychodzę.

Cofnął się o krok z teatralną przesadą.

— Nieee! Jesteś pierwszą przyjazną osobą, z którą tu rozmawiam.

Jego szczerość sprawiła, że się roześmiałam. Sama chwilami mogłabym przysiąc, że goście racjonowali uśmiechy w obawie, by nie dostać zmarszczek.

— Należy mnie traktować jak intruza — wyznał. — Nie mieszkam przy tej ulicy. Jestem przyjacielem Jacka ze studiów. Znasz ten typ: przyjaciel, który zalicza jedną katastrofę za drugą, a jego solidni żonaci koledzy wciąż go zapraszają z litości, licząc na to, że ich rozsądny styl życia jakoś mu się udzieli.

Chciałam mu powiedzieć, że także ze mną było tak fatalnie, iż nie dostawałam już nawet zaproszeń z litości.

— Trudno mi ocenić, czy to prawda — odparłam — skoro jesteś przebrany za tarantulę. Twój kostium trochę zaciemnia obraz.

W jego oczach mignął błysk rozbawienia, a ja się zarumieniłam, bo miał w sobie coś takiego... co znaczyło, że potrafił być niegrzeczny. Wiedziałam, co zaraz powie, a on wiedział, że ja wiem.

— Mogę się rozebrać, jeśli chcesz, żebyś mogła dokładniej się przyjrzeć.

— Lepiej nie — starałam się rzucić lekceważąco i z dezaprobatą, ale zabrzmiało przekornie i żartobliwie. Bóg raczy wiedzieć, skąd się to wzięło. — Jesteś singielką?

Zupełnie wyszłam z wprawy. Mężczyźni byli teraz tacy bezpośredni?

— A wyglądam na singielkę? — Od razu poczułam się zepchnięta do defensywy, jakby było we mnie coś z „paszteciary, której bym nawet drągiem...".

Człowiek tarantula westchnął, twarz rozjaśnił mu szelmowski uśmiech.

— Nie jestem pewny, jak miałaby wyglądać singielka, no chyba żeby pchała wózek pełny chińskich zupek, a za nią ulicą ciągnął pochód kotów. Ale musiałem zapytać, bo a) wychodziłaś sama oraz b) Gisela i Jack mnie zabiją, jeśli narobię kłopotów którejś z ich zamężnych znajomych. Wtedy pewnie nie dostanę nawet zaproszenia z litości. A to byłby koniec mojego życia towarzyskiego. Wszyscy inni już położyli na mnie krzyżyk.

Alex sam sobie robił najgorszą reklamę.

Zrobiłam krok w stronę drzwi. Wyciągnął do mnie rękę.

— Nie zostawiaj mnie, nie zniosę kolejnej rozmowy o tym, czy ceny nieruchomości przy tej ulicy wzrosły, odkąd wszyscy obecni je kupili. Ani czy ta elitarna szkoła, do której chodziła Hannah, jest warta takich pieniędzy. Ani czy British Telecom założy tu szerokopasmowy światłowód w następnym tysiącleciu.

Nie wiem, co we mnie wstąpiło. Podzielałam jego ból, jeśli chodzi o powtarzalne tematy rozmów, i w efekcie zgodziłam się na jeszcze jeden kieliszek prosecco. Zaprowadził mnie z powrotem do salonu.

A pół godziny później miałam niezłą satysfakcję, widząc, jak Hannah trąca Daisy łokciem, zaskoczona, że beznadziejna sztywniara tańczy z tarantulą macarenę.

ROZDZIAŁ 16

SALLY

Czwartek, 30 listopada

Zdjęcie: Prowansalski targ, kręgi sera, sznury czosnku.
Podpis: Jesień w Prowansji.
#CiężkaHarówa #KtośMusiToRobić

Za każdym razem, kiedy wyjeżdżałam służbowo, bałam się, że łącząca mnie z Chrisem nić — czy może raczej gumka — znów trochę się rozciągnie, aż pewnego dnia nasz związek podzieli los starego bikini, zbyt workowatego, by mogło wrócić do poprzedniego kształtu. Przyjechałam dziś do domu, wyczerpana kilkudniową wędrówką po winnicach w Prowansji z rozkapryszonymi winiarzami, którzy najwyraźniej mieli w nosie, czy kupię ich Bandol Rouge albo Côtes de Provence Rosé. Byłam jedyną kobietą w ekskluzywnym, doborowym gronie kupców i większość właścicieli winnic mówiła do mnie tak, jakbym nigdy nie słyszała o winorośli odmiany Mourvèdre.

Jadąc z Gatwick w ulewnym deszczu, puściłam wodze fantazji i wyobrażałam sobie, jak wchodzę do domu,

Chris uwalnia mnie od walizki, a na kuchence bulgocze potrawka z kurczaka.

Zamiast tego znalazłam na stole w kuchni kartkę:

„Mam nadzieję, że miałaś dobrą podróż. Przepraszam, że nie mogłem na Ciebie zaczekać. Musiałem wrócić do pracy, bo trzeba przygotować jeden dokument na jutrzejsze spotkanie z Zarządem. Nie czekaj na mnie. Do zobaczenia rano. Buziak, Chris".

No, trochę kontrastu w porównaniu z początkiem naszego małżeństwa, kiedy po powrocie witał mnie pokój pełen kwiatów. Najwyraźniej teraz zasługiwałam tylko na głupiego buziaka i zapewne powinnam uważać się za szczęściarę, jeśli w lodówce zostało trochę mleka.

Wściekła polazłam na górę, waląc walizką o każdy stopień. Miałam gdzieś, że kółka zostawiały na powierzchni schodów czarne ślady lotniskowego brudu. Wzięłam telefon i wystukałam esemesa: „Dzięki za powitanie w domu. Jakże doceniam".

Brak odpowiedzi.

Nalałam sobie kieliszek wina, napuściłam wody do wanny i zrobiłam wszystkie rzeczy, które kiedyś robił Chris — zapaliłam świece i kadzidełka, położyłam swoją piżamę na kaloryferze. Cyknęłam fotkę tak przygotowanej łazience, potem zrzuciłam ciuchy i leżałam w wannie, dolewając gorącej wody. Usiłowałam czytać, ale wciąż wracałam myślami do tego lapidarnego liściku. Czy to tak będzie teraz wyglądać życie? Dryfowanie ku starości, rosnąca z roku na rok uraza, aż w końcu będziemy pilnować, kto ostatnio zrobił herbatę i czyja teraz kolej, a jeśli nie nasza, nie ruszymy się z fotela i prędzej umrzemy z pragnienia, niż pozwolimy, by temu drugiemu „uszło na sucho bycie śmierdzącym leniem". Ale alternatywa była... Boże. Wystarczyło, że wyobraziłam sobie reakcję mojej matki, a już chciałam zacząć szukać w Google'u, gdzie by tu zamieszkać, żeby nie było zasięgu. „Przecież życie w małżeństwie nie jest usłane różami. Spójrz na swojego ojca. Potrzebujecie dziecka, które by was połączyło. Macie za dużo czasu na myślenie o sobie".

W końcu wyszłam z wanny, omijając matę łazienkową. Ociekając wodą, dotarłam do naszej sypialni, zostawiając mokre ślady na kremowym dywanie. Dzisiejszy wieczór był początkiem mojego buntu. Przez ostatnich dziesięć lat kawałeczki mnie samej układały się równiutko w uporządkowany schemat, którego wymagał Chris. Godziłam się na to dla świętego spokoju albo po prostu dlatego, że on częściej niż ja miał sprecyzowane zdanie, co robić tak, a nie inaczej, co jest słuszne, a co nie. Kiedyś chętnie podążałam za nim. Teraz jednak chciałam pójść inną ścieżką.

Umościłam się w łóżku, oparłam na poduszkach z książką w ręku, pozwalając sobie wyobrazić życie, w którym nie mogłabym liczyć na ciepło drugiego ciała leżącego w nocy koło mnie.

Coś pykało w kaloryferach. Ktoś zatrzasnął drzwi samochodu. Cichły głosy ludzi wracających pieszo z pubu. Chrisa wciąż nie było.

Napisałam esemesa: „Wracasz już do domu?".

Usiłowałam czytać, ale wciąż zerkałam na telefon. Nie odpowiadał.

Po półgodzinie zadzwoniłam do niego, ale włączyła się poczta głosowa. Trudno mi było wyobrazić sobie, co mogło być aż tak pilne, że siedział w biurze po północy. Na zmianę ogarniały mnie furia i niepokój. O wpół do pierwszej niepokój zaczął wygrywać. Moje myśli — nieodrodnej córki swojej matki — poszybowały w kierunku katastroficznych przewidywań. Chris został przypadkowo zamknięty w biurze. Miał wypadek samochodowy. Padł ofiarą nożownika. Zastanawiałam się, co mówi prawo o pośmiertnym pobraniu spermy.

O pierwszej w nocy trzasnęły drzwi samochodu. Wyjrzałam zza zasłonek i zdążyłam jeszcze zobaczyć odjeżdżającą szybko taksówkę, a potem usłyszałam zgrzyt klucza w zamku.

Zbiegłam na dół.

— Wszystko w porządku? Myślałam, że coś ci się stało.

— Napisałem przecież, że zobaczymy się rano. Dlaczego jeszcze nie śpisz?

Wytrzeszczyłam na niego oczy. Jego poirytowane westchnienie, że po powrocie ze służbowego wyjazdu nie poszłam grzecznie spać, jak mi przykazał, podziałało jak detonator.

— Nie śpię, bo się martwiłam, czy nic ci nie jest, do cholery! Co to za kryzys w pracy, przez który musisz tam siedzieć do tej godziny?

Jego ruchy były powolne i precyzyjne. Odwijał szalik, rozpinał płaszcz.

— Byłeś w pubie.

— Wziąłem tylko zespół na jednego. To był koszmarny dzień. Proszę cię, Sally, nie zaczynaj, jestem absolutnie wykończony i muszę wcześnie wstać.

— To jakiś absurd. Nie było mnie parę dni, ty wracasz późno, chociaż mogłeś wcześniej, i masz gdzieś, że twoja żona jest zdenerwowana? Co to znaczy? Że dziś masz zły dzień, a jutro zdasz sobie sprawę, że zachowałeś się nie na miejscu? A może masz nadzieję, że to ja zdecyduję, że nasze małżeństwo się rozlatuje?

Coraz bardziej podnosiłam głos, wchodząc na wysokie tony, na co na ogół Chris mówił mi, żebym nie histeryzowała.

— Nie wiem, o co ci chodzi. Przyszedłem nieco później do domu po ciężkim dniu. — Uniósł brwi. — Czy dopuszczasz nieśmiałą myśl, że być może odrobinę przesadzasz?

— Zamknij się — rzuciłam wściekle. — Wiesz, że nie chodzi o to, że wracasz późno. Karzesz mnie, bo ci się nie podoba, że nie potrafię zaakceptować tego, że nie mogę mieć dziecka. Chcę się z tym pogodzić. Ale nie mogę. Nie umiem sobie wyobrazić starzenia się bez dzieci. Zamiast pomóc mi to przepracować, zamiast próbować znaleźć kompromis, ty się wycofujesz. Dajesz nogę, kiedy tylko na horyzoncie pojawiają się kłopoty.

Miałam ochotę kazać mu się wynosić, ale się powstrzymałam. Czułam jednak, jak pulsuje mi krew; mało brakowało, a pognałabym do sypialni i wrzuciła jego starannie poskładane majtki do podręcznej torby.

Wziął głęboki wdech. Nie taki, który ma dać czas na odpowiedź, tylko kontrolowany „wdech przez nos, wydech przez usta", jak na zajęciach fitnessu opartych na tai-chi, na które go kiedyś wyciągnęłam. Chris nie umiał zareagować spontanicznie. Wszystko było przemyślane, celowe. A zdecydowanie się na dziecko, kiedy nie jest się pewnym, to najwyższy akt wiary, skok na głęboką wodę. Którego nie miał zamiaru w najbliższym czasie wykonywać.

Bardzo cicho powiedział:

— Wyprowadzę się na jakiś czas, dam nam trochę przestrzeni, żebyśmy mogli pomyśleć. Zatrzymam się w jednym z mieszkań firmy w Londynie.

Sama go do tego popchnęłam. A teraz czułam, jakby ktoś mi przecisnął serce przez drobne sito, tak że w oczkach zostały trwałe fragmenty miłości, jak stwardniałe drobinki lukru. Cała reszta, z której zbudowane jest małżeństwo — automatyczna życzliwość, nieskrępowany dotyk, wzajemne cieszenie się ze swoich sukcesów — zostały starte na proch, który rozwiał wiatr.

— Długo cię nie będzie? — Złość ustępowała, teraz bardzo starałam się pozbyć z głosu niepewności, tonu żebrzącego o ochłap zainteresowania.

— Zobaczymy, jak sytuacja się rozwinie.

Trudno mi było określić, która z emocji we mnie zwycięża. Całkiem nieźle radziła sobie panika.

— To co, mam wszystkim powiedzieć, że mnie zostawiłeś? Mam powiedzieć dlaczego? Że jesteś zbyt wielkim egoistą, żeby mieć dzieci?

Znów ten cichy, smutny głos, jakby był zatroskanym lekarzem, który przepisuje pacjentce wyjątkowo paskudne lekarstwo dla jej własnego dobra:

— Sal. To nie musi być na stałe, ale nie możemy kręcić się w kółko. Proszę tylko, żebyśmy pobyli trochę osobno i przemyśleli sobie parę rzeczy. Tobie też to dobrze zrobi. Każdemu, kto spyta, możesz powiedzieć, że wyjechałem na dłużej do Los Angeles. Co nie będzie zupełnym kłamstwem. Spędzę tam sporo czasu w związku z tym projektem zmiany zarządzania. Zaczyna się na początku grudnia.

— Ale wrócisz na święta? — Już widziałam, jak mama się załamuje, że zmarnowała pieniądze na opakowanie skarpet „ze specjalnym luźnym ściągaczem, które nie obciskają nogi nad kostką. Pomyślałam, że dzięki temu Chris nie dostanie tej tam zakrzepicy, jak tak ciągle lata". I tak by ich nie nosił, twierdząc, że jest zdecydowanie zbyt młody i sprawny, żeby potrzebować jakiegokolwiek produktu mającego w opisie słowo „komfort".

— Trudno mi teraz powiedzieć. Dzisiaj będę spał w gościnnym.

I tak po prostu z żony przeżywającej problemy małżeńskie stałam się kobietą, która nie była pewna, czy może jeszcze liczyć na to, że ma męża.

Leżałam bezsennie do świtu, rozpaczliwie pragnąc wsunąć mu się do łóżka, położyć mu głowę na piersi i błagać, żeby pomógł mi zrozumieć to, co myśleliśmy, że było miłością, ale okazało się bronią zadającą ciężkie rany.

ROZDZIAŁ 17

KATE

Piątek, 1 grudnia

Wychodziłam w piątek na poranną zmianę, kiedy na progu swojego domu pojawił się Chris z walizką i kilkoma torbami. Uznałam, że niegrzecznie byłoby go zignorować, chociaż była szósta rano, pora może niezbyt odpowiednia na sąsiedzkie pogaduszki.

Uniosłam dłoń w geście pozdrowienia.

— Wyjazd służbowy?

— Tak, tym razem długi. Do Los Angeles na kilka tygodni.

— Ale wracasz na święta?

— Miejmy nadzieję.

A myślałam, że to ja mam podły grafik zmianowy. Co to za praca, która nie pozwala człowiekowi wrócić do domu na Gwiazdkę? Nie wyglądało jednak na to, żeby Chris chciał wdawać się w dyskusję na ten temat i szczerze mówiąc, było trochę wcześnie jak na omawianie skarg pracowniczych.

Rozejrzałam się za Sally. Kiedy Oskar gdzieś wyjeżdżał, bez względu o której godzinie, zawsze czułam, że muszę się z nim porządnie pożegnać, jakby w ramach pewnego ubezpieczenia. Sally ewidentnie jeszcze chrapała w najlepsze. Trudno było ich rozgryźć. Z jednej strony wydawali się bardzo samowystarczalną parą, właściwie nie potrzebowali nikogo innego, w przeciwieństwie do Jacka i Giseli, którzy kwitli w towarzystwie, najlepiej licznym i niekoniecznie starannie dobieranym. Z drugiej natomiast — Sally i Chris sprawiali wrażenie niezależnych od siebie. On nigdy nie usuwał lodu z przedniej szyby jej wozu przy okazji skrobania swojej ani nie wybiegał, żeby jej pomóc, kiedy dźwigała zakupy z supermarketu — nie widziałam tych gestów życzliwości, które rekompensowały irytacje małżeńskiego życia. Kiedy byłam żoną Oskara, znajdowałam w tych drobiazgach radość. Wkładałam termofor do łóżka po jego stronie. Oddawałam mu resztkę mleka do kawy, bo nie znosił czarnej. Obierałam mu pomarańczę, bo wiedziałam, że inaczej nigdy jej nie zje.

Ostatecznie te małe gesty nie wystarczyły, żeby go przy nas zatrzymać. Uznał, że nasze życie stało się zbyt trudne i „na złe" z przysięgi małżeńskiej ma pewną granicę. Jednak na co dzień uwielbiałam ten moment, kiedy na twarzy Oskara pojawiała się miękkość, jego: „Dziękuję", to przelotne porozumienie, lekkie jak motylek. Nie potrafiłam sobie wyobrazić, że jeszcze kiedyś komuś tak zaufam.

A jednak podczas przerwy na herbatę kliknęłam Facebooka, żeby sprawdzić, czy Alex przysłał mi jakąś wiadomość. Nie widziałam go od imprezy u Giseli dwa tygodnie temu, ale pojawiające się co jakiś czas pytanie, czy pójdę z nim na drinka, niewątpliwie poprawiało mi humor i rozjaśniało dzień. Nawet jeśli zawsze odmawiałam.

Sally zamieściła zdjęcie Chrisa. „Mąż w podróży służbowej. #Samotna #Chlip #JużTęsknię".

Rany boskie, nawet gdybym miała męża, za którym mogłabym #JużTęsknić, nie napisałabym w poście na Facebooku, że wyjechał — po co kusić miejscowych włamywaczy? Miałam chęć napisać „Ale nie #dośćsamotna, żeby wstać i pomachać mu na pożegnanie".

Próbowałam właśnie otrząsnąć się z tych małostkowych myśli, kiedy przyszła wiadomość od Alexa. „Kolacja dziś wieczorem? Zgódź się. Jestem towarzyskim pariasem, znudzonym jedzeniem gotowych dań z Marks & Spencer. Mogę odgrzać w mikrofali gotowca dla dwojga, ale pozwoliłem też sobie zarezerwować stolik w Jolly Farmer".

Kończyłam dziś wcześnie. Daisy ubłagała mnie, żebym pozwoliła jej nocować u Hannah — „Gisela właśnie kupiła jej cały nowy zestaw Mac do makijażu, więc będziemy eksperymentować" — a w ten weekend zacznie się inwazja kolędników. Nie ma to jak parę zwrotek *O Little Town of Bethlehem* odśpiewanych brzękliwie pod moimi drzwiami. Od razu wtedy czułam, że wszyscy oprócz mnie siedzą sobie na wspólnych sesjach pakowania prezentów i świątecznie się weselą, polewając adwokata. Sally nie miała bladego pojęcia, co to znaczy być #samotną. Napisałam: „OK. O której?".

Roześmiałam się, kiedy przysłał mi GIF-a z chłopcem odtańcowującym taniec radości i napisem „Hell, YEAH. 7.30".

Sześć godzin, żeby sprawdzić, czy mur, który zbudowałam wokół swoich najskrytszych spraw, mocno się trzyma.

Nie pozwoliłam mu przyjechać po mnie do domu, jak proponował. Oczywiście już wiedział, że mieszkam w Parkview, a Gisela z pewnością bez sekundy wahania wskazała mu dom naprzeciwko, ale nie chciałam, by pomyślał, że może wpadać, kiedy mu się podoba, tylko dlatego, że już raz u mnie był. Od przyjęcia jego zaproszenia do wyjścia z domu, żeby po raz pierwszy od jedenastu lat spotkać się z mężczyzną, miotałam się między skrajnościami: z jednej strony nie chciałam wyglądać, jakbym się bardzo starała, z drugiej — pragnęłam udowodnić, że nie jestem jeszcze gotowa spędzać dni na wyszukiwaniu pięćdziesięciu pięciu kawałków niebieskiej chmury w moich najnowszych puzzlach.

Kiedy zbliżałam się do pubu, twarz miałam zesztywniałą z zimna, ale pozostałe części ciała — lepkie od potu z nerwów. Ćwiczyłam sobie w myślach: Poproszę duży kieliszek czerwonego wina, żeby przy barze nie stracić odwagi. Zatrzymałam się na chwilę, zanim pchnęłam drzwi, żeby wejść do środka, powtarzając sobie, że jeśli ktoś się odwróci, to tylko z przelotnej ciekawości, by zobaczyć, kto przyszedł. Nie dlatego, że wie. Na szczęście Alex już był na miejscu. Zaskakująco przystojny bez pomarańczowo-czarnej kominiarki ze stroju tarantuli.

— Kate!

Wstał. Nie pamiętałam, że był taki wysoki. Nie wiedziałam, czy mam mu podać rękę, pocałować w policzek, czy stać przy drzwiach jak cholerna butelka mleka. Alex, promieniując ciepłem, przytulił mnie na niedźwiedzia.

— Byłem w pełni przygotowany, że mnie wystawisz. Chodź, ale zmarzłaś. Usiądźmy przy kominku. Czego się napijesz?

— Ja zamówię. — Wyszło opryskliwie, jakby mnie obraził, jakby przekroczył jakąś niewidzialną granicę pierwszorandkowej etykiety.

Roześmiał się, nachylił się w moją stronę.

— Miła propozycja, ale dzisiaj ja stawiam. Ty możesz płacić następnym razem.

Jak cudownie istnieć w świecie, w którym ma się taką pewność, że będzie „następny raz".

Długo układałam na krześle płaszcz i torebkę, opóźniając moment, w którym usiądziemy naprzeciwko siebie i nie będę miała gdzie się schować. Alex, najwyraźniej nieświadomy mojego wycofania, trafił w dziesiątkę z tematem rozmowy, bo zaczął wypytywać, jak minął mi dzień w pracy. Nie musiałam odsiewać i filtrować żadnych osobistych szczegółów, więc trochę się rozluźniłam i opowiedziałam o jednym z kolegów, którego aparycja zbira kłóciła się z ujmującym sposobem bycia.

— Staruszki najpierw czujnie go obserwują, jak jastrzębie, czy aby nie ucieknie z ich torebką, a pod koniec zapraszają, żeby wpadał na herbatkę, kiedy tylko będzie w okolicy.

— Niebezpieczeństwo sądzenia ludzi po wyglądzie. — Alex pociągnął kolejny łyk wina, niewymuszony uśmiech rozjaśnił mu twarz. — To jaka jest prawdziwa Kate? Co się kryje za tą chłodną, opanowaną fasadą?

O, już jest. To lekkie ukłucie strachu. On nie może się niczego dowiedzieć.

Przełknęłam ślinę.

— Jeśli masz nadzieję na ukrytą głębię, to się rozczarujesz. Obawiam się, że jestem taka, jak widać. Dosyć nieciekawa.

Alex zaśmiał się, odrzucając głowę do tyłu.

— Mówi kobieta, która tańczyła z taką pasją i wyczuciem rytmu. Na pewno nie jesteś nieciekawa.

— Tak ci się wydaje przez to wino.

Na twarzy Alexa mignął wyraz zniecierpliwienia.

— Spotykałem się z tyloma kobietami... — Poprawił się: — Często zdarzało mi się spotkać kobiety, które uważają, że każdy dotyczący ich szczegół, od tego, gdzie kupiły buty, do tego, jak często farbują odrosty, jest źródłem fascynacji. Ty, najbardziej interesująca kobieta, jaką poznałem od miesięcy, uważasz, że jesteś nudna. — Wzruszył ramionami. — Nigdy was nie zrozumiem.

— Nie wiem, co na to powiedzieć. — Chociaż nie mogłam zignorować wielkiego wybuchu radości, który poczułam na wieść o tym, że zdaniem Alexa jestem taka fascynująca. — Nie mówiłeś jeszcze, czym ty się zajmujesz?

— Nic aż tak ciekawego jak twoja praca. — Ale zanim zdążył rozwinąć temat, przyszedł kelner z kartami dań.

Przy wybieraniu — „Nie sądziłem, że będziesz typem kobiety, która zamówi risotto z dynią, miałem cię za mięsożerną" — zaczęliśmy rozmawiać o stereotypach i pierwszym wrażeniu. Dalej rozmowa toczyła się wartko, zbaczając w niespodziewane, rozrywkowe zaułki.

— Moja siostra jest cudowna, ale dość poważnie stuknięta. Zjawiła się u moich rodziców w święta z dwoma chartami, które adoptowała z Grecji, ale nie chciało jej się ich przyuczyć do załatwiania psich spraw na zewnątrz. W efekcie ojciec poślizgnął się na kupie i usiłował wygonić psy do ogrodu. One uznały, że to fantastyczna zabawa i biegały po całym domu, a matka goniła je ze ścierką i krzyczała: „Żałuję, że nie głosowałam za brexitem!".

Im dłużej siedziałam z Alexem, tym wyraźniej budziły się we mnie uczucia tak dawno zapomniane, że nie potrafiłam ich od razu zidentyfikować. Słaby puls widm minionych dobrych czasów. A potem, nagle, pub zaczął pustoszeć i na horyzoncie pojawiła się perspektywa zakończenia wieczoru, z całą swoją niezręcznością, włącznie z zastanawianiem się, czy on będzie chciał jeszcze się ze mną zobaczyć.

Alex nachylił się w moją stronę.

— Wiercisz się. Znudziłem cię? — zapytał z pewnością siebie mężczyzny, który wie, że jest interesujący. — Chcesz już iść?

— Przepraszam. Rzadko wychodzę wieczorem. Chyba mam wbudowaną funkcję Kopciuszka.

— Daisy jest w domu?

— Nie, nocuje dzisiaj u Giseli z Hannah. — Czułam, jak oblewa mnie fala gorąca, jakbym puściła oko i powiedziała: Wolna chata na całonocne bzykanie.

Alex przekrzywił głowę.

— Pozwól, że zgadnę. Nie jesteś tym zachwycona?

— Dlaczego tak sądzisz?

— Powiedziałaś to z takim smutkiem. Jedną z twoich przecudownych cech jest to, że wszystkie uczucia masz wypisane na twarzy.

I wtedy sama nie wiem, co we mnie wstąpiło. Jakby moje życie było nadmuchiwanym materacem, na którym on usiadł i wyciągnął korek, wypuszczając do atmosfery wszystko, co w sobie dusiłam.

Wylało się ze mnie poczucie winy z powodu pracy i tego, że Daisy często siedzi w pustym domu. Frustracja, że woli spędzać czas po drugiej stronie ulicy u Giseli, bo było tam więcej życia, więcej technologii i, szczerze mówiąc, więcej pieniędzy.

— Ciągle tylko słyszę: „wpadnę do Hannah coś przegryźć", „robię prezentację na macu Hannah". Czuję się jak życiowa niedojda.

Alex pokiwał głową.

— Nie jesteś nią. Daisy to szczęściara, bo ma właśnie ciebie. Niestety, prawdopodobnie doceni to dużo później. Ja dopiero koło trzydziestki uświadomiłem sobie, jak bardzo moja matka mnie kocha i co dla mnie zrobiła.

Obudziło się we mnie pragnienie, żeby powiedzieć mu, jak wiele zrobiła dla mnie moja.

Kiedy nie mogliśmy już dłużej ignorować ziewnięć obsługi, Alex powiedział:

— Nie do wiary, już kwadrans po jedenastej. Czas leci.

Wstałam, nagle czując się obnażona.

— Przepraszam. Liczyłeś na beztroski wieczór, a dostałeś historię mojego życia.

Podał mi płaszcz.

— Której słuchałem z zachwytem. Może któregoś dnia mi opowiesz, jak to się stało, że jesteś sama.

Nie odpowiedziałam, a on nie nalegał. Alexa zachwyciła ładnie opakowana, możliwa do zaakceptowania przez wszystkich wersja mojego życia. Nie po raz pierwszy poczułam pokusę, żeby zaspokoić jego ciekawość i zobaczyć szok na jego twarzy, pozwalając sobie na koniec na nieco może efekciarskie: Dziwnym trafem, nasze małżeństwo nie przetrwało.

Oto, kim teraz byłam.

Zapiął kurtkę.

— Odprowadzić cię do domu czy zadzwonić po taksówkę?

Wiedziałam, że powinnam wybrać taksówkę. Ale od tak dawna nie byłam w męskim towarzystwie, że nie chciałam jeszcze kończyć wieczoru.

— Chodźmy pieszo, jeśli tylko nie jest za zimno i za mokro. Nie chciałabym wykorzystywać twojego dobrego serca. — Wyjrzałam przez okno. — Chyba przestało padać.

I znów ten szeroki, ciepły uśmiech.

— Jeśli masz ochotę na spacer, dla mnie to sama przyjemność.

Ruszyliśmy. Alex opowiadał, że Jack miał na studiach wściekłe powodzenie u dziewczyn, ale nigdy nie chciał żadnej innej, tylko Giselę.

— Tyle możliwości na wyciągnięcie ręki, a myślał jedynie o tym, żeby wsiąść do pociągu i jechać do domu.

Mniej więcej w połowie drogi rozpadało się na dobre. Alex spojrzał w dół.

— Hm. Chyba trochę się pośpieszyliśmy z tym, że przestało padać. Nie masz rękawiczek. Chcesz moje?

Pokręciłam głową, chociaż ręce miałam czerwone z zimna.

— Pewnie gdyby potrącił cię samochód i twoi ratownicy usiłowali cię ocucić, też byś mówiła, że nic ci nie jest. Masz, weźmiemy po jednej.

Wsunął sobie moją lewą dłoń do kieszeni, otulając swoją moje zziębnięte palce. Serce mi załomotało. Od tak dawna nie dotykałam żadnego mężczyzny, który nie byłby moim pacjentem, że czułam, jakby całe ciepło w moim ciele odpłynęło do koniuszków palców. Musiałam kazać nogom iść dalej przed siebie. Nagle miałam wyostrzone wszystkie zmysły. Szum opon na mokrej szosie. Kałuże na chodniku, bryzgi wody pod naszymi nogami. Moje sztywne palce w kieszeni Alexa powoli reagowały na delikatny nacisk jego kciuka, rozluźniały się i otwierały, mimo że w głowie waliło mi niczym młotem pneumatycznym uparte: Nie rób tego. Nie odsłaniaj się.

Zamilkliśmy tak, jak milkną ludzie, kiedy odkryli przed sobą swoje uczucia i oceniają w duchu, czy ryzyko się opłaciło. Kilka razy uśmiechnęliśmy się do siebie, przeklinając deszcz, przyznając, że trzeba było zamówić taksówkę. Prawdziwą rozmowę prowadziły nasze dłonie, jak ciekawi siebie, lecz ostrożni nieznajomi, którzy kłaniają się, przedstawiają i siadają na kanapie, żeby zobaczyć, co będzie dalej. Nie przejmowałam się, że włosy zwisają mi w mokrych strąkach, że tusz zaraz zacznie spływać mi po policzkach. Ważne było to, że kiedy spoglądaliśmy na siebie, nasze oczy mówiły więcej niż wszystkie słowa, jakie udało nam się wydusić. W pewnym sensie odradzałam się, stając się osobą, którą byłam dawniej, prawie jakbym widziała odprysk siebie w okruchu lustra z przeszłości.

W końcu Alex przystanął.

— Przepraszam. Nie miałem w planach przemoczenia cię do nitki.

Dudniło mi w uszach.

— A co miałeś w planach?

Przyciągnął mnie do siebie.

— Boję się ci powiedzieć, żebyś nie uciekła.

Spuściłam wzrok.

— Nie ucieknę.

A potem się pocałowaliśmy, w potokach deszczu. I chociaż strugi zalewały mi powieki, wciąż nie chciałam się ruszyć. Kiedy tak stałam, byłam sobą, tą oryginalną, prawdziwą, bez filtra.

W końcu Alex się odsunął i zmierzwił sobie włosy, wytrząsając z nich kropelki wody.

— Nie chcę się stąd ruszać, ale nie jestem pewny, czy pierwsza randka powinna obejmować zapalenie płuc. Chodźmy, pora odstawić cię do domu.

Kiwnęłam głową, chociaż gdyby to ode mnie zależało, zostałabym i całowała się dalej, choćbym miała utonąć.

Kiedy dotarliśmy do rogu Parkview, powiedziałam:

— Stąd już trafię sama.

— Nie wygłupiaj się. Odprowadzę cię do drzwi. Obiecuję, że nie wproszę się na kawę. — Zrobił pauzę. — Chyba że będziesz chciała.

Chciałam, żeby wszedł. Nie chciałam, żeby wchodził. Nie chciałam się angażować. Chciałam się czuć tak jak teraz — to podniecenie, porozumienie, poczucie, że komuś się podobam, ta ja, którą byłam teraz.

Deszcz zdecydował za mnie — nastąpiło totalne oberwanie chmury. Złapałam Alexa za rękę i zaczęłam biec.

— Chodź, zadzwonimy ode mnie po taksówkę.

Zerknęłam na okno Hannah, mając nadzieję, że Daisy akurat teraz nie wyjrzy.

Wpadliśmy do środka przez drzwi frontowe, zostawiając kałuże wody w przedpokoju.

— Daj mi kurtkę. Położę ją na kaloryferze. Przyniosę ci ręcznik. Zaczekaj.

Pobiegłam na górę i wygrzebałam taki, który nie był stary i wytarty, a drugim owinęłam sobie głowę.

— Nie tak planowałam dzisiaj wyglądać. — Podałam mu ręcznik.

— Dla mnie wyglądasz przepięknie.

— Chcesz kawy... żeby się rozgrzać? Prawdziwej, nie w cudzysłowie. — Zaczerwieniłam się. Nie wiedziałam już, jak się do tego zabrać.

Roześmiał się, wycierając głowę, na której sterczały teraz rudoblond kępki.

— I jedno, i drugie brzmi wspaniale.

Powiedziałam, żeby usiadł, ale przyszedł za mną do kuchni i stanął za moimi plecami, kiedy nasypywałam kawę do kubków.

Wyciągnął mi z turbanu kilka pasemek włosów, okręcając je sobie na palcach.

— Masz piękne włosy. I ładnie pachniesz — powiedział, całując mnie w szyję.

Przysunęłam się do niego, zimny policzek przycisnął do mojej twarzy. Potem nagle znów się całowaliśmy, a blat wbijał mi się w krzyż. Serce rozkoszowało się tą chwilą, tym króciutkim momentem, kiedy myślisz, że facet, którego poznałaś, jest idealny, zanim odkryjesz, że zostawia torebki po herbacie w zlewie i nigdy nie chowa mleka do lodówki.

Przenieśliśmy się na kanapę. Zaciągnęłam zasłony, tłumiąc uśmiech na myśl o tym, że Gisela od razu próbowałaby umówić nas na kolację dla czworga, zreferowałaby mi pokrótce informacje o trzech ostatnich dziewczynach Alexa i przedstawiła szacunki dotyczące jego finansów.

Odwrócił moją twarz do siebie.

— Dziękuję ci za ten wieczór.

Serce mi się ścisnęło. Nie byłam jeszcze gotowa na to, żeby wyszedł, na przejście prosto w tryb: Zadzwoni, nie zadzwoni?, kiedy tylko zamkną się za nim drzwi, na siedzenie w zimnym miejscu na kanapie, gdzie przed chwilą sprawił, że poczułam się kobietą, która może mieć przed sobą przyszłość.

— Mam zadzwonić po taksówkę? — zapytałam.

— Już mnie wyrzucasz?

— Myślałam, że chcesz iść? — Naprawdę wyszłam z wprawy.

— Szczerze? Chcę zostać. Na całą noc. — Powiedział to tak miękko.

Spojrzałam w dół. Jego dżinsy, ciemnoniebieskie od deszczu. Moje czarne legginsy, mokre i lepiące się do nóg. Błysnął mi w głowie szokująco niedwuznaczny obraz, jak je ściągam, mając gdzieś, co jest właściwe, a co nie, jaki jest odpowiedni czas, który należałoby odczekać w wieku czterdziestu trzech lat. Skoncentrowałam się jednak na tym, że smakuję życie i znów rzucam się w wir nowych doświadczeń, zamiast tylko przytupywać do rytmu, czekając, aż świat znów zwali mi się na głowę.

— To może wyskoczymy z tych mokrych ciuchów? — zaproponowałam i jednocześnie szeroko otworzyłam ze zdumienia oczy, jakby te słowa powiedział ktoś inny.

— Jesteś pewna? — Alexowi drgnął kącik ust. — To znaczy jak dla mnie pomysł jest fantastyczny, ale...

— Strasznie zmarzłam. — I chyba powinnam dodać: oraz nieźle się zalałam. Wstałam, zanim opuściła mnie odwaga. — Idę wziąć gorący prysznic.

Alex spojrzał z nadzieją, ale tak daleko nie zamierzałam się posunąć.

— Możesz iść po mnie.

Pobiegłam na górę. Zamiast resztek zdrowego rozsądku, które by mnie powstrzymały, znalazłam maszynkę do golenia Daisy i szybko przejechałam nią pod pachami i w tak zwanych okolicach bikini. Gdybym tylko wiedziała, że ten wieczór się tak skończy. Myłam zęby i czułam, że od własnej śmiałości kręci mi się w głowie.

— Łazienka wolna! — zawołałam.

Kiedy Alex zjawił się w drzwiach sypialni, owinięty w ręcznik, leżałam już pod kołdrą, z rozgrzaną, wilgotną po kąpieli skórą.

— Mogę wejść? — spytał, zaglądając do środka.

— Możesz.

Odkrył kołdrę.

— Jesteś jeszcze w ręczniku. — Wyciągnął go spode mnie i dotknął srebrnego wisiorka, który miałam na szyi, sekretnika z wygrawerowanym orłem. Należał do mojej babki i nigdy go nie zdejmowałam. — Czyje zdjęcie się tu kryje? Miłości twojego życia? Jestem zagrożony?

Uśmiechnęłam się i znów go pocałowałam.

— Tylko moich rodziców.

— To dobrze.

I już nie rozmawialiśmy. Skoncentrowaliśmy się na dotykaniu. Ciało Alexa było zupełnie inne niż szczupłego, żylastego Oskara. Barczyste, masywne, z miękkim, jasnym owłosieniem. Jego dotyk miał w sobie delikatność, która sprawiła, że nie stawiałam oporu. Wiedziałam, że nie był to desperacki, zdzirowaty wyskok kobiety, która nie uprawiała seksu od lat, tylko dawanie i otrzymywanie czegoś, co do złudzenia przypominało miłość. Jeżeli mam być szczera, mój umysł podpowiadał mi, że to bzdura, ale ciało było całe w skowronkach, serduszkach i płatkach róż.

Przyciągnął mnie do siebie mocniej, z niecierpliwością, i w pewnej chwili postanowiłam przestać myśleć i już tylko czuć.

Po wszystkim leżałam przytulona do niego i zastanawiałam się, czy to znaczy, że w końcu odkreśliłam Oskara grubą linią. Ale, prawdę mówiąc, nie chciałam tracić ani minuty na myślenie o byłym. Chciałam chłonąć każdą sekundę z Alexem. Później pomyślę o tym, że zrobiłam dokładnie to, co w wykonaniu Daisy przyprawiłoby mnie o zawał — gdyby przespała się z chłopakiem po jednej randce, dostałabym szału.

Pogłaskał mnie po twarzy.

— Chcesz, żebym sobie poszedł?

— Nie. Ale będziesz musiał wyjść wcześnie. Zanim wróci Daisy. Nie może wejść i zastać... czegoś takiego.

Nastawiłam budzik na ósmą. Nigdy jeszcze nie zdarzyło jej się przyjść od Hannah przed jedenastą.

— W porządku. I tak idę jutro do pracy.

— W sobotę?

— No. Wspaniały świat dziennikarstwa. Muszę przeczytać kilka raportów. Znacznie łatwiej jest mi się skoncentrować w biurze.

Odsunęłam się od niego.

— Gisela mówiła, że pracujesz w telewizji?

— Bo pracuję. Dziennikarstwo śledcze. Pomyłki sądowe, baronowie narkotykowi, wojny gangów i te sprawy.

Krzyki, tłum ludzi pod moimi drzwiami, kamery wymierzone mi prosto w twarz, wpychane do wózka Daisy, zagradzanie mi drogi, kiedy szłam do samochodu, wołanie mnie po imieniu, nagłówki w gazetach — zawsze: „polska imigrantka", „rodzina imigrantów" albo „z Europy Wschodniej", mimo że tu się urodziłam i nigdy nie byłam w Polsce — historia naszej rodziny, historia jej rodziny, komentarze „znajomych" i „sąsiadów", zdjęcia, na których kupuję butelkę wina w Tesco (jakby miało to coś do rzeczy) no i, oczywiście, najgorsze ze wszystkiego: jej wersja sprawy, zjadliwa i brutalna, jakby nasza przyjaźń była niczym. Podczas gdy dla mnie była wszystkim, odkąd się poznałyśmy w podstawówce. Nadal za nią tęskniłam. Wciąż odczuwałam wyrwę w swoim życiu, tę dziurę w kształcie Becky, osoby, z którą traktowałam jako coś oczywistego zdolność do przeskakiwania z tematu na temat bez potrzeby uzupełniania białych plam z przeszłości. Niezmiennie od czasu do czasu przyłapywałam się na tym, że uśmiecham się do jakiegoś wspomnienia sprzed 2000 roku.

A teraz właśnie uprawiałam seks z kimś, kto mógł, za pomocą kilku uderzeń w klawiaturę, szybkiego googlowania i przy odrobince szczęścia, odkryć rzeczy o mnie, których nie chciałby wiedzieć.

Których ja nie chciałabym, żeby wiedział.

ROZDZIAŁ 18

SALLY

Piątek, 15 grudnia

Głos mojej matki w słuchawce brzmiał grobowo.

— Audrey przewróciła się i upadła, zabrali ją do szpitala. Chyba poleży tam przez całe święta, więc Bert nie przyjedzie na pierwszy dzień, a wujek George uznał, że nie czuje się w tym roku na siłach jechać z Preston. No i zostaliśmy z tatą sami.

W normalnych okolicznościach naraziłabym się na wściekłość Chrisa i powiedziała: Przyjedźcie do nas. Ale nie mogłam zaprosić rodziców, skoro nie byłam pewna, czy mój mąż w ogóle tu będzie. Wolałam spędzić całe święta samotnie, płacząc pod kołdrą, niż znosić mamę, która będzie co chwilę sprawdzać sos do pieczeni z trzepaczką w pogotowiu, wypatrując najdrobniejszych grudek, i węszyć: Jesteś pewna, że on nie ma kochanki?

Nie wiedziałam, co myśleć. Jeśli nie liczyć sporadycznych esemesów o przelaniu pieniędzy na wspólne konto, od dwóch tygodni właściwie nie mieliśmy kontaktu. Kiedy nie mogłam już tego znieść i do niego dzwoniłam, zawsze akurat wchodził na zebranie, czekał na ważny telefon, robił cokolwiek, tylko nie mógł ze mną rozmawiać. Czasem po powrocie z pracy do domu widziałam, że wziął adresowaną do niego pocztę. Z szafy znikała kolejna kurtka, z drugiej następna para butów. Dziś zajrzałam do jego gabinetu i zobaczyłam, że zabrał reprodukcję Modiglianiego. To nie było to samo co wzięcie szlafroka albo kaloszy — rzeczy, dzięki którym życie robi się wygodniejsze. Modigliani oznaczał zadomawianie się gdzie indziej.

Może byłam tą kobietą, która naiwnie wierzy, że jej mąż tylko „musi sobie przemyśleć parę rzeczy", podczas gdy on liczy, sporządza listy i zastanawia się, jak podzielić aktywa. Kiedy ta myśl już pojawiła się w mojej głowie, zaczęła mnie zżerać. Wyobrażałam sobie, że dzwonię do niego do pracy, a jedna z sekretarek zakrywa dłonią słuchawkę i syczy: To żona Chrisa, bo wszyscy wiedzą, że pomieszkuje u Amy z działu sprzedaży albo Britty z księgowości, albo którejkolwiek ze swoich ładnych koleżanek w czarnych spodniach, białej koszuli i z eleganckim akcentem, na tyle młodych, że temat dziecka nawet się jeszcze nie pojawił na horyzoncie ich świadomości.

Musiałam wiedzieć. Musiałam.

Zadzwoniłam na jego komórkę. Od razu włączyła się poczta.

— Chris, muszę z tobą porozmawiać. Proszę, zadzwoń do mnie, kiedy tylko będziesz mógł.

Oddzwonił prawie natychmiast.

— Wszystko w porządku?

Na dźwięk jego głosu łzy napłynęły mi do oczu.

— Niezbyt. Chciałabym wiedzieć, czy będziesz tu na święta, czy mam zaplanować sobie coś innego.

— Nie mogę teraz rozmawiać.

Mimo że mówił przepraszającym tonem, jego słowa trafiły na minę.

— To kiedy możesz rozmawiać, do ciężkiej cholery? Kiedy, Chris? Czy mam siedzieć w tym domu przez następne pół roku, aż się zorientuję, że się zupełnie wyprowadziłeś, nie zadając sobie trudu, żeby mi o tym powiedzieć? Spotkamy się jutro i powiesz mi, co dokładnie się dzieje.

— Jutro? — Grał na zwłokę. Słyszałam to w jego głosie.

— Tak. Tutaj w domu albo na mieście? Twój wybór.

— Nie jestem pewny, czy jutro dam radę. — Przeciągał słowa, jakby był rozkojarzony, jakby rozmawiając, jednocześnie coś czytał.

— Jutro jest sobota, no wiesz, weekend, więc nawet ty powinieneś być w stanie znaleźć pół godziny, żeby pomówić ze swoją żoną. Jeśli nie możesz, do końca tygodnia będziesz miał na biurku papiery rozwodowe. Ułatwię ci sprawę. Jutro w Costa o jedenastej albo w piątek u adwokata. — Kiedy już to powiedziałam, przemknęło mi przez myśl, czy odważę się to zrobić.

— Sal, uspokój się. W tej chwili muszę pracować w weekendy, różni ludzie na mnie liczą.

— Twoja praca gówno mnie obchodzi. Obchodzi mnie za to, że nasze małżeństwo rozpada się na kawałki, a ty nawet nie udajesz, że próbujesz zrobić cokolwiek, żeby je posklejać. Widzimy się jutro w Costa. Dla mnie sojowa latte, gdybyś dotarł pierwszy. — Zakończyłam rozmowę, nie czekając na odpowiedź. Już dawno się tak dobrze nie czułam.

Do następnego ranka uczucie wyzwolenia ustąpiło miejsca zwątpieniu i strachowi przed tym, czego mogę się dowiedzieć. Przyszłam piętnaście minut za wcześnie — stare przyzwyczajenie, nie dać Chrisowi na siebie czekać, żeby nie strzelił od razu focha.

Wszedł do kawiarni pięć minut po mnie.

Przyjrzałam mu się, szukając oznak wpływu innej kobiety. Wyglądał tak samo jak zawsze.

Przywołałam go gestem do małego boksu, który dla nas zajęłam, usiłując dać jakoś upust emocjom, które wezbrały we mnie jak balon, ale się nie rozpłakać. Wyraz twarzy miał łagodny, przepraszający. Z jakiegoś powodu przypomnieli mi się przedsiębiorcy pogrzebowi, którzy chowali moją babcię, i te ich dziwne miny, mające wyrażać, że czują nasz ból, podczas gdy prawdopodobnie zastanawiali się, czy mogą bez naszej wiedzy odzyskać mosiężne uchwyty przy trumnie, żeby wykorzystać je ponownie.

Nie próbował mnie objąć, sięgnął tylko po cappuccino, które dla niego zamówiłam. Zlizał piankę z łyżeczki.

— Jak się miewasz? — zapytał.

Pytanie, które powinno być takie proste. Nie powodować przypływu wściekłości i żalu, które zderzały się gdzieś, gdzie kiedyś tkwiła miłość, rozleniwiona, zadowolona z siebie, niemyśląca o jutrze.

— Szczerze mówiąc, dość gówniane. Mama ciągle pyta, kiedy wrócisz z delegacji. Gisela usiłuje umówić cię na golfa z Jackiem. A ja czuję się, jakbyś podjął decyzję co do nas, tylko zapomniał mi powiedzieć.

Wyciągnął dłoń, żeby dotknąć mojej, ale szybko ją cofnął.

— Chyba chcemy czego innego, Sally.

Wpatrywałam się w niego, wśród echa okrzyków „flat white" i „cappuccino na chudym".

— To co z nami będzie? — Mój głos brzmiał, jakby dochodził z innego miejsca. Głupie pytanie, na które nikt przy zdrowych zmysłach nie chciałby znać odpowiedzi.

— Nie jestem pewny.

Zamieszał piankę cappuccino.

Nie mogłam tkwić w zawieszeniu, z trudem łapiąc równowagę na zbutwiałym mostku, niepewna, czy damy radę przejść na drugą stronę, czy runiemy z wyciem w przepaść.

— Chcesz rozwodu? — spytałam.

Zamknął oczy.

— Chcę być szczęśliwy, Sally.

— Byliśmy szczęśliwi. Możemy być szczęśliwi. — Miałam ochotę walnąć z frustracji pięścią w stół.

— Ale ja nie chcę dzieci. Więc muszę dać ci odejść, żebyś mogła znaleźć kogoś, kto chce.

Nie mogłam w to uwierzyć.

— I co, to tyle? Trzynaście lat, większość mojego dorosłego życia, a ty po prostu odpuszczasz, rezygnujesz ze wszystkiego, co mamy, ze wszystkiego, na co pracowaliśmy?

Otarłam oczy serwetką, strasznie małą, zupełnie do niczego.

— Nie płacz.

Ten ton, w którym nie kryło się: Nie płacz, bo serce mi się kraje, jak jesteś smutna i zdenerwowana, tylko: Nie płacz tutaj. Nie rób sceny. Nie rób z życia bałaganu.

Przełknęłam głośno ślinę.

— Jest ktoś inny?

Chris mimowolnie zerknął na telefon, jakby jakiś nieposłuszny esemes mógł przyjść z głośnym „ping" i go zdradzić.

— To skomplikowane.

Usiłowałam się zaśmiać, ale w gardle uwięzły mi łzy.

— Czyli jest, tak?

— Do niczego nie doszło.

Twarz miał zupełnie obojętną, ale niewypowiedziane „jeszcze" rozlegało się głośno niczym kościelne dzwony w niedzielę wielkanocną.

— No ale co? Chcesz, żeby do czegoś doszło? Nie wiesz, czy się jej podobasz? Podziel się łaskawie, czym jest to pierdolone nic, do którego nie doszło.

Chris wydął lekko wargi, okazując dezaprobatę dla mojego słownictwa, tak że miałam ochotę wyrecytować wszystkie słowa, których w moich ustach nie znosił, zwłaszcza jeśli było w nich coś północnego: „Sally, wiem, że stamtąd pochodzisz, ale kiedy tak mówisz, brzmisz, jakbyś była niewykształcona". W tej chwili chciałam wrócić do tej dziewczyny z Yorkshire, którą byłam, zanim się wyretuszowałam, pracując nad wymową samogłosek i starając się dopasować do południowego snobizmu, daleko od parterowego domu moich rodziców na osiedlu z lat siedemdziesiątych, gdzie teraz co drugi dom był pewnie kakofonią lampek, dmuchanych

Mikołajów i świecących reniferów. Uświadomiłam sobie, że brakowało mi tego rytuału: mama z zadartą głową woła do ojca, żeby nie spadł z drabiny, kiedy on jak co roku z narażeniem życia wiesza nogi świętego Mikołaja, tak żeby sterczały z komina. I krzyczy do mamy, żeby przestała go „drzaźnić". Kiedy tylko skończyłam osiemnaście lat, nie mogłam się doczekać, żeby uciec na studia, ale teraz ta swojskość, przewidywalność wydawały się oazą w porównaniu z obecną huśtawką niepewności.

Chris milczał.

Z trudem panowałam nad głosem, walczyłam, żeby zachować spokój.

— Kim jest ta osoba? To ktoś z pracy?

— Nie znam jej długo. Nie jest z pracy. Poznałem ją, kiedy, no wiesz…

Nie wiedziałam. Nic nie wiedziałam. A już na pewno, jak to do cholery możliwe, że miał czas kogoś poznać.

Rozłożyłam ręce, domagając się wyjaśnień.

— To coś poważnego? Kochasz ją?

Przy tym pytaniu żołądek zacisnął mi się w supeł.

— Nie! — skrzywił się Chris. — To nie tak.

Czekałam, żeby wykrzyczał: I, oczywiście, kocham ciebie.

Nie wykrzyczał.

— Ona tylko pozwala mi się od tego wszystkiego oderwać — powiedział z rozdrażnieniem.

— Oderwać? Możesz się oderwać, oglądając *Coronation Street*. Albo czytając Johna Grishama. Inna kobieta to nie oderwanie się, Chris, tylko zagrożenie dla twojego małżeństwa. — Przegrałam bitwę, którą toczyłam z samą sobą o to, by mówić rozsądnie. Wydobyłam z siebie te słowa, zduszone i ściśnięte, jakby przebijały się przez ból. — Uprawiasz z nią seks?

— Tylko z nią rozmawiam, bo ona nie próbuje mnie przerobić na kogoś, kim nie jestem.

— Ja nie próbuję cię przerobić na kogoś, kim nie jesteś. — Mogłabym wymienić sto pięćdziesiąt sposobów, na które Chris usiłował mnie szlifować i kształtować, tak bym mówiła poprawniej, bardziej wyrafinowanie gotowała i „nie opowiadała o naszych sprawach wszystkim bez wyjątku". A ja się godziłam na jego wersję mnie, bo myślałam, że świat uzna ją za atrakcyjniejszą, mniej szorstką, strawniejszą. Najwyraźniej to nie wystarczyło. — Wracasz na święta?

— Myślę, że potrzebujemy trochę dystansu, żeby zobaczyć wszystko wyraźnie. Może porozmawiamy znowu w nowym roku?

— Teraz nie rozmawialiśmy. Nie jestem ni cholery mądrzejsza, tyle tylko, że się dowiedziałam, iż jest jakaś kobieta, która jakże dogodnie wyskoczyła akurat wtedy, kiedy ode mnie odszedłeś, i nie mam pojęcia, czy próbujesz jakoś do mnie wrócić, czy masz nadzieję, że wykopię cię na dobre.

Wypadłam na ulicę, z łzami płynącymi po twarzy. Nie zwracałam uwagi na to, dokąd idę, i trafiłam na bożonarodzeniowy targ, lawirując w ciżbie ludzi, którzy rozchwytywali gwiazdkowe figurki uszyte ze starych worków po mące, świąteczne chutneye, które będą gnić w lodówce do następnego listopada, i kosmetyki z woskiem pszczelim w wiklinowych koszykach.

W tym tłumie, wśród żon pukających mężów w ramię, żeby pokazać im frymuśny zegar, tęczę do powieszenia na ścianie, rzeźbioną miseczkę, moja samotność stała się tak przejmująca, tak namacalna, że czułam, iż każdy, kto mnie mija, musi ze współczuciem pochylać głowę i starać się na mnie nie patrzeć.

Właśnie odmawiałam przyjęcia gratisowej próbki piwa z butikowego browaru, kiedy zjawił się Chris.

— Tu jesteś. Myślałem, że mi zginęłaś. — Położył mi rękę na ramieniu. — Nie uciekaj tak, Sal. Proszę. Nie chcę, żebyś się tak denerwowała.

— Nie jestem pewna, jak mam reagować — wysyczałam, tak żeby tylko on słyszał — kiedy mi mówisz, że „spotykasz się" z kimś innym.

— Przesadzasz i dramatyzujesz. Tylko z nią rozmawiam.

Zanim zdążyłam sprecyzować, za jak dużą przesadę uważam rozmawianie o swoich problemach z inną kobietą zamiast z własną żoną, właściciel stoiska wcisnął nam w ręce po butelce piwa.

— Zróbcie sobie selfie i zamieśćcie na Facebooku, otagujcie nas, a wybierzemy zwycięzcę, który dostanie świąteczną skrzynkę piwa.

Zawahałam się.

Chris wyglądał, jakby chciał oddać swoją butelkę, ale facet ze stoiska powiedział:

— Proszę, będę wdzięczny za wsparcie. Jesteśmy nową firmą. Jak mi się nie uda z tym browarem, nie mam pojęcia, co zrobię.

Wyjęłam telefon, objęłam Chrisa i uniosłam butelkę do obiektywu.

— Zdrówko! — powiedziałam, klikając migawkę, uśmiechnięta, jakby moim największym zmartwieniem było to, że zapomnę kupić gęsiego smalcu.

Czerwone oczy zwalę na zimny wiatr.

Zdjęcie: Chris i Sally stukają się butelkami piwa.
Podpis: Świąteczny nastrój na targu w Windlow.
#ŚwiątecznyJarmark #MojaUlubionaCzęśćRoku
#WesołychŚwiąt

ROZDZIAŁ 19

GISELA

Boże Narodzenie

Odkąd zobaczyłam zdjęcie USG, dominującą emocją, z którą budziłam się każdego ranka, było niedowierzanie. Kiedy Ollie mieszkał w domu, aż do momentu, gdy wyniósł się do Natalie, codziennie schodził na dół zaspany: „Mamo, zrobisz mi koktajl? Tylko nie dodawaj żadnego dziwnego dziadostwa". Rzucałam się do blendera, bo wciąż tkwiła we mnie potrzeba, jeszcze z czasów, kiedy syn był w podstawówce, żeby zapewnić mu pięć porcji warzyw i owoców dziennie, ten impuls, by go chronić, dbać o jego zdrowie, być dobrą mamą. Chociaż miał już dwadzieścia jeden lat, nadal byłam w pogotowiu z borówkami amerykańskimi, siemieniem lnianym, nasionami chia, granatami, dorzucałam ukradkiem odrobinę awokado i jarmużu. Kiedy udawało mi się przemycić „zakazane" składniki i patrzyłam, jak je bezwiednie połykał, czułam przypływ przyjemności niedostępnej za żadne pieniądze.

A teraz, czego mój mały rozumek nie potrafił pojąć, Ollie miał być odpowiedzialny za dopilnowanie, żeby dziecku nie było za gorąco ani za zimno, żeby wózek nie stoczył się z górki, żeby założyć maleńkie skarpetki.

Zaledwie rok temu zadzwonił do mnie ze stacji niedaleko Brighton, lekko bełkocząc: „Przegapiłem swój przystanek. Możesz mi zadzwonić po taksę? Nie mam kasy. Zapłacisz?”.

A ja, rozmawiając z nim, podczas gdy na drugiej miałam coraz bardziej zirytowaną dyspozytorkę firmy taksówkarskiej, usiłowałam wyciągnąć z niego jakieś konkrety. „Na której stacji jesteś? Co widzisz? Skąd jechałeś?”

Może to dobrze, że Natalie jest sporo starsza. Przelotnie nawet jej współczułam: przed nią trudne pierwsze miesiące macierzyństwa z Olliem, który ledwie pamięta, żeby samemu zmienić majtki, więc co tu mówić o planowaniu zawczasu, żeby nie zabrakło im pieluch. Strach pomyśleć, jak świetną strategią wzmacniania związku mogą być trudności w opanowaniu obsługi pralki w połączeniu z niewątpliwą chęcią dalszego uprawiania seksu. Wyobrażałam sobie, jaki szok czeka Natalie, która w pracy miała cały zespół popychadeł bez szemrania wykonujących każde jej polecenie, a teraz nagle będzie musiała być na każde irracjonalne zawołanie niemowlaka. Nie zdoła nawet pójść pod prysznic, żeby nie rozległ się straszliwy płacz, zwiastujący — jak będzie przekonana — rychłą tragedię. Zastanawiałam się, czy nie zaproponować, że przyjadę do nich na jakiś czas, żeby pomóc. Sama myśl o tym, że Ollie i Natalie oddalą się wspólnie do łóżka, budziła we mnie dziwne uczucia, jakich wcześniej nie budziły różne dziewczyny, które przyprowadzał z uniwerku, żeby migdalić się na kanapie.

Dzisiaj jednak było cholerne Boże Narodzenie i zamierzałam odgrywać rolę zachwyconej przyszłej babci, takiej co to szczypie wnuczęta w pulchne policzki. Musiałam niestety przełknąć gorzką pigułę — fakt, że Ollie i Natalie przyjadą dopiero w pierwszy dzień świąt. „To nasze pierwsze święta razem i ostatnie tylko we dwoje. Po prostu chcemy się obudzić we własnym łóżku. I nie szykuj nam obiadu w drugi dzień, bo zaraz po śniadaniu wyjeżdżamy odwiedzić kuzynkę Nat".

Napisałam Natalie karteczkę z gratulacjami: „Jestem zachwycona waszą nowiną. Nie mogę się doczekać nowego członka rodziny Andersonów" i wsunęłam ją pod serwetkę przy jej nakryciu na świątecznym stole. Wahałam się, czy tak jak zawsze przygotować skarpetę z gwiazdkowymi drobiazgami dla Olliego — nieuchronnie zbliżające się ojcostwo jakoś mi nie konweniowało z bokserkami w bałwanki, śmiesznymi skarpetkami i czekoladkami w kształcie hantli. W końcu jednak uznałam, że tradycje są filarem wspomnień, więc powiesiłam ją jak zwykle nad kominkiem.

Krzątałam się, polewając tłuszczem indyka w piekarniku, smażąc bekon do brukselki, sprawdzając, czy ziemniaki dobrze się przypiekły. Pognałam potem na górę, żeby przebrać się w świąteczną sukienkę — oczywiście czerwoną.

Jacka nigdzie nie było widać. Miałam nadzieję, że jest już ubrany, bo chciałam, by przyniósł więcej drewna do kominka, żebyśmy potem nie musieli się tym przejmować, najedzeni i senni, oglądając Bonda.

— Jack?

Brak odpowiedzi.

Z jego gabinetu dochodziło jakieś mamrotanie.

Otworzyłam drzwi.

Zamachał ręką, jakby mnie wyganiał.

— Ćwiczę mindfulness — powiedział. — Jeszcze piętnaście minut.

Poczułam, że wypuszczam ze świstem powietrze, zamiast słów, które cisnęły mi się na usta. Mindfulness. W pierwszy dzień świąt. Proszę, Boże, spraw, żebym w następnym wcieleniu była facetem, który uznaje, że może poświęcić dwadzieścia minut na pielęgnowanie uważności i przestrzeni mentalnej, podczas gdy pani domu dostaje przepukliny, wyciągając brytfannę Le Creuset z piekarnika.

— Ja ci dam pieprzone mindfulness. Świetnie wybrałeś moment. Myślisz, że kim ja jestem? Cholernym hekatonchejrem?

— Kim?

Wiedziałam, że tak zareaguje. Wygooglowałam wczoraj wieczorem mityczną sturęką istotę, żeby móc rzucić nonszalancko jej nazwą przed Natalie, jakbym była oczytana w greckiej mitologii. Nie chciałam, żeby uważała, iż znam się tylko na tym, jak dobrać dywan pasujący do kanapy.

— No wiesz, olbrzymem z pięćdziesięcioma głowami i setką rąk.

Z westchnieniem wcisnął pauzę na iPadzie. Niech Bóg broni, żeby prozaiczne szczegóły przyszykowania wszystkiego na święta z ciężarną — i starszą — dziewczyną naszego syna przeszkodziły mu w poszukiwaniu wewnętrznego zen.

— Mógłbyś przynieść więcej drewna?

— Jest już pół kosza.

Musiałam mieć mordercze spojrzenie, bo zatrzasnął okładkę iPada i ruszył na dół. Było wyraźnie widać, że jego przestrzeń mentalna została zagracona przedwczesnymi podrygami życia rodzinnego.

Zniknął w ogrodzie, a ja popędziłam z powrotem do kuchni, zastanawiając się, gdzie się podziało ostatnie pół godziny, skoro cały czas wszystko szło jak w zegarku.

— Hannah, rozładuj zmywarkę.

Zapadła się w sobie, jakbym przywaliła ją potężnym ciężarem.

— Jem śniadanie. Niech Ollie to zrobi, jak przyjedzie.

Przez chwilę miałam ochotę wylać na nią zawartość talerza płatków z mlekiem.

— Nie — odparłam stanowczo. — Tata zajmuje się drewnem, ja wszystkim innym, do cholery, a ty możesz pomóc. Dlaczego w ogóle jesz teraz śniadanie?

— Bo jestem głodna? — Zupełnie inna mina niż ta, którą przybierała jeszcze niedawno, kiedy usiłowała mnie przekonać, że najnowszy iPhone jest jej nieodzowny, jeśli miała zgodnie z sugestią prowadzących kurs gotowania założyć blog kulinarny. „Mój telefon robi beznadziejne zdjęcia. Nie mogę takich wrzucać na Instagrama. No bo kto je zalajkuje?"

Oczywiście teraz, kiedy dostała, co chciała, kochany promyczek pytający: „Mogę ci jakoś pomóc?" zniknął za chmurą gradową.

Moje starania, by za wszelką cenę trzymać się bożonarodzeniowej radości, przypominały mi wiewiórkę, która próbowała wspiąć się po słupie karmnika dla ptaków w ogrodzie po tym, jak Jack go pochlapał WD40. Kiedy dzwonek do drzwi obwieścił przyjazd Olliego, ruszyłam korytarzem, ćwicząc uśmiech. Ollie uściskał mnie mocno, co podniosło mnie na duchu.

Pomachałam do Natalie, która już taszczyła walizki z bagażnika.

— Ollie! Pomóż Natalie. Nie powinna teraz dźwigać ciężkich rzeczy.

Natalie mnie zignorowała, a Olliego zbyła.

— Nie stałam się nagle słabującą bidulką, która nie może podnieść torby.

Spróbowałam się wycofać.

— Może zmienili porady, odkąd ja byłam w ciąży. Nam mówili, żeby nie dźwigać nic ciężkiego.

— Mnie nikt niczego takiego nie powiedział — stwierdziła. — W każdym razie, wesołych świąt, Giselo. Przepraszam, że to tylko taka krótka wizyta.

Zaprosiłam ją gestem do środka.

— Nic nie szkodzi. Tak trudno zadowolić wszystkich.

Uśmiechnęłam się, mimo że byłam dokumentnie wkurzona, bo Olliemu się wymsknęło, że u jej kuzynki zatrzymają się na dwie noce — a przecież to nawet nie najbliższa rodzina. Jack się wtedy roześmiał i powiedział: „Kuzynka jest pewnie dla niej jak siostra, skoro jej rodzice nie żyją. Będziemy mierzyć stoperem, kto zaliczy z nimi najwięcej godzin w ciągu roku?", co przybliżyło go o krok do spotkania ze stwórcą.

Wzięłam od niej płaszcz.

— Masz taki zgrabny brzuszek, ale teraz naprawdę zaczyna rosnąć, co? No, ale świetnie wyglądasz. Ten okres, kiedy spodziewasz się dziecka, jest taki wyjątkowy.

— Tak mi wszyscy mówią. A ja tylko czuję się gruba i bez przerwy skonana.

Miałam ochotę powiedzieć: Poczekaj, aż dziecko się urodzi, ale zamiast tego zaproponowałam:

— Jeśli będziesz chciała uciąć sobie małą drzemkę po południu, w ogóle się nie krępuj.

— O nie, nie chcę, żeby coś mnie w święta ominęło!

Natalie była jedną z tych kobiet, które mają zdolność narzucania nastroju wszystkim zebranym. Założę się, że była potworną szefową. Gdybym dla niej pracowała, bałabym się, że coś sknocę, ale też byłabym przerażona perspektywą proszenia jej o wskazówki, bo pewnie cmoknęłaby ze zniecierpliwieniem i powiedziała: Wykaż się inicjatywą. Chwała Bogu, że mam czterdzieści cztery lata, a nie dwadzieścia cztery.

Biorąc pod uwagę, w jaki nastrój wprawiła mnie radosna nowina, Natalie mogła liczyć na ostrą konkurencję, jeśli myślała, że wszyscy będziemy tańczyć, jak nam zagra. Podeszłam do stołu i otworzyłam butelkę Veuve Clicquot, nalałam wszystkim do kieliszków i zwróciłam się do niej:

— A czego ty się napijesz, Natalie? Mam tonic, bezalkoholowe piwo imbirowe, świetnie działa, jeśli jest ci trochę niedobrze, a może chcesz wody gazowanej?

— Poproszę kieliszek szampana.

Siłą woli zmusiłam mięśnie twarzy, żeby mi nie drgnęły ze zdziwienia. Sama od czasu do czasu wypiłam kieliszeczek podczas moich ciąż, ale nie przy teściach ani przy kimś, kogo chciałam przekonać, że będę najlepszą matką na świecie. A już na pewno nie z pierwszym dzieckiem. Może z Hannah trochę bardziej wyluzowałam.

— Mógłbyś przynieść następną butelkę z lodówki, Jack? — Robiłam to specjalnie: niedwuznaczna uwaga, ale wypowiedziana tak lekkim tonem, żeby każdemu, kto mi ją wytknie, móc zarzucić paranoję. Zaczynałam myśleć, że teściowe z piekła rodem były grupą głęboko niezrozumianą. Założę się, że z dużą przyjemnością zaprosiłabym co drugą z nich na kawę, żeby wymienić wrażenia co do fatalnego braku krytycyzmu naszych synów.

Jack nie odczytał moich sygnałów wzrokowych ani nie podzielił mojego przekonaniem, że matka naszego wnuka nie powinna tankować, do cholery. Przeciwnie, napełnił jej kieliszek aż po brzegi.

— Zrelaksujcie się w salonie, a ja tu wszystko dokończę i będziemy mogli zjeść. Ale najpierw cyknijmy sobie szybkie rodzinne zdjęcie.

Wszyscy się ustawili, Hannah czyniła honory ze swoim kijkiem do selfie. Celowo stanęłam tak, żeby częściowo zasłaniać Natalie, to znaczy jej brzuch. Sama zdecyduję, kiedy podzielić się tą wieścią ze swoimi znajomymi.

Przenieśli się do salonu, a ja włożyłam talerze do podgrzania, usiłując przeanalizować swoje uczucia. Nigdy wcześniej nie zraziłam się do żadnej z dziewczyn Olliego, ale też nie spodziewałam się po tych chucherkach, że będą mi rodzić wnuki. Muszę się postarać i dojść z nią do porozumienia. Muszę.

Pociągnęłam duży łyk szampana, dolałam sobie do pełna i zawołałam wszystkich do stołu.

— Siadajcie, siadajcie. Hannah, zanieś marchewkę i brukselkę. Jack, będziesz kroił indyka.

— A co ja mogę zrobić? — spytała Natalie.

— Mogłabyś zamieszać sos?

Natalie podeszła, mówiąc do Olliego:

— No, pomóż mamie z talerzami. Nie myśl sobie, że nasz syn, jeśli będziemy mieć syna, będzie siedział z założonymi rękami, tylko od czasu do czasu machając nożem do mięs, kiedy wszystkie kobiety wokół odwalą już całą ciężką robotę.

Zerknęłam na Olliego, żeby zobaczyć, czy się nie buntuje. Ale nie, zerwał się i zaczął się krzątać, nosząc talerze i dzbanki z wodą. Powinnam przyklasnąć Natalie. Mnie nie udawało się go skłonić do wstawienia szklanki do zmywarki, kiedy mieszkał w domu. Gdy dzieci były małe, twardo postanowiłam, że wychowam syna tak samo jak córkę, że nie ma czegoś takiego jak „babskie zajęcia". Jednak przez kolejne lata przekonanie Olliego, żeby porządnie poodkurzał, rozwiesił ręcznik po kąpieli albo wyszorował klozet wymagało tyle wysiłku, że już łatwiej było poprosić Hannah.

A teraz, z przekory, miałam ochotę powiedzieć Natalie, żeby przestała się go czepiać.

Kiedy już wszyscy sobie nałożyli, nastąpiła krótka przerwa w rozmowie, po ogólnych pomrukach „Wygląda pysznie" i moim: „Mam nadzieję, że może być" — głupim brytyjskim odruchu, odziedziczonym po mamie, chociaż obiecywałam sobie, że się go pozbędę. Skoro harowałam prawie pięć godzin, żeby wszystko przygotować, to jeśli biesiadnicy uważali, że wyszłoby im lepiej, powinni to zachować dla siebie.

Zgodnie z tradycją otworzyliśmy świąteczne *crackers* — „cukierki" z niespodzianką — ciągnąc w parach za przeciwległe końce, a Hannah uparła się, żebyśmy wszyscy włożyli papierowe korony, które wypadły ze środka. Zastanawiałam się, kto zapoczątkował tę osobliwą tradycję wkładania na głowę papierowej tandety po tym, jak spędziło się cały poranek, usiłując uczesać się ładniej niż zwykle, no bo „są święta".

Obowiązkowo zrobiłam zdjęcia nam wszystkim — „Uśmiechy proszę!" — i oczywiście Jackowi krojącemu indyka, by udokumentować jedyny moment w ciągu całych świąt, kiedy z własnej inicjatywy ruszył cztery litery, bez mojego gderania.

— To powiedz, Natalie, kiedy właściwie masz termin? — zapytałam.

— Pierwszy tydzień kwietnia.

— Przynajmniej będzie już po najgorszej części zimy. Ale to tuż przed twoimi egzaminami końcowymi, Ol.

— Żaden problem — zapewniła szybko Natalie. — Na początku ja się wszystkim zajmę, żeby Olivier mógł się uczyć. A później w lecie może nadrobić zaległości w kontaktach z dzieckiem.

— Jeśli będziecie chcieli przyjechać i trochę u nas zostać, będzie nam bardzo miło. Albo ja mogę wpaść do was i pomóc — zaproponowałam.

— Poradzimy sobie, dziękuję — uśmiechnęła się Natalie. — Postanowiliśmy nikogo nie zapraszać, dopóki Oliver nie zda egzaminów.

Nigdy wcześniej nie musiałam negocjować wizyty u własnego syna. Nawet Jack ze swoją skórą nosorożca musiał odczuć drobne ukłucie, bo zaczął wszystkim podsuwać półmiski, jak kelner przymilający się o napiwki.

— Jeszcze marchewki? Weź sobie jeszcze ziemniaczka, zobacz, jakie przypieczone. Sosu?

Dało mi to okazję, żeby odzyskać rezon.

— To jak długo będziesz na urlopie macierzyńskim? — zapytałam. — Teraz to się wszystko zmieniło, prawda? Dostaje się chyba rok?

Natalie zerknęła na Olliego i odparła:

— Nie jesteśmy jeszcze pewni, co zrobimy. Świadczenia macierzyńskie w mojej pracy nie są zbyt hojne, bo to amerykańska firma. — Dźgnęła widelcem brukselkę. — Oczywiście będę miała trochę wolnego, ale po sześciu tygodniach ustawowa płaca to tylko jakieś sto pięćdziesiąt funtów, na czym za długo nie pociągniemy.

— Może moglibyśmy wam na początek trochę pomóc? Chciałabym kupić część rzeczy, których będziecie potrzebować: wózek, fotelik samochodowy i takie tam. Dołożymy się z przyjemnością, prawda, Jack?

Jack nie odpowiedział, nadział tylko kolejnego ziemniaka na widelec i uniósł brew.

Ollie nie spojrzał mi w oczy, wymamrotał za to „dzięki" z ustami pełnymi indyka.

Nagle wszyscy jakby wzięli sobie do serca przykazania: „nie mówić z pełną buzią, gryźć dokładnie, pięćdziesiąt pięć razy przed połknięciem". Nasz bożonarodzeniowy stół nie rozbrzmiewał gwarem rozmów podekscytowanej rodziny oczekującej dziecka, tylko dźwiękiem przeżuwania z namaszczeniem pasternaku.

Posłałam Jackowi piorunujące spojrzenie, które w wypadku małżeństwa z długim stażem było odpowiednikiem komunikatu przekazanego raczej sykiem niż łagodnym tonem.

Jack porzucił purée z brukwi, które wsuwał niczym mechaniczna koparka, i powiedział:

— Przy odrobinie szczęścia Ollie jako inżynier raz dwa znajdzie pracę, a ty będziesz mogła na jakiś czas trochę odpuścić zawodowo. Możesz chyba poprosić, żeby przejść na pół etatu, prawda? Albo podzielić się swoim stanowiskiem?

Natalie popatrzyła na niego ze zgrozą.

— O nie, chcę pracować na pełny etat. Wszyscy, którzy przechodzą w mojej branży na pół etatu, zostają przesunięci do nieciekawych działów. Ostro walczyłam, żeby dochrapać się swojej obecnej pozycji, więc głupio by było teraz z niej rezygnować.

Żołądek mi się zacisnął, kiedy wyobraziłam sobie to biedne maleństwo odstawiane o siódmej rano do żłobka i odbierane jak zgubiona parasolka o siódmej wieczorem.

— Ale tyle cię ominie — westchnęłam. — Czas tak szybko leci. Będziesz mogła wrócić do pracy, kiedy dziecko pójdzie do szkoły. Za nic bym nie oddała tych pierwszych lat. Ollie był taki kochany, bo przesypiał noc, mając zaledwie osiem tygodni. Myślałam już, że jestem genialną matką, no, ale Hannah wyprowadziła mnie z błędu. Zaczęła normalnie zasypiać, dopiero kiedy miała trzy latka.

Zobaczyłam, że twarz Natalie tężeje. Wiedziałam, że powinnam przestać mówić.

Jack próbował pomóc.

— Jestem pewny, że jakoś to rozwiążą, Gisela. My nie mieliśmy najpierw za wiele, ale daliśmy radę.

— Wiem, tylko chyba nie zdają sobie sprawy, jak im będzie trudno gnać codziennie rano, żeby odstawić dziecko do żłobka albo do opiekunki. Ollie nawet nie wie, gdzie się zatrudni. Przecież niekoniecznie znajdzie jakąś firmę tuż pod domem, prawda?

Ollie odłożył z trzaskiem sztućce.

— Mamo! Przestań się nas czepiać. Zostanę z dzieckiem, a Nat będzie pracować. Damy sobie radę.

Hannah aż klasnęła i wybuchnęła śmiechem.

— Będziesz kogutem domowym? Ale jaja! Widzę cię, jak pląsasz po domu w fartuszku z dzieckiem w chuście!

Śmiała się dalej, krztusząc się marchewką.

Patrzyłam na Olliego w osłupieniu.

— Chcesz powiedzieć, że nie będziesz starać się o pracę po skończeniu studiów?

— Nie, mamo. Będę się opiekował swoim synem albo córką. Pójdę do pracy później.

— Och, Ollie. — Opadłam na oparcie krzesła.

Natalie wstała.

— Przepraszam, ale mam tego dość. Dlaczego jesteś taka przerażona, że Oliver zostanie w domu? To też jego dziecko. Dlaczego tylko ja mam ponosić za nie odpowiedzialność? Nie żyjemy w latach pięćdziesiątych.

— Bo on ma dwadzieścia jeden lat! Bo pewnie w ogóle nie chciał mieć cholernego dziecka! Dlaczego ma mieć zrujnowane życie, bo nie ogarnęłaś antykoncepcji? Dlaczego? Masz teraz wszystko, czego chciałaś: dziecko, pełnoetatową niańkę, która będzie się nim zajmować za darmo, i swoją wspaniałą karierę.

Jack położył mi rękę na ramieniu.

— Gisela! Uspokój się. — Najlepszy tekst wszech czasów, jaki wymyślono, żeby jeszcze bardziej zaognić sytuację.

— Nie mam zamiaru się uspokoić. Natalie miała okazję i, jak widać, skwapliwie z niej skorzystała. I bardzo dobrze, brawa dla niej, ale to nie fair, że Ollie nie będzie miał nawet szansy na karierę. Nie dość, że zostaje obarczony taką odpowiedzialnością w tak młodym wieku, to jeszcze ma utknąć na całe dnie z dzieckiem w domu.

Natalie oparła dłoń na biodrze.

— Nie mogę uwierzyć, że zakładasz, że nie potrafimy sami znaleźć rozwiązania. Jakbyśmy byli parą dzieciaków, za których muszą decydować rodzice. Mam trzydzieści cztery lata, nie siedemnaście. Kieruję dwudziestopięcioosobowym zespołem i nie muszę nikogo pytać, co robić.

Wzięłam głęboki wdech.

— Ollie, czy naprawdę właśnie tego chcesz? Bo jeśli tak, to natychmiast się zamknę. Ale jeśli nie, uważam, że nie powinieneś marnować sobie życia, nie rozważając innych opcji.

Twarz Olliego zaróżowiła się z emocji. W przeciwieństwie do Hannah nie cierpiał konfrontacji, zrobiłby wszystko, żeby jej uniknąć.

— Czy chciałem teraz mieć dziecko? Nie bardzo, ale jak już się przyzwyczaiłem do tej myśli, nawet się tym jaram. Czy kocham Nat i chcę z nią zostać i być dobrym tatą? Tak.

Pokręciłam głową z niedowierzaniem. Miałam ochotę krzyknąć, że zajmowanie się dzieckiem nie jest takie łatwe, jak się wydaje na filmach, że może być nudne, dawać poczucie izolacji, osamotnienia, a jemu będzie jeszcze trudniej, bo nie znajdzie od razu grupy innych mężczyzn siedzących jak niańki w domu, zwłaszcza aż tak młodych jak on.

Natalie wyszła do salonu.

— Dobra robota, mamo — wykrzywiła się Hannah.

— Jeśli nie masz do powiedzenia nic pomocnego — naskoczył na nią Jack — to zamilcz.

— Łoo. Wesołych świąt, tato.

Przycisnęłam palcami powieki, żeby powstrzymać łzy.

— Nie tego dla ciebie chciałam, Ollie. Jesteś za młody. Ona już sobie pożyła, wybawiła się, a potem chciała mieć dziecko, bo za chwilę będzie za późno, i na to cię złapała, zanim nawet zdążyłeś znaleźć porządną pracę.

Chciałam mu wytłumaczyć, że kiedy rodzą się dzieci, tak szybko przychodzi odpowiedzialność. Czasy robienia wszystkiego, na co ma się ochotę, minęły. I nie wrócą przez następnych dwadzieścia lat. Krajało mi się serce, gdy pomyślałam, że mój syn będzie skazany na nędzne dwa tygodnie wakacji w roku, zanim zaznał luksusu włóczenia się po Europie z plecakiem, śpiąc na plażach, pijąc tanie piwo i nie wybiegając myślami dalej niż jutro.

Ollie wstał.

— Ale ja ją kocham, mamo. — Jakby miłość mogła wystarczyć.

Natalie wpadła jak burza z powrotem do kuchni.

— Wracam do domu. Jedziesz ze mną, Ollie?

Niezdecydowanie na jego twarzy zabolało mnie bardziej, niż gdyby zaczął kląć i wypluł resztki nadzienia z kasztanów na podłogę.

Jack stał, ściskając kurczowo kieliszek wina i spoglądał na mnie wymownie, żebym użyła właściwych słów, dzięki którym moglibyśmy wrócić do radośniejszej atmosfery. Nie znalazłam takich słów.

Natalie wybiegła na zewnątrz, metr osiemdziesiąt żywej furii.

Odwróciłam się do Olliego, usiłując nie szlochać.

— Idź z nią, kochanie. Przepraszam. Powinnam była lepiej z tego wybrnąć.

Przytulił mnie mocno. Wyglądał jak kupka nieszczęścia, jeszcze nigdy go takim nie widziałam.

Patrzyłam, jak wychodzi.

— Kocham cię! — zawołałam za nim.

Nie odwrócił się.

Zdjęcia: Wszyscy wznoszą kieliszki szampana, w obowiązkowych papierowych koronach na głowach.
Pod choinką prezenty w błyszczącym papierze z ostentacyjnie wielkimi kokardami.
Podpis: Cudownie mieć dziś wszystkich w domu.
#Święta #KochanaRodzinka

ROZDZIAŁ 20

KATE

Boże Narodzenie

Przyglądałam się krzątaninie w domu Giseli. Jack pcha taczki z garażu. Hannah tańczy w swoim pokoju. Ollie i jego dziewczyna przyjeżdżają na obiad z naręczem prezentów. Gisela wybiega, żeby ich uściskać. Nic dziwnego, że Daisy uwielbiała spędzać tam czas. A my znów siedziałyśmy we dwie, tylko ona, ja i nasze ciche „wesołych świąt", przytłaczająca odpowiedzialność znalezienia idealnego prezentu dla siebie wzajemnie, a zamiast świątecznej obfitości — dwa bożonarodzeniowe crackery leżące obok pieczonej piersi indyka, podawanej o trzeciej po południu, tak byśmy nie miały przed sobą długiego wieczoru, którego nie ma czym wypełnić. W tym roku było jeszcze gorzej, bo Daisy miała wymówkę w postaci zbliżającej się próbnej matury, by uniknąć włączenia się w zwyczajowe przygotowania — kupowanie jednej nowej, spektakularnej ozdoby na choinkę, szukanie naszych ulubionych białych czekoladek do powieszenia na drzewku, śpiewanie *All I want for Christmas is some new front teeth**,

* „Na święta chcę tylko nowe przednie zęby" — żartobliwa piosenka świąteczna z lat 40. XX wieku, znana także z licznych przeróbek.

kiedy jadłyśmy pierwszą bożonarodzeniową babeczkę z bakaliami.

— Muszę się uczyć, mamo — mówiła z naciskiem, czemu towarzyszyło lekkie kręcenie głową, mające znaczyć: O Boże święty, ale ty jesteś głupia, a wykonywane przy licznych okazjach przez Hannah pod adresem Giseli.

Włączyłam płytę CD z kolędami, podśpiewując *Once in Royal David's City*, jakby dziś był dzień pełen obietnic. Prawda jednak była taka, że od tamtej nocy z Alexem, kiedy sięgnęłam do tego zapomnianego miejsca w mojej duszy, gdzie żyły nadzieja i miłość, czułam totalną rozpacz. Taką, o której myślałam, że należy do przeszłości. Nie mogłam już dłużej sobie wmawiać, że dopóki Daisy jest szczęśliwa, mnie niczego nie brakuje. Wszystkie mocno tłamszone uczucia wreszcie wyrwały się na wolność. Córka stała na progu dorosłości, a ja patrzyłam w przepaść i mogłam tylko mieć nadzieję, że przyszłość ma dla mnie w zanadrzu coś więcej niż encyklopedyczną znajomość programu telewizyjnego.

Daisy w końcu wychynęła ze swojego pokoju o wpół do dwunastej. Zrobiłam świąteczną gorącą czekoladę z żelowymi piankami, chcąc znaleźć pociechę w naszych tradycjach, przekonać samą siebie, że nie potrzebujemy niczego — ani nikogo — więcej. Wręczyłyśmy sobie gwiazdkowe prezenty — dla Daisy zwyczajowy asortyment lakierów do paznokci i kosmetyków. Nad każdym słoiczkiem mazidła wykrzykiwała: „Przepięknie pachnie!", „Ale super! Uwielbiam tego różowego grejpfruta z Body Shopu!". Założyłam śliczną apaszkę w róże, którą dla mnie kupiła — „Podoba ci się?

Naprawdę? Nie jest zbyt dziewczyńska?" — i było po wszystkim.

Jak w każdą niedzielę zaczęłam obierać warzywa. Kiedy wstawiłam jedzenie do piekarnika, usiadłyśmy nad „Radio Timesem", zakreślając wybrane filmy. Zdaniem Daisy to, że nadal go kupowałam, było strasznie śmieszne: „Przecież możesz sprawdzić godziny w internecie". A mnie się podobało poczucie zobowiązania, które wiązało się z zaznaczeniem w gazetowym programie *Dźwięków muzyki* i *Jak Grinch ukradł święta*. Nie byłam pewna, czy w tym roku zniosę świąteczną filmową dietę złożoną z *Dirty Dancing*, *Notting Hill* i *To właśnie miłość*. Chciałam bajki, która wydarzyłaby się naprawdę.

Zerknęłam ukradkiem na telefon, żeby zobaczyć, czy Alex nie przysłał mi wiadomości. Nic. Tyle razy próbował się ze mną skontaktować, odkąd wymówiłam się od ponownego spotkania. Dzwonił i — skrzywienie zawodowe — nie przyjmował odmowy do wiadomości.

Odebrałam raz. „Unikasz mnie. Chcę wiedzieć dlaczego". Usiłowałam go zbyć tłumaczeniami, że jestem zbyt zajęta w pracy, że to nie jest dla mnie odpowiedni moment na zaczynanie relacji i podobnymi naciąganymi pierdołami, w których od razu rozpoznał słabą ściemę. „Rozgryzę, o co chodzi, wiesz? Czegoś mi nie mówisz". Szybko zakończyłam rozmowę, twierdząc, że nie jestem gotowa na związek.

A potem miałam dziwną, palącą potrzebę, na granicy obsesji, żeby z nim porozmawiać. Od tamtej pory przynajmniej raz dziennie, a zwykle częściej, brałam do ręki telefon, żeby do niego zadzwonić. Zastanawiałam się nawet, czy nie powiedzieć mu prawdy. Pracował w dziennikarstwie śledczym. Może był tą jedną jedyną osobą, która zrozumie, która uwierzy w coś niewiarygodnego. Musiał przecież się spotykać z wieloma odcieniami szarości w ludzkim zachowaniu. Ale nie. Tak długo już kłamałam.

Czułam, że laptop mnie przyzywa — może Alex napisał do mnie na Facebooku. Kiedy Daisy poszła ustawić filmy do nagrywania, mruknęłam coś o sprawdzeniu czasu pieczenia indyka i szybko się zalogowałam. Od razu w feedzie wyskoczyły uśmiechnięte twarze członków rodziny Giseli, wznoszących kieliszki w toaście, a dalej zdjęcia pięknie opakowanych prezentów z błyszczącymi wstążkami i kokardami. Nawet gdybym miała czas i pieniądze, nie zawracałabym sobie tym głowy. Poczułam ukłucie zazdrości na myśl o odczytywaniu żartów i zagadek z bożonarodzeniowych crackerów w licznym gronie, kiedy każdy rzuca absurdalne odpowiedzi, zamiast znajomego obrazka: Daisy i ja siedzimy naprzeciwko siebie, mówiąc: „Nie wiem, powiedz mi".

No i jeszcze Sally w Yorku, taka szczuplutka. Jak jej się udało schudnąć, skoro ciągle wyjeżdża i jada w knajpach? Najwyraźniej jednak dzisiaj sobie nie odmawiała, sądząc z faktu, że machała do obiektywu sześciopensówką wyciągniętą z domowego puddingu swojej mamy. Ciekawe, czy Chrisowi udało się wrócić. Jeśli nie, na pewno przysłał jakiś wspaniały prezent. A poza tym Sally i tak mogła spędzić święta z rodzicami. Szczęściara.

Dla mnie to drugi rok bez mamy. Zamknęłam oczy i wyobraziłam ją sobie, jak wycina foremką bożonarodzeniowe kształty z ciasta na pierniczki na niewielkim blacie w swojej kuchni. Prawie poczułam zapach cynamonu i gałki muszkatołowej. Strasznie tęskniłam. Mama nigdy nie przestała we mnie wierzyć. „Jestem z ciebie dumna" — mówiła, jakbym podążała przez życie tradycyjną drogą, bez większych potknięć, jeśli nie liczyć kilku nieudanych babeczek na szkolnych zajęciach z gospodarstwa domowego. Szkoda, że nie doceniałam, jak dużą siłę dawały mi jej słowa, jak wypełniały puste przestrzenie mojej duszy, w które teraz wsączała się samotność, docierając do każdej szczeliny serca. Przez osiemnaście miesięcy od jej śmierci narastał we mnie coraz większy smutek i żal. Odkąd jedenaście lat temu wyprowadziłyśmy się z Manchesteru, ograniczyłam wizyty u mamy, zakradałam się do niej po zmroku, przerażona, że sąsiedzi nas zobaczą i wieści dotrą do Becky. Nie mogłam ryzykować, że ktoś będzie nas śledzić. A teraz już nigdy jej nie zobaczę.

Otworzyłam oczy jak najszerzej mogłam, żeby opanować łzy. Kliknęłam w wiadomości w telefonie, chociaż nie było ikonki wskazującej, że ktokolwiek próbował się ze mną skontaktować. Nic od Alexa. Weszłam na jego stronę na fejsie, w nadziei, że może wrzucił zdjęcie z hasztagiem #złamaneserce #miłośćbezwzajemności. Zamiast tego znalazłam selfie na motorze, przy którym najwyraźniej brakowało opisu #kryzyswiekuśredniego.

Jakby na zawołanie Gisela zamieściła kolaż z wykorzystaniem zdjęć siebie w towarzystwie członków rodziny; wszyscy uśmiechnięci, poprzytulani. Podpis:

„Miłość to przede wszystkim uczucie, że właśnie z tymi ludźmi masz być. #ZnalazłamSwojePlemię".

Zamknęłam laptopa, żałując, że nie mogę wczołgać się z powrotem pod kołdrę i spać aż do nowego roku. Moje plemię było zaginione, jak Sapanahua w Amazonii.

Wstałam, żeby włączyć lampki choinkowe. Za oknami było spokojnie i cicho, jeśli nie liczyć deszczu bębniącego o szyby. Wszyscy pochowali się w swoich domach, gdzie nalewali wino, odgrzebywali wspomnienia minionych świąt i tworzyli nowe, które będą przywoływać i o które będą się sprzeczać za parę lat. „To było w tym roku, kiedy mama zapomniała włączyć piekarnik". „Tata zasnął z twarzą w sosie do indyka". „Wujek Arthur zatrzasnął się w ubikacji". My mogłyśmy tylko porównywać strzelające crackery z gwiazdkowymi niespodziankami kupionymi u Marksa & Spencera z tymi z Tesco. „Breloczki znacznie lepszej jakości". „Zdecydowanie głośniejsze bum". „Okropny miniobcinacz do paznokci".

Nie mogłam się doczekać, żeby święta się skończyły.

ROZDZIAŁ 21

SALLY

Boże Narodzenie

Pojechałam do rodziców do Yorku 22 grudnia, bez zapowiedzi. Początkowo zamierzałam spędzić święta na oglądaniu seriali za szczelnie zaciągniętymi zasłonami, ale im bliżej było Bożego Narodzenia, cisza panująca w domu budziła we mnie pragnienie, żeby wszystko zdemolować jak naćpany wandal. Kiedy skręciłam w ulicę moich rodziców, gdzie dawniej jeździłam rowerem, spacerowałam za rękę ze swoim chłopakiem ze szkoły, ćwiczyłam zawracanie na trzy w fordzie fiesta taty, który instruował: „Powoli, słonko, powolutku", obudziło się we mnie instynktowne poczucie przynależności.

Mogłam zjawić się ot tak i wiedziałam, że będę kochana. Niedoskonale, czasem z krytycyzmem, często w sposób, który mnie irytował. „Wydaje mi się, że za mało jesz", „Może potrzebujesz płaszcza?", „Czy to na pewno bezpieczne jeździć metrem w nocy?" Ale czekała na mnie miłość, nawet jeśli przerywałam im oglądanie *Long Lost Family*. Oczywiście będę musiała ścierpieć mamine: „Widzisz, nawet kobiety po osiemdziesiątce nigdy nie zapomniały o swoich dzieciach, które oddały. Nie ma nic bardziej wyjątkowego niż dzieci. Nic".

Będę prawdopodobnie musiała pogodzić się ze świadomością, że coś, co wszyscy inni biorą za oczywistość, mnie ominie. Ten jedyny w swoim rodzaju, chociaż pospolity akt, który tak wielu ludziom udaje się bez specjalnych starań, nawet bez specjalnych chęci i głębszego zastanowienia, jakby sprowadzanie kolejnego małego człowieka na świat nic nie znaczyło. W sensie intelektualnym potrafiłam zrozumieć instynktowną, pierwotną miłość, jaką matka czuła do dziecka. W sensie emocjonalnym będę musiała ją sobie wyobrazić, chociaż wolałabym nigdy tego nie robić.

Podeszłam do drzwi, jakbym, słaniając się na nogach, docierała do mety, za którą mogłam paść na twarz i pozwolić, by teraz wszystkim zajął się ktoś inny. Nacisnęłam dzwonek.

Otworzył tata. I powitał mnie tak szerokim uśmiechem, że natychmiast poczułam się winna, że nie odwiedziłam ich wcześniej.

— Nasza Sally! Wejdź, słonko, wejdź! Mama wiedziała, że przyjeżdżasz? — Wziął mnie w objęcia. I już. Moje miękkie lądowanie. Starałam się nie rozpłakać, ale zwyciężyła ta część mnie, która myślała, że rodzice znajdą na wszystko radę. — Co się stało, słoneczko? Poczekaj, zawołam mamę. Marge! Marge! Nasza Sally przyjechała. Chodź, tędy. Zrobię nam herbatki.

Poszedł do kuchni, a ja opadłam na kanapę przed pokaźnym telewizorem, który ominęła płaskoekranowa rewolucja; transmitowano właśnie rozgrywki w snookera. Przesunęłam dłonią po szkarłatnym welurowym obiciu. Chris odnosił się do niego ze wzgardą, porównując mój dom rodzinny ze swoim, pełnym minimalistycznych mebli, według mnie mających w zamyśle raczej zachęcać do szybkiego wybycia z pomieszczenia niż do zostania na dłużej. Zapadające się stare poduchy kanapy moich rodziców niosły z sobą psychiczny komfort wieczorów spędzanych na oglądaniu teleturniejów, *Generation Game* i *Randki w ciemno*, przy kieliszku Batida de Coco, którą mama przywiozła z Majorki, i chrupkach Frazzles o smaku bekonowym, bez ani jednego wędzonego migdała w zasięgu wzroku.

Pojawiła się zaaferowana mama w fartuszku i z pędzelkiem do malowania paznokci w dłoni.

— Sally! Dlaczego nie dałaś znać, że przyjeżdżasz? Mogłam upiec cytrynowe ciasto bezowe! — Urwała. — Wszystko w porządku, kochanie?

— Nie. Nic nie jest w porządku.

Te słowa — przyznanie się do porażki, kiedy od tylu lat zasłaniałam się sukcesami — przyniosły mi ulgę po tych wszystkich tygodniach beztroskiego paplania, sprawiającego wrażenie, że moim największym zmartwieniem było to, czy pierwsze wydanie książki o młodych latach Winstona Churchilla, które zamówiłam dla Chrisa, dotrze na czas.

Chwilę potrwało, zanim twarz mojej matki zmieniła wyraz, kiedy jej umysł już zaakceptował to, co usłyszała. Bo przecież wszystko zawsze było dobrze. Z Chrisem dobrze, w pracy dobrze, dom był świetny. Już od dawna nie potrzebowała zmartwionej miny, ostatnio widzianej chyba 1997 roku, kiedy rządek szóstek na mojej maturze został zbrukany jedną jedyną czwórką z historii, przez co ukrywałam się przez całe czterdzieści osiem godzin w swoim pokoju, przekonana o własnej bezwartościowości i głupocie. Od tamtej pory rzadko widywałam u mamy marsa na czole i zaciskanie dłoni, ale z wiekiem stałam się lepsza w maskowaniu się, kiedy robiło się nieciekawie. Lepsza w kłamaniu.

A teraz czułam się tak, jakby ktoś wlał mi kwas prosto w serce, który wyżarł całą ochronną powłokę, niszcząc wszelką odporność, z której korzystałam przez lata, by bronić się przed rozczarowaniem, niesprawiedliwością, zdradą.

— Chodzi o pracę, skarbie? — spytała mama, jakby czekała, że wejdę za wysoko i spadnę z hukiem, odkąd tylko dostałam pierwszą sobotnią pracę na stoisku z majtkami w sklepie BHS („Będziesz umiała obsługiwać kasę?").

Pokręciłam głową.

— O Chrisa. Odszedł ode mnie.

— Odszedł? Po kiego grzyba? Przecież niedawno kupiliście ten piękny dom. Nawet go jeszcze nie widziałam.

Jak tak dalej pójdzie, mama będzie mogła gruntownie poznać każdy jego zakamarek, pomagając mi w wyprowadzce. Usiadła na jedynym w pokoju krześle, jakby sprawa była zdecydowanie zbyt poważna, żeby rozsiadać się w fotelu.

Wszedł tata z herbatą.

— Dodałem łyżeczkę cukru, na osłodę. Weź ciasteczko.

— Chris odszedł od naszej Sally.

Tata jednak nie dołączył do lamentów nad nieszczęsną nieruchomością.

— No to głupio zrobił — orzekł. — Nie znajdzie żadnej lepszej.

Filiżanka mamy zagrzechotała na talerzyku.

— Chyba nie ma nikogo innego, co? — Jakby większość rozwodów brała się stąd, że jedna osoba bardziej interesowała się grą w szachy niż druga.

— Raczej nie. Nie jestem pewna. — Co było bliskie prawdy, chociaż poświęciłam mnóstwo czasu na analizowanie zdjęć z pracy na jego stronie na Facebooku, żeby sprawdzić, czy jakieś babki nie pojawiają się zbyt często u boku mojego męża. Jedyną osobą regularnie fotografowaną w bezpośredniej bliskości Chrisa był Rupert z księgowości, więc nadal nie miałam pojęcia, kim może być owa pani, która „pozwala mu się od tego wszystkiego o d e r w a ć".

Tata wyskubywał rodzynki ze swojego ciastka.

— Myślałem, że jesteście szczęśliwi. To co się stało?

Chciałam to wyartykułować. Chciałam im powiedzieć, że za każdym razem, kiedy któraś z dziewczyn w biurze obwieszczała, iż jest w ciąży, musiałam wstrzymywać oddech, żeby się nie rozpłakać; że kiedy podpisywałam się na kartce z gratulacjami dla świeżo upieczonych rodziców, wzbierała we mnie jakaś ciężka uraza i nie byłam w stanie dodać żadnego ciepłego słowa od siebie; że zawsze, kiedy spotykałam kobietę z małym dzieckiem, zastanawiałam się, czy nie byłabym lepszą matką. O Boże, ależ oceniałam te biedaczki. Ja przecież nigdy bym nie uległa i nie kupiła chipsów w kształcie misiów tylko dlatego, że dzieciak dostał napadu złości. Nie pozwoliłabym mu pić soku prosto z butelki — przecież mu to zaszkodzi na zęby! Nie dopuściłabym do tego, żeby moje dziecko chodziło zasmarkane. A jednak partnerzy tych kobiet kochali je na tyle, by im zaufać, że będą dobrymi matkami. W przeciwieństwie do mojego męża.

Nie byłam gotowa pokazać światu tej wrażliwej, bezbronnej części mnie. Nie mogłam znieść myśli, że w przyszłości rodzice będą dorzucać „podnoszący na duchu" komentarz do wiadomości, że córka Joyce z naszej ulicy albo moja koleżanka z podstawówki, albo sprzedawczyni, o której wszyscy myśleliśmy, że ma z pięćdziesiąt pięć lat, urodziła dziecko, dodając: Ale nigdy nie podróżowała tyle co ty. Ale jej dom nie jest tak duży jak wasz, a kuchnia to już zupełnie maciupeńka. Ale nie stać ich w tym roku nawet na weekend w Whitley Bay.

Tato poruszył się niespokojnie w fotelu, jakby moje wahanie przed udzieleniem odpowiedzi dotyczyło czegoś bardzo krępującego, związanego z tym, co u mnie „na dole", albo z „hydrauliką" Chrisa.

— Szczerze mówiąc, nie wiem — powiedziałam, zastanawiając się w duchu nad dziwactwami angielszczyzny, w której ludzie często używają słowa „szczerze", mając ma myśli coś zupełnie przeciwnego. Biedny tata wyglądał, jakby mu ulżyło, że nie zostanie poinformowany z detalami o przyczynie problemów, które spotkały jego córkę.

— No, skoro nie wiesz, to pewnie jest tak zwany kryzys wieku średniego. Twoja matka miała szczęście, że odkryłem golfa. Niektóre głupki z klubu zaczynają kupować luksusowe samochody i uganiać się za spódniczkami.

— Tata ma rację, zobaczysz — włączyła się mama. — Wróci, jak zrozumie, co dla niego dobre. Wszystko się ułoży. To nic takiego. Rety, gdybyś widziała te głupie sprzeczki, w które się wdawaliśmy z tatą, jak byliśmy młodsi…

I za pomocą śmiesznej historyjki o tym, jak to tato wjechał tyłem w mur okalający ogród, bo miał uraz szyi i nie mógł się odwrócić, a mama dawała mu wskazówki, ale pomyliła jej się lewa strona z prawą, rodzice przekonali samych siebie, że Chris niebawem przejrzy na oczy i wszyscy odpłyniemy prosto ku zachodowi słońca wśród spadających gwiazd.

Mama klepnęła się dłońmi w uda ze stanowczością mającą oznaczać, że wszystko już jasne.

— To co, zostaniesz na obiad? Będzie zapiekanka pasterska.

Przełknęłam ślinę.

— Miałam nadzieję zostać na święta.

Rodzice wymienili lekko spanikowane spojrzenia oznaczające: To poważniejsze, niż myśleliśmy.

Tata odchrząknął i powiedział:

— No tak. No tak. A masz ze sobą walizkę, słonko?

Ulga, z jaką poszliśmy po nią do samochodu, kontrastowała z nerwowością mamy w kwestii świątecznego puddingu. Nie była pewna, czy wystarczy dla trojga:

— Zrobiliśmy w tym roku maleńki, bo nie chcieliśmy, żeby nam dużo zostało, no i wiesz, że tata musi pilnować wagi.

O tak. Biedny tata i jego waga byli od dawna przedmiotem maminej troski, ale upilnować ją było trudno. Zamiast spadać, ciągle rosła.

Uniosłam dłoń w geście kapitulacji.

— W ogóle nie muszę jeść świątecznego puddingu. Nawet go tak bardzo nie lubię,

Ale na to mama też nie chciała się zgodzić.

— Musisz zjeść chociaż łyżkę — stwierdziła. — Może trafisz na sześciopensówkę.

— Jak chcesz...

Poklepała mnie po ramieniu.

— Cudownie, że przyjechałaś, kochanie. Wiem, że mieszkamy daleko i jesteś taka zajęta, no bo praca i nowy dom, i Chris — dodała wymownym skinieniem głowy, mającym oznaczać, że nic jeszcze nie jest stracone. — Ale jesteśmy z tatą przeszczęśliwi, że możemy cię gościć. — Zerwała się, jakby usiadła na szpilce. — Skoczę tylko na górę i przewietrzę ci pościel.

Nigdy w życiu nie wietrzyłam pościeli. Jeśli zmieniało się poszwy i prześcieradła po każdym gościu, nie bardzo wiedziałam, co tu właściwie wietrzyć. Chyba że, tak jak moja matka, uznawało się „te ciągłe zmiany pościeli" za fanaberie, wtedy pewnie wietrzenie oznaczało wypuszczanie wszystkich starych bździn do atmosfery.

Jednak w ciągu następnych przedświątecznych dni, mimo takich tekstów jak: „Nie będziesz się chyba znowu kąpać, rozpuścisz się" (tata) i napomnień: „Włóż jakieś kapcie, bo dostaniesz odmrozin" (mama), poczułam się zrelaksowana bardziej, niż mi się zdarzyło od czasu przeprowadzki. Zasypiałam przed telewizorem „zupełnie jak ojciec". Do Bożego Narodzenia mamie prawie udało się mnie przekonać, że Chris będzie czekał w domu, kiedy wrócę. Okazała się zaskakująco przebiegła.

— Nie mów znajomym, że Chris cię zostawił na lodzie. Kiedy wróci, nie będziesz chciała, żeby każdy Tom, Dick i Harry szeptali o jego niedawnym odejściu. Trzymaj to dla siebie. Powiedz, że wyjechał w delegację. Ludzie nie muszą wszystkiego o was wiedzieć.

— Mamo, sąsiedzi chyba zaczną zauważać, że jestem sama i zamawiam jedzenie na wynos dla jednej osoby.

— Nigdy nie rozumiałam, dlaczego nie kupisz sobie wolnowaru. To takie łatwe: kawałek mostka od rzeźnika, trochę pokrojonego selera i marchewki…

Ostatkiem sił powstrzymywałam się, żeby nie ukryć twarzy w dłoniach. Z jękiem.

Mama już się rozpędzała.

— Mężowie często mają takie wyskoki. Daj Chrisowi parę tygodni, żeby zobaczył, jak wygląda życie po drugiej stronie. Szybko wróci. Na przykład Samantha z naszej ulicy: jej mąż odszedł z jakąś słodką idiotką, którą poznał na wyścigach, ale, jak mu się skończyła forsa, wrócił, i nikt się o niczym nie dowiedział.

Mimo że sama właśnie obaliła własną teorię, gnała dalej jak toczący się kamień, który nie porasta absolutnie żadnym mchem.

— A poza tym, za kogo on się uważa, że w ogóle cię zostawia? No bo może i pochodzi z rodziny takiej bardziej ę-ą, ale jak dla mnie to są jacyś dziwni ludzie. Jego matka nawet nosem nie pociągnęła na waszym ślubie, już nie mówiąc o łzach.

Uśmiechnęłam się na to wspomnienie. Recytowałam słowa przysięgi do wtóru płaczliwego maminego refrenu: „Czy ona nie wygląda ślicznie? I w dodatku taka mądra dziewczyna". Tata poprowadził mnie do ołtarza z miną kogoś, kto po raz pierwszy w życiu czuł się najważniejszą osobą wśród zebranych. Tuż przed wyjazdem do kościoła powiedział: „Inni rodzice mogą mieć większy dom i takie tam, ale nie mają ciebie. Popatrz na siebie, słonko". I ucałował mnie delikatnie w czoło. Były w tym geście duma, miłość i chęć ochrony. Wszystko, co miałam nadzieję przekazać pewnego dnia własnemu dziecku.

W Boże Narodzenie ograniczyłam się do prostego esemesa: „Wesołych świąt, Chris. Myślę o tobie xxx". Nie dodałam: I mam nadzieję, że nie jesteś z panią, która pozwala ci się od wszystkiego oderwać, i że w tej właśnie sekundzie zadajesz sobie pytanie, dlaczego do diabła nie ma cię z żoną.

Zadzwonił natychmiast. Serce podskoczyło mi w nadziei i strachu.

— Dziwne nie być razem, prawda? — powiedział.

— Owszem. — Usiłowałam mówić swobodnym tonem. — Gdzie jesteś?

— Na długim spacerze w Richmond Park. Z połową Londynu.

Na chwilę zapadło milczenie. W powietrzu wisiało widmo niezadanego pytania: Czy ona jest z tobą?

Wypełniłam ciszę paplaniną o moich rodzicach i o tym, co oglądaliśmy w telewizji. W końcu zabrakło mi słów i pozostał tylko jeden kierunek.

— Udało ci się trochę przemyśleć sytuację? — zapytałam.

— Cały czas myślę. Posuwam się do przodu. No, będę kończyć, zanim stratuje mnie stado jeleni. Trzymaj się, Sally.

Mówił czułym tonem. Nie rozumiałam, jak dwoje samotnych ludzi, którzy się kochają, nie może znaleźć wyjścia z impasu. Pobiegłam do łazienki i spryskałam sobie twarz zimną wodą. Napisałam do Chrisa „Tęsknię" i dostałam w odpowiedzi pojedynczego buziaka. Będzie mi musiał wystarczyć.

Kiedy pomagałam mamie przygotować obiad, szepnęła do mnie:

— Nie obrazisz się, jak zapytam, co?

— Zależy o co, mamo — wzruszyłam ramionami.

— Odejście Chrisa nie ma nic wspólnego z tym, co się dzieje na górze, prawda?

Pomyślałam o przebudowie strychu, o której rozmawialiśmy z Chrisem: mieliśmy się do niej zabrać, jeśli dostanę przyzwoitą premię. Uznałam jednak, że mamie raczej nie chodzi o strome schody na poddasze.

— Masz na myśli — słowo „seks" nie chciało mi przejść przez usta — w sypialni?

Mama energicznie pokiwała głową,

— Bo kiedy byliśmy młodzi, ojciec lubił…

Przerwałam jej, zanim zdążyłam usłyszeć słowa, których nigdy nie będę w stanie usunąć z mózgu.

— Nie, nie, mamo, nie w tym problem.

Najwyraźniej uznała, że jej matczyny obowiązek jeszcze się na tym nie skończył.

— Mówię tylko, że mężczyźni mają potrzeby, skarbie. A jeśli dostają w domu steki, nie będą wychodzić gdzieś po jakieś hamburgery z cienkimi frytkami czy co tam wy młodzi dzisiaj jadacie.

Na ironię zakrawało to, że wybawieniem okazała się akurat jedna z tych rzeczy, które jeszcze niedawno wydawały mi się potwornie staroświeckie.

— Mamo! Gdzie jest sosjerka?

Zdjęcie: Sally trzyma w palcach sześciopensówkę.
Podpis: Cudowny dzień z moją rodziną, a w dodatku znalazłam sześciopensówkę w puddingu!
#Mójfartownyrok #Szczęśliwedni

ROZDZIAŁ 22

KATE

Sylwester

Mniej więcej o dziesiątej wieczorem stałam przy oknie i wyglądałam na ulicę, zastanawiając się, czy spróbować znaleźć jakiś film, czy dać spokój i położyć się spać, kiedy dostrzegłam Giselę w oknie jej salonu. Przyjrzałam się, czy to na pewno ona. Kiedy Hannah wstąpiła wcześniej po Daisy, z którą szły do klubu rugby, mówiła, że jej rodzice wybierają się na imprezę. Pomachałam teraz Giseli i uśmiechnęłyśmy się do siebie, lekko zażenowane, jakbyśmy były jedynymi osobami na świecie, które nie mają dokąd pójść. Zanim się obejrzałam, już przemykała w kapciach przez ulicę i dzwoniła do moich drzwi.

Otworzyłam.

— Wszystko w porządku? Hannah mówiła, że wychodzicie?

— Wszystko dobrze. Po prostu nie czułam dziś chęci do imprezowania.

— To chyba do ciebie niepodobne?

Na co Gisela się rozpłakała.

— Przepraszam, przepraszam — wychlipała. — Przyszłam tylko zapytać, czy nie chciałabyś wpaść na drinka. Miałam takie gówniane święta.

— Wejdź na chwilę. — Zaprowadziłam ją do salonu, rozglądając się po drodze za jakąś w miarę przyzwoitą butelką wina.

— Nie zostanę długo. Zostawiłam Jacka samego. Już jest na mnie zirytowany, że nie chciałam iść na przyjęcie. Nawet nie lubię pieprzonego sylwestra, tego całego zbierania się wokół telewizora i czekania, aż Big Ben zacznie bić dwunastą, a potem obściskiwania się z ludźmi, których prawdopodobnie nie zobaczysz przez cały następny rok.

Jednym haustem opróżniła zawartość kieliszka i opowiedziała mi, co się stało.

— Prawda jest taka, że nie mogłam znieść myśli o jakiejś dziadowskiej imprezie, na której musiałabym odpowiadać na te wszystkie pytania, co tam u dzieci. W tej chwili boję się, że może już nigdy nie zobaczę Olliego, nie mówiąc już o wnuku czy wnuczce.

Szczerość Giseli była odświeżająca. Nareszcie wiedziałam, co dzieje się w jej domu, który Daisy uważała za „taki wyczilowany" („Ty tego po prostu nie kumasz, mamo"). Nie potrafiłam połączyć katastrofalnego Bożego Narodzenia mojej sąsiadki z tym, co widziałam na jej Facebooku. Z pewnością porównanie działało teraz na korzyść naszych spokojnych, kameralnych świąt. Wstrzymałam nieco oddech na wieść o Olliem mieszkającym z ciężarną trzydziestoczterolatką. Tak jak Gisela zakładałam, że ten związek to pewna faza przejściowa — młodemu facetowi schlebiało zainteresowanie ze strony starszej od niego kobiety. Moim zdaniem wyglądał jak dzieciak, którego raczej widziałabym jeżdżącego na desce po lokalnym parku niż przygotowującego się do odpowiedzialnego rodzicielstwa. Ale może im się uda. Kto wie, które związki przetrwają, z jakimi będziemy mierzyć się wyzwaniami? Oskar i ja byliśmy tacy pewni siebie, naszej bliskości, w wieku dwudziestu kilku lat rozmawialiśmy o tym, co będziemy robić na emeryturze. Nigdy się nie spodziewaliśmy, że coś tak poważnego, szokującego wstrząśnie naszym światem i sprawi, że będziemy jak rozbitkowie szukać po omacku strzępów dawnego życia, których moglibyśmy się chwycić, ratując przede wszystkim siebie, bo nie zostało nic, co mogłoby utrzymać nasze partnerstwo na powierzchni.

Poklepałam ją delikatnie po ręce.

— Ostatecznie jesteście sobie bardzo bliscy jako rodzina — powiedziałam. — Znajdziecie kompromis, kiedy dziecko już się urodzi. Natalie nie będzie chciała, żeby się wychowywało, nie znając dziadków.

— Mam nadzieję, że masz rację. Nie mów nikomu, dobrze? Nie jestem jeszcze gotowa na opinie innych.

— Będę milczeć jak grób. Nie mam komu powiedzieć.

Gisela otarła chusteczką łzy.

— Proszę, chodź do nas na drinka, żebym nie musiała samotnie patrzeć na tę kupkę nieszczęścia, mojego męża. Mamy mnóstwo szampana...

Roześmiałam się.

— Nie musisz mi współczuć. Jestem przyzwyczajona do spędzania sylwestra w pojedynkę.

— Proszę, zrób to dla mnie.

Zwlekałam z decyzją, chociaż miło było czuć się upragnionym gościem.

— A Jack nie będzie miał nic przeciwko?

— Skądże! Będzie zachwycony, czując dopływ świeżej krwi. Nie sądzę, by bycie razem dwadzieścia cztery godziny na dobę służyło naszej rodzinie.

Rzeczywiście, kiedy weszłam, Jack zerwał się gwałtownie.

— Kate! Wspaniale cię widzieć. Szczęśliwego Nowego Roku. Szampana?

Mogłam zrozumieć, dlaczego Daisy uwielbia ich świat. Sama mogłabym się do niego przyzwyczaić.

Jack wręczył kieliszek Giseli.

— Alex napisał esemesa. Miał być na jakiejś ekskluzywnej imprezie z celebrytami z telewizji, ale spadł z drabiny i właśnie wyszedł z SOR-u. Powiedziałem mu, żeby wziął taksówkę i jechał prosto do nas. A jeśli będzie chciał, może zostać na noc.

— Świetnie. Łóżka są pościelone. Tylko pomożesz mu wejść po schodach. — Odwróciła się do mnie. — Pamiętasz Alexa, prawda? Tarantulę z moich urodzin?

Usiłowałam zlekceważyć nagłą falę gorąca, która zalała mi twarz.

— Chyba tak, nie jestem pewna, rozmawiałam wtedy z tyloma ludźmi. — Nie udało mi się spojrzeć Giseli prosto w oczy.

Klasnęła w dłonie.

— No i po co chodzić na jakieś sylwestry? Mamy własne przyjątko. — Pognała do kuchni i wróciła z miseczkami oliwek i orzechów.

Usiadłam na brzegu kremowej kanapy, żałując, że się nie umalowałam i nie włożyłam czegoś efektowniejszego niż dżinsy. Nie miałam nawet czasu pogrzebać w torebce w poszukiwaniu jakiejś zabłąkanej szminki, bo już podjechała taksówka, trzasnęły drzwi, Jack wybiegł na ulicę i zobaczyłam Alexa kuśtykającego o kulach podjazdem.

Żołądek mi się ścisnął, a przed oczami stanął widok jego nagiej piersi.

Z korytarza dobiegał tubalny głos Jacka.

— Ty biedny sukinsynu. Miałeś spędzić wieczór, pląsając w towarzystwie aktorek i piosenkarek, a utkniesz tutaj z nami.

— Mam cholerne szczęście, że jesteście tak niepopularni i siedzicie w sylwestra w domu.

Strasznie mi się podobało, jak jego ton przeczył słowom, a lata długoletniej przyjaźni pozwalały im czule obrzucać się szokującymi obelgami.

— Bezczelny gnojek — roześmiał się Jack. — Wiedz, że byłem zaproszony na trzy imprezy.

— Ale jesteś w wieku już tak średnim, że wolisz zostać w domu i oglądać *Kiedy Harry poznał Sally*?

Zanim Jack zdążył odpowiedzieć, Alex dokuśtykał do salonu.

Twarz mu skamieniała, kiedy zobaczył mnie siedzącą w fotelu. Pomrugał, jakbym mogła być, jeśli dopisze mu szczęście, tylko kłopotliwym mirażem.

— Kate. Miło cię znów widzieć. Jak się masz?

— Dobrze, dziękuję.

Podskoczyła do niego Gisela, ratując mnie przed koniecznością wyduszenia z siebie czegoś konkretniejszego.

— Co robiłeś na drabinie, głuptaku? — zapytała. — Nie mów mi, że myłeś okna!

— O, wy ludzie małej wiary. Tak się składa, że wieszałem obrazy i najwyraźniej nie posiadam podzielności uwagi. Nie dla mnie jednoczesne utrzymanie równowagi i wiercenie w ścianie.

— Miałeś szczęście, że nie przewierciłeś sobie oka podczas upadku — zauważył Jack, tłumiąc śmiech.

— Odkąd robisz coś tak domatorskiego jak wieszanie obrazów? — Chciała się dowiedzieć Gisela. — Kiedy ostatnio byłam w twoim mieszkaniu, używałeś gazety zamiast obrusa.

Alex popatrzył na nią zmieszany.

— Moja droga, powinnaś mi przyklasnąć, zamiast mnie objeżdżać. Postanowiłem wydorośleć.

— Pewnie jeszcze nie dojrzałeś do kupna porządnych zasłon? Zawsze mogę przyjść ci pomóc, jeśli będziesz potrzebował kobiecej ręki. — Gisela zrobiła pauzę. — A może wieszasz obrazy właśnie dlatego, że na scenie pojawiła się kobieta?

Wstrzymałam oddech. Na pewno nie miało to nic wspólnego ze mną. I tak jednak spięłam wszystkie mięśnie twarzy, żeby się nie zdradzić.

— Może — powiedział Alex. — Może nie.

Gisela pacnęła go dłonią.

— O, masz kogoś na widoku? Mój Boże, Alex się zakochał. Od lat nie byliśmy na żadnym weselu. Mogłabym się zająć kwiatami.

Pokręcił głową.

— Powiedziałem „może”, a ty zaczynasz nawijać o kwiatach. I jeszcze się zastanawiasz, dlaczego ci niczego nie mówię?

Gisela pogroziła mu palcem.

— Umrzesz jako nieszczęśliwy stary kawaler, wzięty na zakładnika przez jeden z tych gangów, które upierasz się tropić.

— Masz na myśli międzynarodowych przestępców.

Machnęła ręką, jakby baronowie narkotykowi byli tylko miłymi starszymi panami, czasem sięgającymi do torebeczki z białym proszkiem.

— Uwielbiam dobre wesele — powiedziała, zwracając się do mnie. — Mogłabym sobie sprawić kapelusz.

— Uwielbiasz pretekst do wydawania kasy — cmoknął ze zniecierpliwieniem Jack.

— Zauważyłeś, Alex, jakie z Jacka zrobiło się skąpiradło? Kiedyś to było „wydawaj, ile chcesz, kochanie". A teraz, jak nie będziemy uważać, będzie próbował mnie podstępem skłonić do picia prosecco zamiast szampana.

Wiedziałam, że Gisela specjalnie przesadzała, ale atmosfera się zmieniła, jakby pod płaszczykiem małżeńskich przekomarzanek toczyła się prawdziwa kłótnia. Miałam ochotę się wymknąć, uciec od dziwnego napięcia w salonie. Od Alexa. Albo pobiec do niego.

Po raz pierwszy spojrzał na mnie i powiedział z życzliwym, pytającym wyrazem twarzy:

— Zastanawiałem się, czy cię zobaczę dziś w szpitalu, jak wpadasz i wypadasz z SOR-u.

Moje zdolności interpretacji (czy miało to znaczyć „byłem rozczarowany, że cię nie widziałem", czy „niezręczna sytuacja, lepiej skieruję rozmowę na jakiś neutralny temat") najwyraźniej uleciały w siną dal. Słowa uwięzły mi w gardle.

— Dzisiaj nie pracowałam — wykrztusiłam. Udało mi się powstrzymać przed nerwowym wyrecytowaniem ze szczegółami świątecznego grafiku dyżurów ratowników medycznych.

Kątem oka dostrzegłam, że Gisela wybiegła do kuchni. Rozpaczliwie szukałam jakiegoś tematu, który pozwoliłby mi włączyć Jacka do rozmowy. Ale przede wszystkim musiałam uwolnić się od drobiazgowego analizowania wszystkich szczegółów wyglądu Alexa. Te ręce i to, co potrafiły. Ten rys twardego samca alfa połączony z niespodziewaną delikatnością. Wypuściłam powietrze z płuc. Nie mogłam teraz okazać słabości. Nie po całym wysiłku stworzenia tutaj od nowa anonimowego życia. „Ludzki wymiar" historii z mojej przeszłości — śmierć, rozwód, zerwane przyjaźnie — to był prawdziwy skarb dla dziennikarza. Za każdym razem, kiedy prasa opisywała podobny temat, pojawiało się moje zdjęcie i wałkowano szczegóły. Nie mogłam ryzykować i pozwolić na to, by znów wsadzono kij w mrowisko. Ceną za to było odsunięcie się od Alexa. Tymczasem, jak na ironię, rozpaczliwie go pragnęłam.

— Kiedy wracasz do pracy, Jack? — spytałam.

— Jakoś w przyszłym tygodniu, nie chcę jeszcze o tym myśleć. Nie wiem, dlaczego tylu ludzi czeka cały rok na święta i ferie, a kiedy wreszcie przychodzą, gadają tylko o tym, ile wolnych dni im jeszcze zostało, zamiast się nimi cieszyć.

Poczułam, że się czerwienię, jakbym została zbesztana za zaściankowość.

— Przepraszam. Taki mój odruch, bo grafik pracy niepodzielnie rządzi moim życiem. — Mogłam jeszcze dodać: I nie mam luksusu w postaci męża, który by czasem zajął się domem, ale nie chciałam wyjść na zdesperowaną.

Jack odburknął mi coś i poszedł po wino. Byłam pewna, że pobiegł do Giseli i syknął jej do ucha: Chodź i mi pomóż, ta twoja dziwna koleżanka stwarza niezręczną atmosferę.

Przez chwilę patrzyłam w podłogę, bojąc się zobaczyć konsternację na twarzy Alexa, niepewna, czy byłabym w stanie skłamać, gdyby zapytał mnie o coś wprost.

Przerwał milczenie.

— Nie wiedziałem, że tu dzisiaj będziesz.

— Nie miało mnie być. — Wyszło to gburowato, jakbym chciała powiedzieć, że nie przyszłabym, gdybym wiedziała, że on się zjawi.

— Zepsułem wieczór?

— Nie — odparłam szczerze. Nie mogłam się powstrzymać.

— Kate, fascynujesz mnie. I frustrujesz. — Uśmiechnął się. — Jeśli będę błagał, pójdziesz jeszcze ze mną na drinka?

Zanim zdążyłam odpowiedzieć, wrócili gospodarze z kolejną butelka Moëta „do noworocznych toastów".

Kiedy wybiła północ, mamrotałam nieśmiało słowa *Auld Lang Syne*, w przeciwieństwie do pozostałych, którzy śpiewali na cały głos. Uścisnęliśmy się. Alex wyszeptał mi do ucha: „Szczęśliwego Nowego Roku, piękna pani", a mnie serce skoczyło z radości. I chwyciłam się nadziei, że może kiedyś, przy idealnej temperaturze i regularnym podlewaniu, znów w nim zakwitnie miłość.

ROZDZIAŁ 23

SALLY

Wtorek, 2 stycznia

Napisałam do Chrisa, żeby dać mu znać, że wracam do domu we wtorek po Nowym Roku. Zaparkowałam mini coopera na podjeździe, usiłując zignorować ukłucie rozczarowania, że nie ma jego samochodu. Przypomniały mi się wszystkie te okazje, kiedy zostawiał auto za rogiem, by mnie zaskoczyć i sprawić niespodziankę wcześniejszym powrotem ze służbowego wyjazdu.

Drzwi frontowe przyblokowały się na stercie nagromadzonej poczty, wrzucanej przez otwór na listy. Mocowałam się z nimi, zanim udało mi się je otworzyć, i czmychnęłam z walizką do środka. Nie chciałam teraz wpaść na Kate albo Giselę. Uniknę pytań o to, jak spędziłam święta, jeśli nie będę się z nikim widywać do połowy stycznia.

Czekałam oparta plecami o drzwi, nasłuchując, wciąż mając trochę nadziei, że twarz Chrisa wyjrzy zza futryny w salonie, mimo dowodów, że nigdzie w pobliżu go nie było. W domu panowała cisza. Rodzicom udało się, na swój prymitywny sposób, podtrzymać mnie na duchu, przekonać, że w każdym małżeństwie zdarzają się „głupie burze w szklance wody", ale cała ta otucha, którą we mnie wlali, już się ulatniała.

Podupadła na duchu, zaciągnęłam walizkę do kuchni i przejrzałam pocztę, nastawiona na wyłapanie koperty ze szpiczastym, pochylonym w lewo pismem Chrisa. Nic z tego. Był za to odręcznie zaadresowany list z argentyńskim znaczkiem.

K. Kowalski, 17 Parkview. Dom Kate. Kowalski? Brzmiało jak polskie nazwisko. Właściwie Kate wyglądała nawet na Polkę, z tymi wysokimi kośćmi policzkowymi, podobnie jak Daisy. Przypomniałam sobie, jaka się zrobiła drażliwa na imprezie przebieranej u Giseli, kiedy zasugerowałam, że jej strój mógłby być rodem z Europy Wschodniej. Gdybym miała takie egzotyczne korzenie, wszystkim bym o nich mówiła. Zmarszczyłam brwi. Może to list do jej byłego męża, który mógł być cudzoziemcem. To, co wiedziałam o Kate, kobiecie pełnej rezerwy, mogłam policzyć na palcach jednej ręki, chociaż od pół roku mieszkałam tuż obok. Wydawało mi się, że nie przychodzą do niej żadni znajomi, nigdy też nie widziałam faceta. Może pewnego dnia zacytują mnie w gazecie: „Sąsiadka Sally Gastrell, lat 36, twierdzi, że Kate Jones i jej córka Daisy trzymały się na uboczu, spokojne i uprzejme". A dalej moje pełne szoku oświadczenie, że nie miałam pojęcia, iż po pierwsze, była to wschodnioeuropejska dealerka narkotyków, a po drugie, zajmowała się dostarczaniem nieletnich dziewcząt do burdelu w Warszawie.

Zapewne jednak prawda była znacznie banalniejsza, chociaż rzeczywiście Kate robiła się trochę niespokojna, kiedy ktoś wspominał o jej słowiańskich rysach. Przeleciałam w myślach listę możliwości. Błędnie zaadresowany list? Nielegalne imigrantki? Postanowiły zmienić nazwisko w związku z brexitem, żeby uniknąć tyrad o swoim prawie do przebywania w Wielkiej Brytanii? Znacznie łatwiej było spekulować na temat życia Kate, niż zmierzyć się z realiami własnego — z tym, że Chrisa nie ma i nie wiadomo, kiedy, i czy w ogóle, wróci.

Położyłam list na parapecie koło drzwi wejściowych i rozpakowałam walizkę, niezdolna do pozbycia się wprowadzonego przez Chrisa zwyczaju wrzucania wszystkiego do pralki sekundę po powrocie z podróży. W przypływie buntu zrobiłam sobie herbatę w kubku i nie zawracając sobie głowy wyjmowaniem talerzyka, zjadłam kawałek świątecznego ciasta, które wepchnęła mi matka („Inaczej ojciec zje całe, a do tego nie mogę dopuścić").

Rozległ się dzwonek. Moje głupie serce podskoczyło z nadzieją, chociaż Chris posłużyłby się własnymi kluczami. Otworzyłam drzwi. Gisela. No i tyle wyszło z mojej hibernacji do połowy stycznia.

— Witaj w domu! Jak tam święta?

Takie proste pytanie, a mnie zmroziło. Miałam ochotę zawyć: Chris mnie porzucił. Możliwe, że zamieszkał z jakąś inną babą. Zamiast tego powiedziałam:

— Bardzo miło spędziliśmy czas, dziękuję, tradycyjnie, z moimi rodzicami. A ty?

— Tylu ludzi się przewinęło — zaśmiała się Gisela — Ollie ze swoją dziewczyną, Hannah i jej przyjaciele, kumpel Jacka ze studiów, z cyklu przypadek beznadziejny... Zupełnie jakbym jednocześnie prowadziła restaurację i była pokojówką.

Zauważyłam w mojej pracy, że matki często uderzały w ten ton. Radość przeżywania rodzinnych spotkań —

czyli bycia otoczoną ludźmi, którzy cię potrzebują, karmienia ich przygotowanymi własnoręcznie potrawami, poświęcaniem im czasu i miłości — tuszowały narzekaniem, jakie to wszystko okazało się trudne.

Zmusiłam się do zrobienia miny: ojej, to musi być wykańczające, zamiast krzyknąć, że mogła leżeć w pojedynczym łóżku w domu swoich rodziców z termoforem i gapić się na tę samą cholerną tapetę w różyczki, którą położyli, kiedy miała trzynaście lat.

— Ale, ale — powiedziała Gisela. — Jack jest trochę zdołowany, nie wiem, czy to dlatego, że jutro wraca do pracy, w każdym razie pomyślałam sobie, że może Chris mógłby go wyciągnąć do pubu na piwo czy drinka?

Mózg nie chciał mi pracować. Nie mogłam jej powiedzieć. Po prostu nie mogłam. Minusem życzliwości Giseli było to, że, jak podejrzewałam, odgrywała na naszej ulicy rolę kogoś w rodzaju miejskiego herolda. Cokolwiek jej powiem, natychmiast zostanie przekazane z domu do domu, aż całe Parkview będzie huczeć od plotek: Kojarzysz tę Sally, tę, co pracuje w handlu winem i ma męża z tym takim fioletowym sportowym samochodem? No, to właśnie ją zostawił. Z niewątpliwym ciągiem dalszym w postaci: Biedactwo. Nie miała dzieci. Chociaż pewnie to i lepiej. Znacznie łatwiej się rozstać, jeśli nie ma maluchów, które trzeba wziąć pod uwagę.

Gdybym miała dziecko, maleńkie, kilkuletnie czy nawet nastolatka, miałabym też cel. Musiałabym podołać trudnościom. Byłabym jak moja mama, robiłabym dobrą minę do złej gry i wszystkich dopingowała. Zamiast obżerać się pączkami i popcornem z mikrofalówki, aż się roztyję i zaklinuję w jednym z tych wąskich foteli, które wybrał Chris, zaprojektowanych specjalnie po to, żeby zawstydzać ludzi o obfitych biodrach.

Gisela stała przede mną z uniesionymi brwiami, czekając na odpowiedź na niezbyt trudne pytanie.

— Nie ma go w tej chwili w domu. Wyjechał służbowo za granicę. Nie jestem pewna, kiedy wróci. Ale powiem mu. Zobaczymy, czy będą mogli jakoś się umówić.

Zmarszczyła czoło.

— Myślałam, że wyjeżdżał na kilka tygodni przed świętami? Skoro już musiał znowu jechać, to chyba trudne dla was obojga.

— Owszem.

Czekała, żebym rozwinęła temat.

Skontrowałam własnym pytaniem — nauczyłam się tej techniki od Chrisa, który opanował ją do perfekcji.

— Dlaczego Jack jest zdołowany?

— Nie wiem. Pewnie osiągnął wiek, kiedy prowadzenie firmy go nudzi, i zastanawia się, ile kempingów musi jeszcze kupić i sprzedać, zanim będzie mógł przejść na emeryturę. Zazdrości Chrisowi, który śmiga po całym świecie. Ale założę się, że Chris chciałby więcej pobyć w domu z tobą? Wszędzie dobrze, gdzie nas nie ma, co?

Mruknęłam pod nosem, co mogło znaczyć wszystko, i odwróciłam jej uwagę, sięgając po list zaadresowany do tajemniczego lub tajemniczej K. Kowalski.

— Kate nie ma drugiego nazwiska Kowalski, prawda?

— Nic mi o tym nie wiadomo — pokręciła głową Gisela. — Brzmi jakby po czesku albo może bułgarsku, w każdym razie blok wschodni, nie? Chyba urodziła się w Manchesterze, ale jej mąż mógł być cudzoziemcem. Nigdy o tym nie wspominała. Może ten list nie jest do niej.

— Ale przyszedł z Argentyny, gdzie mieszka tata Daisy.

Gisela wzruszyła ramionami, bo w przeciwieństwie do mnie nie była podejrzliwa, nie wyciągała daleko idących wniosków. Ot, po prostu pomyłka poczty, a nie żadna tajemnica do rozwikłania.

Pomachałam jej na pożegnanie, godząc się spotkać na kawę, żeby pogadać, za jakiś tydzień, i akurat wtedy Kate wysiadła z samochodu i szybkim krokiem ruszyła do swoich drzwi.

Zawołałam, żeby zaczekała, i podbiegłam z listem w ręce.

— Przyszło do mnie, pomyłkowo. To do ciebie?

Stanęła w progu, rozglądając się niespokojnie.

— Ten listonosz to idiota. Przecież jest napisane numer siedemnaście, jak byk. — Wyciągnęła rękę po kopertę. — Nie mam pojęcia, dlaczego to tu przyszło.

Nieomal zaczęłam się z nią szarpać, nie chcąc oddać listu. Uważałam, że powinna wyjaśnić mi tę pomyłkę. Kate nigdy nie czuła potrzeby niczego tłumaczyć. Właściwie była jedną z tych kobiet, które wydają się życzliwe, zawsze pomachają, zawołają: Dzień dobry! zza parkanu, ale nie opowiadała o swoim życiu ani nie pytała o twoje.

— Znasz tę osobę? Możesz jej to przekazać, czy mam otworzyć list i sprawdzić, czy nie ma adresu zwrotnego? — spytałam.

Jej twarz na sekundę się skurczyła, a po chwili rozluźniła w uśmiechu.

— Wiem, gdzie to przesłać — powiedziała.

W tym momencie za jej plecami pojawiła się Daisy, zupełne przeciwieństwo matki, wesoła i rozgadana.

— Sally! Jak się masz?

Pogadałyśmy o świętach, przy czym w moim przypadku nie obyło się bez koloryzowania, aż Daisy zauważyła list w ręce Kate.

— Kiedy to przyszło? — zapytała lekko oskarżycielskim tonem.

— Listonosz przyniósł do domu Sally. Obiecałam, że prześlę właściwej osobie. — Kate cała się usztywniła, a w jej głosie rozbrzmiewał ostrzegawczy sygnał, wyraźny jak syrena alarmowa.

Daisy skrzywiła się, szybko się ze mną pożegnała i wycofała do środka. Biedna dziewczyna. Wystarczająco trudno być nastolatką, nawet jeśli nie ma się matki tak zamkniętej w sobie i niekomunikatywnej jak Kate. Gdybym ja miała nastoletnią córkę, nigdy bym nie pracowała w tak dziwnych godzinach, puszczając ją samopas. Jeśli rodzice nie znajdują czasu, żeby być w domu, rozmawiać i stwarzać okazje do zrozumienia, co się dzieje w życiu dzieciaków, to nic dziwnego, że największą frajdę czerpią one z palenia zioła i picia wódki z red bullem. Kilka razy w tygodniu widziałam, jak Daisy idzie ulicą, jedząc tanie żarcie na wynos. Powstrzymywałam się, by nie wybiec do niej i poczęstować czymś porządnym — potrawką z wołowiny, risotto ze szparagami czy chociaż tostem z pełnoziarnistego pieczywa z serem, żeby dostarczyć jej trochę witamin zamiast tych wszystkich tłuszczów trans i Bóg wie czego jeszcze. Z Hannah było to samo, pewnie nawet gorzej, biorąc pod uwagę, że chodziła na kurs dla jakichś superkucharzy. Niedawno widziałam, jak siedzi na murku przed ich domem i wcina watę cukrową. Nie mogłam uwierzyć, że w ogóle jeszcze produkują to świństwo.

Kate wycofywała się rakiem.

— Idę przygotować obiad, wiesz, jakie są nastolatki, bez przerwy by jadły. Cudownie musi być zostawić coś w lodówce i znaleźć to nietknięte po powrocie.

Starałam się nie odebrać jej słów jako afrontu z powodu mojej bezdzietności, chociaż miałam ochotę ryknąć, że u mnie lodówka pękałaby w szwach od truskawek, borówek amerykańskich i awokado, i nigdy bym nie wywołała w córce poczucia winy w związku z tym, jak dużo je.

Skinieniem głowy wskazałam list.

— To co, zostawię ci go do przesłania?

Kate miała nieprzenikniony wyraz twarzy.

— Tak, zajmę się tym — powiedziała.

I niemal zamknęła mi przed nosem drzwi.

Zdjęcie: Łóżko z kołdrą w idealnie wyprasowanej białej poszewce i stosik ambitnych książek na nocnym stoliku.
Podpis: Po wspaniałych świętach miło być znowu w domu.
#WszędzieDobrzeAleWDomuNajlepiej
#DomTwójGdzieSerceTwoje

ROZDZIAŁ 24

GISELA

Czwartek, 18 stycznia

Minęła połowa stycznia, a Ollie wciąż nie dawał znaku życia. Kiedy wspominałam o tym Jackowi, kręcił tylko głową i mówił:

— Czego się spodziewałaś? Całkiem wyraźnie dałaś mu do zrozumienia, że nie pochwalasz jego życiowych wyborów. Przypuszczam, że w końcu puści to w niepamięć.

Ciekawe, kiedy przestaliśmy być drużyną. Zawsze rozmawialiśmy o fatalnych stopniach z matmy, trudnych przyjaźniach Hannah, braku śmiałości Olliego, żeby się odzywać na lekcjach. O wszystkich szczegółach życia naszych dzieci, które miały znaczenie dla nas dwojga i nikogo więcej.

Właściwie za każdym razem, kiedy mówiłam o synu, Jack patrzył z roztargnieniem, jakby musiał wykonać wysiłek, żeby sobie przypomnieć, że go ma. A ja codziennie kładłam się spać, myśląc o tym, czy Ollie leży przytulony z Natalie, głaszcząc ją po brzuchu, i wyobraża sobie życie, w którym my nie będziemy uczestniczyć. Czy naprawdę mogłoby się to zdarzyć? Czy to możliwe, że wlałam w syna dwadzieścia jeden lat miłości, a mój umysł bez przerwy zbierał dane o jego trybie życia — warzywa, kurtki zimowe, wizyty u dentysty — tylko po to, żeby teraz na zawsze go stracić? Bałam się nawet o tym myśleć. Zawsze się spodziewałam, że Ollie zrobi mniej więcej to, co my, tylko lepiej i później, mając więcej możliwości. Wyobrażałam sobie, jak zabiera nas za dziesięć lat na kolację, żeby nam oznajmić, że się żeni z miłą, inteligentną kobietą, która go rozśmiesza, szczupłą, z długimi brązowymi włosami i nieśmiałym uśmiechem. Może mogłaby pracować w PR albo w galerii sztuki. Ale nie z kimś takim jak Natalie. Nigdy z Natalie.

Poczułam ulgę, kiedy po Nowym Roku Jack wrócił do pracy, a naburmuszona Hannah do nauki, wyglądając przy tym, jakby szła na szychtę do kopalni. Wreszcie mogłam sobie pozwolić na dowolnie ponurą minę i nie musieć wysłuchiwać, żeby „się rozchmurzyć". A także pozamawiać mnóstwo cudownych okazji ze styczniowych przecen, oczywiście w tajemnicy przed Jackiem.

Zapomniałam o dzisiejszej dostawie, aż tu nagle rozległ się dzwonek. Młody człowiek wyładowywał z dostawczaka cztery duże kartonowe pudła. Przenosiłam zakupy do garażu, dopóki teren się nie oczyści. Jeśli Sally wyjeżdżała, pozwalała mi wyrzucać opakowania do jej koszy na odpady do recyklingu: „To sprawia wrażenie, że ktoś tu cały czas mieszka".

Chrisa właściwie nigdy nie było. Od czasu do czasu widziałam, jak wpada, ale nigdy wtedy, kiedy w domu była też Sally. Dziwny sposób funkcjonowania w małżeństwie, chociaż Sally mówiła mi, że każdego wieczora rozmawiają na FaceTimie. Pewnie gadają ze sobą częściej niż ja z Jackiem, zważywszy, że za każdym razem, kiedy go o coś pytałam, wyglądał, jakby był właśnie o krok od odgadnięcia wyjątkowo trudnego hasła w krzyżówce. Kilka razy mało brakowało, a zapytałabym, czy jest coś, o czym mi nie mówi. Ale się wycofywałam. Ja. Osoba, która nigdy nie bała się konfrontacji. Po fiasku z Olliem nie ufałam własnemu osądowi. Nie miałam pojęcia, co bym zrobiła, słysząc twierdzącą odpowiedź na pytanie, czy ma romans.

Wtaszczyłam kartony do środka. Były to worki siedziska z motywem brytyjskiej flagi do pokoju Hannah — obie uznałyśmy, że córka nie może bez nich żyć. Wspólne zakupy online były jedynymi chwilami, kiedy naprawdę ze mną rozmawiała. Zawsze dawałam się na to złapać. Przysiadała się do mnie: „Obejrzysz ze mną ten płaszcz, poduszkę, spodnie? Jak myślisz, fajne? Nie musisz mi ich kupować".

Byłam tak zdesperowana, żeby jedyne dziecko, które jeszcze ze mną rozmawia, miało poczucie bliskości i porozumienia z matką, że puszczałam oko i mówiłam:

— Tata chyba nie zauważy, jeśli zapłacę kartą kredytową.

Twarz jej się rozświetlała, rozwiewały się czarne chmury, poczucie niesprawiedliwości i ogólnej beznadziei jej życia, marnowania czasu na uczenie się, „jak nadziewać cholerne szczypce kraba". Trwało to mniej więcej pół godziny, dopóki nie poprosiłam, żeby pomogła rozładować zmywarkę, schowała swoje buty albo zjadła coś innego niż makaron z pesto. Wtedy znów zamykała się przede mną, jakby opuszczała żaluzje, a ja czułam się nabrana i wykorzystana jak osoba, której nikt nie lubi, jeśli nie kupi sobie sympatii prezentami.

Składałam kartony, kiedy usłyszałam podjeżdżający samochód. Wyjrzałam przez okienko w drzwiach na ganek. Jack. Cholera. Pobiegłam wepchnąć pudła do pomieszczenia gospodarczego. Bóg raczy wiedzieć, dlaczego przyjechał do domu w południe, ale jeśli miał zły dzień, nie chciałam, żeby umilił mi mój wykładem o tym, że powinnam poszukać pracy w domu towarowym John Lewis: „Byłabyś milionerką z samych zysków generowanych przez ten dom".

Patrzyłam, jak wysiada i idzie podjazdem. Wyglądał jak zbity pies, tak samo jak wtedy, gdy dowiedział się przez telefon, że umarł jego tata. Musiało stać się coś gorszego niż zostawienie komórki w taksówce albo karty w bankomacie.

Co? Co jeszcze może mi się zwalić na głowę? Może naprawdę miał zamiar mi powiedzieć, że się spotyka z kimś innym i w jakiś sposób wyszło to na jaw. Żołądek ścisnął mi się ze strachu. Nie potrafiłam sobie wyobrazić Jacka robiącego słodkie oczy do innej babki w restauracji przy świecach i omawiającego zalety okonia morskiego w porównaniu z mulami. Zapewne podobny błąd popełniał znaczny odsetek kobiet właśnie w tej chwili otwierających prawomocny wyrok rozwodowy.

Ale co to za jedna? Może ta kierowniczka marketingu, chociaż wydawało mi się, że nie ma poczucia humoru, więc nie jest w jego typie. Nigdy jej nie lubiłam, zdecydowanie za bardzo się nad nim rozpływała:

„Jack to najbardziej profesjonalna osoba, z jaką pracowałam, taki skrupulatny. Taki inteligentny". Musiałam powstrzymywać się całą siłą woli, żeby nie wypalić, że w zeszłym roku w lecie znalazłam u niego kanapkę z szynką z robakami takich rozmiarów, że już niemal biegały po jego biurku. Może był skrupulatny, jeśli chodzi o liczby, ale na froncie domowych porządków cecha ta obumierała. Chociaż jeśli spotykali się tylko w pokojach hotelowych i restauracjach, takie detale nie przyćmiłyby uroku Jacka.

Przygotowałam się na otwarcie drzwi, mając nadzieję, że moje życie nie zmieni się za chwilę jeszcze bardziej. Przeraził mnie widok Jacka, który szedł, powłócząc nogami, i wyglądał, jakby ledwo miał siłę nieść teczkę. I jak zawsze, kiedy się bałam, włączył mi się tryb pokrzykiwania, choć w wieku czterdziestu czterech lat powinnam już się nauczyć, że to najgorszy możliwy sposób na uzyskanie odpowiedzi, na których mi zależało.

— Dlaczego jesteś w domu? — naskoczyłam na niego. — Coś się stało?

Popatrzył na mnie spod powiek tak ciężkich, jakby zabrakło mu energii, żeby je szerzej rozewrzeć. Uniósł dłoń, chcąc mnie uciszyć, i wszedł do kuchni.

— Już wystarczająco dużo ludzi mnie dzisiaj opieprzyło.

Poszłam za nim, żeby nastawić czajnik. Odwróciłam się i zobaczyłam, że siedzi zgarbiony przy stole, opierając czoło na dłoni. Spróbowałam mówić łagodnym, spokojnym głosem, mimo że cisnęło mi się na usta: Weź się w garść i gadaj, co jest grane.

— Po prostu powiedz mi, co się stało, kochanie. — I dodałam cichym głosikiem: — Chcesz mnie zostawić dla innej?

— Na litość boską! Kiedy miałbym czas na jeszcze jedną cholerną babę?

Może nie była to najgrzeczniejsza odpowiedź, ale i tak poczułam, że łzy ulgi napływają mi do oczu. Odchrząknęłam.

— Wylali cię?

Powiedziałam to tak, jakby ta ewentualność była zupełnie absurdalna, więc wszystko, co Jack mi powie, musiało znaleźć się znacznie niżej na skali katastrof. On jednak, wbrew moim oczekiwaniom, nie skrzywił się zszokowany, że w ogóle podobna myśl mogła mi przyjść do głowy. Wciągnął głośno powietrze, jakby próbował z powrotem nabrać animuszu.

— Zostałem zawieszony.

I znów złość okazała się silniejsza od strachu.

— Za co? — warknęłam.

Zawsze miałam nadzieję, że będę bezpiecznym portem podczas sztormu i dłonią delikatnie poklepię go po ramieniu, mówiąc: Możemy przejść przez to razem. Tymczasem chciałam porządnie nim potrząsnąć i w ten sposób wydobyć z niego odpowiedzi. Żadnych bzdetów w rodzaju „wszystko w swoim czasie". Jeśli nasze życie miało się rozpaść, nie byłam fanką długiego, powolnego dogorywania.

Wyobraziłam sobie upokarzające scenki w połowicznym negliżu w dyrektorskich ubikacjach, przegrzanie firmowego serwera nadmiarem ściąganych pornosów, lubieżne wyskoki po zbyt wielu kieliszkach korporacyjnego szampana.

— No?

Spojrzenie mi w oczy wymagało od niego takiego wysiłku, że mój żołądek wywinął kozła ze strachu.

— Kradłem pieniądze.

Serce podjechało mi do gardła i opadło gwałtownie. Jack był osobą, która zawsze zwracała uwagę kelnerowi, jeśli ten zapomniał dopisać butelkę wina do rachunku, i oburzała się, kiedy wielcy bossowie inkasowali potężne wypłaty za pracę, w której ponieśli porażkę.

Niemal zachciało mi się śmiać. Było to tak nieprawdopodobne. Nie wiedziałam, o co zapytać najpierw. Dlaczego? Po co? Jak długo?

Zaparzyłam herbatę i podsunęłam kubek Jackowi, zastanawiając się, czy czułabym się bardziej, czy mniej zszokowana, gdyby mi powiedział, że zaliczył trójkącik na kserokopiarce, a jako dowody przedstawił odbitki zdecydowanie zbyt wielu rozpłaszczonych na szybce genitaliów.

Pił drobnymi łyczkami i wyglądał na zmarnowanego.

Znalazłam właściwe pytanie.

— Zawiadomili policję?

— Jeszcze nie

— A zawiadomią?

— Zależy od Mike'a.

— Tylko od Mike'a? Naprawdę wydałby cię policji?

Mike i Jack pracowali razem od piętnastu lat i rozbudowali firmę z kilku podupadłych placów dla przyczep i kamperów na południowym wybrzeżu do ponad dwudziestu kempingów średniej klasy w całej Wielkiej Brytanii.

Nie odpowiedział od razu. Przypominało to docieranie do sedna wyretuszowanych opowieści Hannah o tym, kto dokładnie brał, a kto nie brał narkotyków na imprezie, na którą wpadła policja, kto je dostarczył i co w ogóle ona tam robiła.

— To Mike się zorientował, że w księgach coś się nie zgadza. Jako dyrektor naczelny będzie musiał porozmawiać z akcjonariuszami, w przeciwnym razie znajdzie się w nieciekawym położeniu. Bardziej nieciekawym niż teraz. Powiedział, że spróbuje nie mieszać do tego policji, ale kto wie?

— Coś znajdą?

Jack przytaknął.

— Wziąłem mniej więcej pięćdziesiąt tysięcy funtów.

— Pięćdziesiąt tysięcy? Niby na co?

Ukrył twarz w dłoniach i zaszlochał.

Podbiegłam do niego.

— Nie płacz. Znajdziemy jakieś wyjście. Obiecuję. Spłacimy to.

Pokręcił głową.

— Nie możemy tego spłacić. Nie mamy pieniędzy, Gisela. Z kart kredytowych wszystko wybrane, kredyt hipoteczny wziąłem największy, jaki mi dali, sprzedałem tych parę akcji, które miałem. Nie nadążam ze spłatą niczego.

— Dlaczego mi nie powiedziałeś?

— Zrezygnowałaś z szansy pójścia na studia, bo zaszłaś w ciążę. Byłem ci coś winien. Powinnaś mieszkać komfortowo, jeździć na zagraniczne wakacje, chodzić do restauracji. Jeszcze w starym domu nie nadążałem z pokrywaniem wydatków i pożyczyłem kilka tysięcy, żebyśmy byli nad kreską. Myślałem, że oddam, kiedy dostanę premię za zeszły rok, ale wtedy przyszło jedno z najbardziej deszczowych lat w historii i cały rynek kempingowo-kamperowy zdrowo dupnął.

Przypomniałam sobie poprzedni rok, to, jak się irytowałam na Jacka i niekończące się biuletyny meteorologiczne w jego wykonaniu. Zakładałam, że po prostu dopadł go wiek średni w postaci obsesyjnego zastanawiania się, czy musi podlać swój przeklęty łubin. Nie zdawałam sobie sprawy, że ulewa była decydującym czynnikiem w jego rozterkach, czy wepchnąć lepkie paluchy do firmowej kasy.

— Dlaczego zgodziłeś się na przeprowadzkę, skoro wiedziałeś, że nas na to nie stać?

— Kiedy dotarło do mnie, że mam poważne kłopoty, już zdążyliśmy wpłacić zadatek na ten dom. Poniosło mnie, myślałem, że będziesz tak dumna z tego, jak daleko zaszliśmy, że może machniesz ręką na to, że nigdy nie poszłaś na studia, i zobaczysz, że twoje wsparcie, zajmowanie się rodziną, kiedy ja pracowałem, było warte zachodu. — Nachyliłam się w jego stronę, żeby słyszeć cichnące słowa. — Schowałem głowę w piasek, wmawiałem sobie, że Hannah niedługo skończy prywatną szkołę, więc czesne odpadnie, i jakoś zaoszczędzimy na innych rzeczach.

Chociaż bardzo chciałam spojrzeć na niego z góry, z pozycji przewagi moralnej i wycelować w niego oskarżycielsko palec wskazujący, musiałam przyznać, że nigdy nie brałam odpowiedzialności za to, skąd pochodziła kasa, dziecinnie zakładając, że gdzieś rośnie coś w rodzaju pieniężnego drzewa, które Jack podlewa i podcina. Szkoda, że nie mogłam cofnąć czasu do tych chwil, kiedy mu wytykałam skąpstwo, kiedy go oskarżałam, że mnie kontroluje, kiedy brałam się pod boki, mówiąc: „Zasuwam równie ciężko jak ty, z tą różnicą, że nikt mi nie płaci i nie docenia niczego, co robię. Gdybym się tym nie zajmowała, nie mógłbyś wykonywać swojej jakże poważnej pracy i zgrywać ważniaka, a wszyscy podcieralibyście sobie tyłki gazetami i grzebali w promocyjnych kubełkach z KFC". A potem zamawiałam nową torebkę, Jackowi na złość. Albo jakiś krem nawilżający, z gwarantowanym efektem „cofnięcia czasu", po sto funtów za słoiczek, choć sądząc po lwiej zmarszczce tkwiącej twardo między brwiami, zmarnowałam pieniądze.

— Przepraszam — powiedziałam.

Jack przycisnął palcami powieki.

— To ja przepraszam. Powinienem był ci powiedzieć, że nie stać nas na różne rzeczy.

— Mówiłeś. Ale nie słuchałam.

— Chciałem dać ci wszystko. Chciałem, żeby Ollie i Hannah mnie podziwiali, myśleli, że dobrze sobie poradziłem w życiu, ciężko pracowałem i jestem wzorem do naśladowania. A teraz pewnie pójdę siedzieć. I już zawsze będą się mnie wstydzić.

— Chyba do tego nie dojdzie?

Musiałam zmienić swoje wyobrażenie o ludziach, którzy szli do więzienia. Do tej pory ten typ kojarzył mi się z tym, co można było zobaczyć w telewizji: wielkimi osiłkami, każdy ze złotym zębem i wytatuowanym na szyi tekstem „ciąć tutaj". Nie osobami pokroju Jacka, który używał szczoteczek międzyzębowych, czyścił i smarował ostrza w kosiarce i wykładał w karmniku kulki łojowe dla ptaków. Zadrżałam na myśl o więziennych kluczach i zatrzaskujących się z brzękiem drzwiach. Będę się nawet bała stać obok kobiet odwiedzających mężów w takim przybytku. I mimo że Jack uparł się, żebyśmy urządzili siłownię w garażu, to kiedy ostatnio patrzyłam, jego hantle służyły za obciążnik do brezentu, którym przykrył grill.

— Jak to w ogóle się odbędzie? Aresztują cię? Przyjdą tutaj? — Przemknęła mi wizja podjeżdżającego samochodu z błyskającym na niebiesko kogutem i wszystkich sąsiadów wyglądających przez okna.

— Nie wiem. Nie sądzę, żeby przestępstwa białych kołnierzyków były dla policji priorytetem, więc chyba raczej nie zrobią nam wjazdu na chatę o świcie.

Szczerze mówiąc, gdyby nie pokazywali czegoś takiego w *Verze*, nie mielibyśmy o tym pojęcia.

Jack westchnął.

— Przypuszczam, że policja wezwie mnie na przesłuchanie albo coś w tym rodzaju. Jeśli tak daleko to zajdzie.

— Mike był wściekły? Myślisz, że pójdzie na policję, żeby cię ukarać?

Jack znów zaczął płakać.

— Nie wściekły. Zdruzgotany. Powtarzał: „Nie rozumiem, dlaczego ze mną nie porozmawiałeś. Może moglibyśmy wtedy załatwić pożyczkę". Zawiodłem go, Zell. Zawiodłem was wszystkich.

Pokręciłam głową.

— Dopóki się nie dowiemy, co się będzie działo, nikomu ani słowa. Powiemy, że odszedłeś z pracy, bo chcesz zmienić kierunek swojej kariery, zanim będziesz za stary, żeby robić coś innego. — Znacznie cichszym głosem dodałam: — Kocham cię, wiesz?

— Też cię kocham.

Zdjęcie: Worki siedziska z flagą brytyjską.
Podpis: Spójrzcie na te cudeńka, które właśnie przyszły! Wystarczy filiżanka herbaty i najnowszy numer „Homes & Gardens", i już wszystko jest dobrze ze światem.
#Przytulnie #PoraNaHerbatkę #KochamMójDom

ROZDZIAŁ 25

KATE

Sobota, 2 lutego

Od miesiąca, odkąd przyszedł list od Oskara, Daisy doprowadziła do perfekcji sztukę mówienia bez porozumiewania się, odpowiadania na moje pytania tak, by nic mi nie powiedzieć. Dzisiejsza konwersacja była kolejną wariacją na temat moich prób zaangażowania jej w rozmowę, ponawianych przez ostatnie cztery tygodnie.

— Co ma dla ciebie w zanadrzu ten weekend, kochanie?

— Tylko naukę.

— Nie wychodzisz nigdzie z Hannah?

— Nie mamy jeszcze żadnych planów.

Chociaż mówiła lekkim, uprzejmym tonem, czułam się, jakby odpychało mnie niewidzialne ramię i zapędzało z powrotem do mojego narożnika.

W te dni, kiedy pracowałam, krzątałam się rano, robiąc jej herbatę i tosty, chcąc pozbyć się poczucia winy, że wybiegam, zanim wyjdzie do college'u. Dziękowała mi, ale później znajdowałam jedzenie odsunięte na bok i nietknięte. Odrzucenie za pomocą tysiąca okruszków.

Daisy, tak jak ja, stała się ekspertką w mówieniu ludziom tylko tego, co jej zdaniem mają wiedzieć, i ani słowa więcej. Tęskniłam za moją córką z przedszkola, za jej błyszczącymi oczami rozglądającymi się bystro po świecie, która chciała się zaprzyjaźniać z przypadkowymi nieznajomymi w supermarkecie, bibliotece, parku, która podchodziła do każdego i mówiła cichym głosikiem, lekko sepleniąc: „Jesteś moim przyjacielem". Przez następnych kilka lat świat odarł ją z tej naiwności. „Sam powiedział, że jego matka kazała mu się trzymać ode mnie z daleka". „Lily powiedziała, że nie wolno jej przychodzić do mnie do domu, żeby się pobawić". „Nie powinnam nikomu mówić, że miałaś kiedyś najlepszą przyjaciółkę, która się nazywała Becky, prawda?"

Przytulałam ją, potwornie smutna, że moja córeczka — która jeszcze nie umiała poprawnie napisać słowa „przyjaciel" — już wie, że niektóre przyjaźnie są zabronione, a inne robią się tak toksyczne, że lepiej, by ludzie o nich nie wiedzieli.

Teraz zaprzyjaźniła się z Hannah, osobą, która — na ile mogłam to osądzić — tak bardzo lubiła mówić o sobie, że Daisy nie musiała szczególnie się starać, by unikać wszelkich niewygodnych pytań.

Kiedy Daisy się wycofywała, przeczekiwałam, wiedząc, że moje umiejętności detektywistyczne nie dorównują jej uporowi. Jednak dziś rano, po kolejnym: „Nie, ostatnio nic nam nie mówili o ocenach z zajęć", nie wytrzymałam.

— Więcej wiem o cholernej Hannah z naprzeciwka niż o tym, co się dzieje w twoim życiu. Coś źle zrobiłam? Masz kłopoty? Zaległości w nauce?

Zaczerwieniła się. Zebrałam siły, żeby stłumić irytację i zamienić ją w coś bardziej przypominającego życzliwość i troskę. Daisy miała łzy w oczach.

Wyciągnęłam do niej ręce. Podeszła do mnie, ale stała jak słup, kiedy próbowałam ją przytulić.

— Mogę ci jakoś pomóc? Czy tata napisał coś takiego, co cię zdenerwowało?

Sądząc z wyrazu jej twarzy, trafiłam w sam środek tarczy, ale powiedziała tylko:

— Tęsknię za nim, mamo. Już dwa lata go nie widziałam.

— Może niedługo przyjedzie cię odwiedzić. Wiem, że też za tobą tęskni.

— To chyba raczej mało prawdopodobne, nie?

Zerknęłam na zegar, nie chcąc, żeby spóźniła się na zajęcia.

— Może moglibyśmy kupić ci na spółkę bilet do Bueons Aires? — zapytałam, bo koniecznie chciałam naprawić sytuację, chociaż wiedziałam, że każdy grosz, który zarobię przez następne pół roku, był już zagospodarowany.

Jej odpowiedź była stanowcza:

— Nie jadę do Argentyny.

Wyrwała się z moich objęć.

— Właściwie nawet go już nie pamiętam. Prawie nic o nim nie wiem, poza tym, co mi pisze na Facebooku. Nie mamy żadnej relacji.

A sądząc po zachowaniu córki, byłam bardzo daleka od zrekompensowania jej tego braku. Nigdy nie chciałam, żeby się tak czuła. Kiedy dorastała, starałam się opowiadać, jak tata pokazywał jej kwiaty w ogrodzie, badał razem z nią dotykiem różne faktury i tekstury, siedział przy niej w piaskownicy, budując pałace i zamki. Zasługiwała na poczucie, że ma jakąś historię rodzinną, choćby ulotną. Jednak to, co czułam do Oskara, było tak ściśle związane ze wszystkim innym, co się wydarzyło, że już same słowa: „Twój tata kiedyś..." napełniały mnie czymś toksycznym, co utrzymywało się cały dzień, dołowało mnie i odciągało od upragnionego spokoju, o który tak zawzięcie walczyłam.

— Możesz mnie o niego pytać, o wszystko, co chcesz wiedzieć, naprawdę.

Przymrużyła oczy.

— Akurat. — Przecisnęła się koło mnie. — Nieważne.

Ale było ważne. Bardzo ważne. Nie wiedziałam, jak Oskar mógł zamykać wieczorem oczy i nie czuć bólu serca z powodu tysięcy mil dzielących go od córki. Ja tęskniłam za Daisy, kiedy nocowała u Giseli dwa dni z rzędu. Wyjrzałam przez okno, zastanawiając się, czy samej nie napisać do Oskara, błagać go, żeby przyjechał w odwiedziny. Tylko że nie mogłabym przyjąć go tutaj, żeby gadał po polsku z Daisy, a wszyscy sąsiedzi zastanawiali się, co to za jeden.

Trzaskając drzwiami wejściowymi, Daisy krzyknęła:

— Jak się wyprowadzę, zmienię nazwisko z powrotem na Karolina Kowalski!

Cholerny Oskar. Siedział w Argentynie i nie musiał brać na siebie ciężaru chronienia Daisy przed obgadywaniem, że jest córką kobiety, o której mówili w wiadomościach.

Dostał szału, kiedy mu powiedziałam, że zmieniam nam nazwiska. „Ale Kowalski to nasze dziedzictwo rodzinne, jej dziedzictwo!"

Później nastąpiła lekcja historii o tym, że kiedy nasze rodziny przyjechały tu z Polski, oczekiwały, iż przyszłe pokolenia nauczą się angielskiego, będą mówić bez akcentu, chwytać każdą okazję — ale „nie wyprą się tego, kim jesteśmy i skąd pochodzimy".

Oskar nie chciał zaakceptować mojej decyzji. „Dla mnie jest Karoliną Kowalski. Ty możesz sobie być Kate Jones, jak chcesz, ale nie nadasz mojej córce nowego nazwiska. Ona nie ma się czego wstydzić". Próbowałam wierzyć, że mnie to także dotyczy, lecz wielu ludzi nie podzielało tego poglądu.

Nieważne, jak długo go przekonywałam i błagałam, nie ustąpił. Nie mogłam zrozumieć jego sposobu myślenia. Po pięciu latach nękania, jakiego doświadczyliśmy w Manchesterze — listy, telefony, przepychanki na ulicy — był złamanym człowiekiem. Systematyczne niszczenie każdego krzaka malin, który zasadził w ogrodzie za domem, przelało czarę goryczy. Ja jednak nadal nie chciałam zgłaszać sprawy na policję. Niby drobiazg, ale kiedy Oskar zaczął do tego stopniowo zdawać sobie sprawę, że klienci firmy stolarskiej, którą stworzył, nie chcą być z nim więcej kojarzeni, odszedł. A wtedy nie miałam powodu, by samej się nie wyprowadzić, co zresztą proponowałam od początku. Przez kilka miesięcy po przeniesieniu się do Leeds wspaniale z Daisy odpoczęłyśmy od Becky, a później miałyśmy prawie rok spokoju, zanim mnie odnalazła w Peterborough. Znów zaczęły się listy, spadające na wycieraczkę z denerwującą regularnością, i głuche telefony. Kiedy umarła mama i zostawiła mi dość pieniędzy, żebym mogła zacząć od nowa, postanowiłam, że jeszcze jeden, ostatni raz, spróbuję zniknąć, i zgodziłam się zostać ratowniczką, przyjmując pierwszą przyzwoitą ofertę pracy, jaka się nawinęła.

Jeśli Oskarowi nie podobało się, że zmieniam córce imię i nazwisko, trudno. On nie musiał żyć w strachu, że Becky może zrealizować swoje groźby, że nie było to tylko bredzenie udręczonego umysłu. Nie miał odruchu szybkiego przeglądania poczty, połączonego z poczuciem ulgi, kiedy na żadnej z kopert nie było widać charakterystycznych dużych, zaokrąglonych liter. Nie, prawie dwanaście lat temu wybył do Argentyny, gdzie mógł sobie z daleka wygłaszać tyrady na temat ideałów, niedawania się i chodzenia z wysoko podniesioną głową, nie musząc przeciwstawiać się bolesnej, wywracającej flaki rzeczywistości. Dlatego Izabela Kowalski i Karolina Kowalski stały się Kate i Daisy Jones.

I wszystko było dobrze, dopóki Oskar nie postanowił się wtrącić, akurat wtedy, gdy listonosz uznał, że pójście do domu na lunch jest ważniejsze od wrzucania listów do otworów we właściwych drzwiach.

Od tego dnia, kiedy Sally przekazała mi kopertę, ograniczyłam z nią kontakty do machania z daleka, rano w pędzie do samochodu, a wieczorem kiedy wysiadałam i przemierzałam szybko podjazd, zerkając na zegarek, jakbym miała coś pilnego do zrobienia. Moja raczkująca grupa towarzyska najwyraźniej umarła śmiercią naturalną, zanim się na dobre rozkręciła — nawet Gisela trochę przycichła przez ostatnie dwa tygodnie.

Dlatego kiedy Sally zadzwoniła do drzwi jakieś piętnaście minut po wyjściu Daisy, byłam zaskoczona, bo nie spodziewałam się żadnej z sąsiadek.

— Dawno się nie widziałyśmy, Kate. Jak się masz?

— Dobrze. A ty? Co u Chrisa? Wieki go nie widziałam. — Robiłam to, czego Daisy tak nie cierpiała: stałam na progu, blokując przejście i opierając się rękami o futrynę.

Sally wzruszyła ramionami.

— Ja też nie! Strasznie ciężko pracuje, cały czas wyjeżdża, głównie do Stanów. — Spojrzała w ziemię, a potem powiedziała: — Mogłabym na chwilę wejść?

Ściągnęłam brwi, ale cofnęłam się i wpuściłam ją do środka.

— Wszystko w porządku? — spytałam.

Czułam się zobowiązana nastawić wodę na herbatę, ale miałam ochotę wziąć miotłę i wygonić ją z domu, zanim zacznie wściubiać nos w moje sprawy.

Położyła mi rękę na ramieniu.

— Długo się zastanawiałam, czy ci o tym mówić, ale uznałam, że powinnaś wiedzieć.

— O czym? Chodzi o Daisy? — Znajome uderzenie adrenaliny w ciągu paru sekund przestawiło mnie z poziomu lekkiej czujności na czerwony alarm.

Sally skinęła głową.

Umysł natychmiast przeszedł mi w tryb ustawień domyślnych. Becky. Becky tu była. W ułamku sekundy zobaczyłam, jak wszystko, na co pracowałam, znów się rozpada.

— Ktoś jej groził? Ktoś tu był? — nie potrafiłam się powstrzymać.

— Groził? Kto? — Sally była wyraźnie zdziwiona.

— Och, nic takiego, takie tam kłopoty, które miała jakiś czas temu. — Machnęłam ręką, jakby było to coś niedorzecznego.

— Jakieś dwa tygodnie temu — podjęła Sally — wracałam z pracy samochodem i zobaczyłam Daisy, która szła do domu, więc się zatrzymałam, chcąc zapytać, czy ją podwieźć. A ona… szlochała.

Od lat nie widziałam Daisy płaczącej.

— Powiedziała ci, co się stało? — Miałam świadomość, że podnoszę głos.

— Kazała mi obiecać, że się nie dowiesz, więc proszę cię, nie daj po sobie poznać, że tu byłam.

Moja córka ufała tej kobiecie bardziej niż mnie.

— Nie jest chyba w ciąży? — Wiedziałam, że powinnam być surowsza, po co pozwalałam jej naśladować Hannah z tymi jej skąpymi ciuchami.

— Nie, nic z tych rzeczy. Odezwał się do niej tata. Rozumiem, że ty nie masz już z nim kontaktu. Chyba napisał do niej list kilka tygodni temu… — Urwała i patrzyła na mnie, jakby czekała na reakcję. Miałam lata praktyki w zachowywaniu kamiennej twarzy. — Jeśli dobrze zrozumiałam, ożenił się ponownie i dał jej znać, że ma syna.

Próbowałam skorzystać z wypróbowanej techniki udawania obojętności i braku zainteresowania bez względu na to, jak ktoś był bliski odkrycia fragmentu mojej historii. Teraz jednak szok zrobił swoje.

— Co? Mówisz o Oskarze? — wyrwało mi się. — Moim byłym mężu? Ożenił się i ma dziecko?! — Słowa z trudem przeciskały mi się przez gardło.

W jednej chwili zrozumiałam, z przyprawiającą o mdłości jasnością, że wszystkie te uszczypliwe uwagi Daisy o „dokonywaniu właściwego wyboru, a nie najłatwiejszego", o tym, że „nie warto czekać, aż burza minie, tylko nauczyć się tańczyć w deszczu" wcale nie były, jak sądziłam, powtarzanymi mądrościami z internetu, tylko wynikały z szoku, który musiała ostatnio przeżyć. Oskar. Mężczyzna, z którym marzyłam o czwórce dzieci. Który zawsze chciał syna. Który teraz, najwyraźniej, miał to, czego pragnął. Z inną kobietą.

Gdyby tylko wtedy to Gisela wpadła na Daisy. Nie potrafiłam tego sprecyzować, ale miałam wrażenie, że troska Sally idzie w parze z dezaprobatą.

— Daisy wydawała się całkiem pewna. Powtarzała, że będzie kochał Mateusza bardziej niż ją. — Przyglądała mi się uważnie, starając się dobrze wymówić polskie imię noworodka. Nie skomentowałam, chociaż świadomość, że właśnie o tym imieniu rozmawialiśmy na wypadek, gdyby urodził się chłopiec, sprawiła, że ścisnęło mi się serce. Sally ciągnęła: — Mam nadzieję, że nie masz mi za złe, że ci powiedziałam. Było mi jej strasznie żal. Wydawała się taka samotna. Wiem, że nie jest ci łatwo, jesteś samodzielną matką i często musisz pracować do późna. Chyba po prostu potrzebowała kogoś, kto miał czas jej wysłuchać.

Włożyłam całą siłę woli w to, żeby się powstrzymać od złapania jej za uszy i potrząśnięcia tym durnym łbem. Głos miałam spokojny — był to ten kruchy i jednocześnie groźny spokój, który poprzedza całkowitą utratę kontroli.

— Słucham jej. Pytam, czy wszystko w porządku. I wiesz co? W dziewięciu przypadkach na dziesięć wzrusza ramionami i wychodzi. Co mam zrobić? Przywiązać ją do krzesła, dopóki mi nie powie, co się dzieje?

Sally zamachała przepraszająco ręką.

— Nie to chciałam powiedzieć. Próbowałam pomóc.

Nie miałam zamiaru dłużej z nią rozmawiać.

— Może ci się wydaje, że poradziłabyś sobie lepiej — wycedziłam. — Nie pracuję dla jakiejś fanaberii w rodzaju samorealizacji. Muszę to robić, żeby spłacać kredyt na dom, bez pomocy męża, na którym mogłabym polegać. I zdarza się, że mam przez to mniej czasu dla Daisy, niżbym chciała. Bo wiesz co? Wychowywanie dzieci nie jest takie proste, jak się wydaje. Łatwo ci mówić, kiedy sobie jeździsz bez dzieci na wakacje i chodzisz do restauracji z gwiazdką Michelina. Jak znajdziesz się w mojej sytuacji, będziesz dźwigać całą odpowiedzialność za utrzymanie drugiego człowieka przy życiu i jeszcze zadbasz, żeby był szczęśliwy, wtedy możesz komentować to, jak wychowuję córkę.

— Nie masz pojęcia o moim życiu — powiedziała bardzo cicho — ani nie wiesz, jakie masz szczęście. — Odwróciła się na pięcia i wyszła.

ROZDZIAŁ 26

SALLY

Poniedziałek, 11 lutego

Przez ostatni tydzień uważałam, żeby nie wpaść na Kate, wysiadając z samochodu. Nie sądziłam jednak, że będzie mi jej aż tak brakowało, i zastanawiałam się, czy nie pójść do niej i nie oczyścić atmosfery. Może rzeczywiście gdzieś w głębi duszy byłam pewna, że radziłabym sobie lepiej od niej w roli matki. Ale jej słowa były takie okrutne. Nie rozumiała, jak strasznie chciałabym mieć taką córkę jak Daisy.

Zajęta odtwarzaniem w myślach naszej kłótni, wracając z pracy, nie zauważyłam zapalonego światła w oknach mojego domu.

W kuchni czekał Chris. Tak się przyzwyczaiłam do pustych pomieszczeń, że musiałam stłumić krzyk.

— Chryste Panie. Przestraszyłeś mnie na śmierć. — Trochę się to różniło od słów pełnych miłości i tęsknoty, które sobie ćwiczyłam na tę okazję.

Stałam z torebką przewieszoną przez ramię, chciałam się odświeżyć po długim dniu spotkań i analizowania wyników sprzedaży, ale równocześnie każdą komórką ciała pragnęłam się do niego przytulić, przywrzeć, poczuć, jak mężczyzna, którego poślubiłam, dopasowuje się do mojego ciała.

— Jesteś tu, żeby się ze mną zobaczyć czy żeby coś zabrać?

Przekrzywił głowę, jakby niepewny siebie.

— Przyjechałem się z tobą zobaczyć.

Szukałam w jego głosie wskazówek, czy zjawił się, by przekazać mi złe wieści, ale brzmiał raczej smutno i tęsknie. Wiedziałam, że nie mogę go popędzać.

— Skąd wiedziałeś, że nie wyjechałam?

— Zadzwoniłem do Marion, która z chęcią przekazała mi twój plan podróży na następne dwa miesiące.

No jasne. Najmniej dyskretna sekretarka, jaką ziemia nosiła. Nie mogłam powstrzymać uśmiechu, mimo że powinnam być na niego wściekła, że zjawia się ni stąd, ni zowąd po dwóch i pół miesiącach sporadycznych esemesów i jeszcze rzadszych telefonów, po których na ogół przez wiele dni miałam mętlik w głowie. Poczułam ogarniającą mnie falę radości.

Skoncentrowałam się na tym, żeby utrzymać lekką atmosferę i go nie wystraszyć.

— Włosy ci urosły. Skąd ten image artysty na dorobku?

Bardzo mi się podobała myśl, że mógłby przestać być takim sztywniakiem, stać się facetem, który może przechadzać się po średniowiecznym śródziemnomorskim miasteczku i zaryzykować, wybierając restaurację, która fajnie wygląda, zamiast ślęczeć nad różnymi rekomendacjami na TripAdvisorze i zarezerwować stolik z siedmiotygodniowym wyprzedzeniem. Facetem, który pewnego dnia mógłby tolerować chaos związany z posiadaniem dzieci.

— Byłem tak zajęty, że nie miałem czasu się ostrzyc — powiedział z urazą, jakby tylko próżnujące nieroby mogły przejmować się długością włosów.

— Do twarzy ci.

Cisza.

Zastosowałam niezawodny sposób mojej matki:

— Herbaty?

— Mam zaparzyć? — zapytał.

To, jak delikatnie pociągnął drzwi lodówki, żeby się odessały, zanim je otworzył; oberwał zwiędłe kwiaty orchidei na parapecie, czekając, aż woda się zagotuje; precyzyjnie wyrównał sypaną herbatę w imbryku — było tak znajome jak zasiadanie na kanapie, żeby obejrzeć film, który widziało się już dwadzieścia razy. Może jednak wróci.

— Tęskniłam za tobą. — Słowa same mi się wyrwały.

Spojrzał na mnie.

— Naprawdę?

— Tak, naprawdę.

Zupełnie jakbym była w zamkniętym na klucz pokoju, skąd można powrócić do zewnętrznego świata tylko przez rozwiązanie skomplikowanej zagadki.

Przez chwilę wyglądał niepewnie, niemal bezbronnie, ale po chwili twarz mu się zachmurzyła i wrócił do parzenia herbaty.

Niepostrzeżenie wyjęłam z torebki telefon i zrobiłam zdjęcie jego plecom, kiedy mieszał herbatę z głową przekrzywioną na bok. Widok Chrisa robiącego coś tak zwyczajnego sprawił, że chciało mi się płakać. Płakać nad tym, kim kiedyś byliśmy. Nad mężczyzną, który zapewniał: „Będziesz świetna. Dasz radę, bez problemu". Nad kobietą, która zobaczyła kulturalnego, inteligentnego faceta i zrozumiała, że może się od niego uczyć. Kiedyś były między nami łagodność, życzliwość, poczucie, że się wzajemnie wspieramy i chronimy. Na przestrzeni dekady ustawiliśmy się w przeciwległych narożnikach, każde z nas gotowe bronić swojego terytorium, prawa do niezależności, parcia do przodu w pracy, bez przeszkód w postaci domowych obowiązków.

— Przytulisz mnie? — Mój głos brzmiał niepewnie, bo nie wiedziałam, na czym stoję, jeśli chodzi o dotyk, po tych wszystkich latach.

Wydawał się zaskoczony, jakbym wyjawiła coś, czego się nie spodziewał. Zawahał się, po chwil wyciągnął do mnie ręce. Objął mnie delikatnie.

Odchyliłam głowę do tyłu, żeby na niego spojrzeć.

— Nie wyjaśniłeś, co tu robisz.

Popatrzył mi w oczy i jego wzrok złagodniał, zmiękł, jakby Chris sobie przypominał, że nie tylko się kłóciliśmy, ale też śmialiśmy się i kochaliśmy.

Nie odpowiedział. Tylko pochylił się i mnie pocałował, zamykając powoli oczy. Jego wargi muskały moje, niemal jakby odzyskiwał jakieś wspomnienie. Nie takie o upojnej nocy, kiedy eksplorowaliśmy swoje ciała aż do świtu, lecz o czasie, kiedy jednej rzeczy — i może jedynej — byliśmy pewni: że się wzajemnie nie skrzywdzimy. Tak było w którymś momencie przeszłości, ale teraz nie odpłynęliśmy jeszcze tak daleko od brzegu, żeby go nie pamiętać.

Nie wiedziałam, jak długo się całowaliśmy. Nie pośpiesznie, nie pożądliwie, lecz z bliskością, porozumieniem, jakby chodziło o miłość, a nie o to, kto wygrywa w wyścigu karier, kto chciał mieć dziecko albo go nie chciał. Było tylko to słodkie zapadanie się w siebie nawzajem. Nie obejmował mnie już jak kruchą konstrukcję ze szkła, tylko mocno, jakby przelewał miłość ze swojego serca w moje.

W końcu uniósł głowę z głębokim westchnieniem.

— Chciałem cię tylko zobaczyć, spróbować poukładać sobie to wszystko.

— A co z panią, która pozwala ci „się oderwać"? — Nie udało mi się powstrzymać sarkazmu. — W ogóle do czegoś doszło?

Lekki ruch głową, zaprzeczenie.

Istniało niebezpieczeństwo, że zepsuję tę chwilę, ale musiałam wiedzieć.

— A chciałeś? To znaczy, żeby do czegoś doszło?

Kiedy wreszcie odpowiedział, w jego głosie była gwałtowność, rozdarcie, jakbym swoim dociekaniem otworzyła w nim jątrzącą się ranę.

— Nie, nie, Sally. Nie chciałem, żeby doszło, bo pragnąłem, by moje małżeństwo, nasze małżeństwo, przetrwało, żebyśmy byli szczęśliwi. Znowu.

Patrzyłam w podłogę, kiedy opuścił ramiona, i teraz dotykaliśmy się tylko koniuszkami palców. Czułam się jak na huśtawce, w chwiejnej równowadze. Za sprawą swoich następnych słów mogłam pofrunąć w górę albo spaść z powrotem na ziemię z takim impetem, że odbiłabym się dwa razy.

— Tęskniłeś za mną?

— Tęskniłem za nami.

— Za nami z czasów, zanim zaczęliśmy rozmawiać o założeniu rodziny? — Zrobiłam pauzę. — Czy za nami, którzy nie rozwiązali tej sprawy, ale są gotowi nad tym pracować?

Zmusiłam się, żeby spojrzeć mu w oczy.

— Głównie za tymi pierwszymi.

Nie mówił z wrogością. Tylko ze smutkiem.

Żałowałam, że nie umiem go zmienić.

— Zostaniesz na noc? Czy wracasz do mieszkania?

— A czego ty byś chciała?

Pogłaskał mnie po łokciu tak czule, że miałam ochotę wtulić się w niego i obiecać, że nigdy więcej nie wspomnę o dzieciach, że będę po prostu wdzięczna za to, że wrócił i on sam mi wystarczy. Ale po mojej kłótni z Kate sprzed tygodnia, kiedy jej słowa wypaliły w moim sercu żal i tęsknotę, wiedziałam, że po miesiącu, może nawet po tygodniu, znów będę próbowała go przekonać.

Mimo to powiedziałam:

— Zostań.

Zdjęcie: Chris robi herbatę.
Podpis: Szczęściara ze mnie! Chris niespodziewanie wrócił z podróży służbowej. #MałeRzeczyTyleZnaczą #NajlepszaNiespodzianka #StęsknionaŻona

ROZDZIAŁ 27

GISELA

Niedziela, 11 marca

Przed Dniem Matki* zawsze żartowałam, że niskie oczekiwania są kluczem do większego szczęścia, ale w tym roku mówiłam to poważnie. Nie wiedziałam, czy mieć nadzieję na szelest koperty wpadającej przez otwór na listy, bo odkąd Jack został zawieszony, wszystkie formy komunikacji wydawały mi się toksyczne. Drżałam ze strachu na myśl, że zadzwoni telefon i usłyszę głos kierowniczki HR chcącej rozmawiać z Jackiem. Kiedy przychodziła poczta, serce mi zamierało na widok każdej korespondencji, bo wyobrażałam sobie pisma z policji, sądu, od prawników gotowych wtargnąć w nasze życie z wezwaniem na przesłuchanie i wepchnąć nas w wir nieznanego świata, który mieliśmy nadzieję omijać szerokim łukiem.

Coraz bardziej dręczyło mnie pytanie, jak to się stało, że znaleźliśmy się w takiej sytuacji. Analizowałam ostatnich kilka miesięcy, ostatnich kilka lat, żeby zrozumieć, gdzie wszystko się posypało. Najczęściej jednak

* Dzień Matki jest obchodzony w Wielkiej Brytanii w czwartą niedzielę Wielkiego Postu.

wracałam myślami do czasów, kiedy jako dwudziestolatkowie leżeliśmy w parku na trawie, gapiąc się na chmury podczas jednego z częstych przyjazdów Jacka z uniwersytetu do domu, żeby mnie odwiedzić. Zawsze, kiedy rozmawialiśmy o przyszłości, nasze odpowiedzi były takie same.

Ja: „Dwoje dzieci. Wielki wypasiony dom. Sportowy samochód. Psy".

Jack: „Tylko ty mi jesteś potrzebna. I dyplom studiów, żebyś mogła mieć to, co chcesz".

Robiłam taki gest, jakbym chciała się na niego zamachnąć, i pytałam: „Gdzie twoja wyobraźnia?".

W końcu jednak to on mnie przekonał, żebym zdała jeszcze raz maturę, kiedy sam był na ostatnim roku. „Na pewno ci się uda. Jesteś bystra. Jeśli zostaniesz prawniczką, a ja założę własną firmę, będziemy kapitalnym zespołem".

Kiedy otrzymałam oceny potrzebne do studiowania prawa w Southampton, piliśmy przez całą noc, a potem oglądaliśmy wschód słońca na wzgórzu z widokiem na South Downs. Uzgodniliśmy, że Jack będzie przez pół roku podróżować, a potem spróbuje znaleźć pracę gdzieś niedaleko mnie na południowym wybrzeżu.

Tydzień przed planowanym wyjazdem na uniwersytet odkryłam, że jestem w ciąży.

Zamiast moich studiów i podróży Jacka z plecakiem po Tajlandii był szybki ślub, po sześciu tygodniach. Jack przyjął pierwszą ofertę pracy, jaka się nawinęła. Mój tata — „Myślałem, że po to jeszcze raz zdawałaś maturę, żeby zdobyć wyższe wykształcenie i robić coś innego niż siedzieć w domu z dziećmi" — pomógł nam, płacąc zadatek na mieszkanie.

Byliśmy zdeterminowani, by wszystkim pokazać, że nam się w życiu powiodło. Jeszcze dwa miesiące temu myślałam, że to się udało. To, że moi rodzice nie dożyli kompromitacji zięcia, okazało się małą pociechą.

Teraz Jack na zmianę okazywał pokorę („Tak mi wstyd, nie wiem, co we mnie wstąpiło") i wpadał w furię („Mówiłem ci, że nas na to nie stać, ale ty musiałaś mieć wszystko najlepsze").

Czasami brałam go za rękę i uspokajałam: „Cokolwiek się stanie, poradzimy sobie".

Czułam, że mogę być żoną wspierającą głupiego, ale ostatecznie przyzwoitego męża. Że mogę spojrzeć światu w oczy i rzucić wszystkim wyzwanie: no dalej, proszę, komentujcie.

A kiedy indziej, gdy próbował zrzucać winę na mnie, wybuchałam: „Dlaczego, kurwa, po prostu nie powiedziałeś mi prawdy? Skąd miałam wiedzieć, że pożyczamy kasę na prawo i lewo, skoro ani słowem się nie zająknąłeś?".

Wyobrażałam sobie, że go zostawiam, żeby zgnił w więzieniu, a sama znikam i zaszywam się w chatynce nad morzem z Titchem; wymyślam sobie jakąś tajemniczą przeszłość, znacznie atrakcyjniejszą niż ponura prawda o mężu, który poszedł siedzieć za okradanie swojego wspólnika, chcąc nam zapewnić życie na wysokim poziomie.

— Uważam, że powinniśmy powiedzieć dzieciom — stwierdziłam poprzedniego dnia, po tym, jak Hannah wyszła spotkać się z Daisy, trzaskając drzwiami, a wcześniej zdążyła na mnie nakrzyczeć, że zmieniłam hasło do swojego konta w internetowym sklepie Johna Lewisa i wstrzymałam w ten sposób nieprzerwane dostawy kosmetyków do naszego domu.

Jack zerwał się gwałtownie.

— Nie. Nie. Jeszcze nie. Ollie ma dość zmartwień z egzaminami końcowymi i dzieckiem w drodze. A Hannah też nie ma lekko. Chyba nie odnalazła w sobie powołania do kucharzenia.

Starałam się nie obruszyć, nie potraktować jego słów jako obraźliwego zarzutu, że znalazłam rozwiązanie, które nie okazało się sukcesem. Podczas gdy wszyscy pozostali siedzieli z założonymi rękami i otwartą gębą, nie proponując absolutnie niczego.

— Jeśli będą gorsze konsekwencje niż tylko zawieszenie, wtedy powinniśmy im powiedzieć — stwierdziłam.

Poczucie upokorzenia, że zawiódł dzieci, nadało jego twarzy tak zrozpaczony wyraz, że natychmiast zmieniłam temat. Co prawda nie na weselszy.

— Odzywał się do ciebie Ollie? — spytałam, przełykając smutek, że nasz syn wybrał Jacka na adresata swoich lakonicznych esemesów, ignorując liściki, które wysyłałam mu do domu, i wiadomości, w których prosiłam, żebyśmy się komunikowali, pozostali w kontakcie; wiem, że jest zły, ale zawsze będzie mógł na mnie liczyć.

Jack pokręcił głową.

— Nie, tylko wtedy, kiedy ci o tym wspomniałem, w zeszłym tygodniu. Pisał, że u niego wszystko okej.

— Co rozumiesz przez „okej"?

Jack westchnął i odszukał właściwego esemesa w swoim telefonie. Serce mi się ścisnęło na widok znajomego numeru Olliego.

Jack: *Jak leci?*

Ollie: *U nas okej.*

Jack: *Potrzebujecie czegoś?*

Ollie: *Tylko odrobiny szacunku.*

— To są słowa Natalie — zawyrokowałam i wybiegłam z pokoju. Jack zrobił minę, mającą oznaczać: Jak nie chcesz znać odpowiedzi, to nie pytaj.

W Dniu Matki rano, kiedy Jack był pod prysznicem, chwyciłam się wątłej nadziei, że zachomikował gdzieś kartkę od Olliego i zaraz ją wyciągnie, by nią pomachać jak gałązką — czy raczej wielką gałęzią — oliwną. Hannah spędziła noc u Daisy i pewnie w ogóle zapomniała. Leżałam w łóżku, przewijając feed na Facebooku w moim telefonie. I od razu odrobinę bardziej znienawidziłam swoje życie.

Pierwsze było zdjęcie od cholernej Sarah, baby, która się do mnie nie odzywała od czasu mojej pomaturalnej tyrady o tym, że studia nie są dla wszystkich.

Oczywiście dostała ręcznie wykonaną laurkę. Od osiemnastolatki! Nie jakiś niedający się rozpoznać kwiatek z różowej bibułki naklejony na biały kartonik, tylko, kurde, odręcznie narysowane dzieło sztuki. A w środku wiersz o tym, że jej córka byłaby przeszczęśliwa, gdyby tylko mogła „być choć w jednej dziesiątej taką kobietą jak Ty". Pomyślałam, że chyba przykryję sobie twarz poduszką i już tak zostanę. Hannah zawsze wyglądała na absolutnie przerażoną, kiedy ktoś mówił: „Ale jesteś podobna do mamy".

Powinnam mieć dość rozumu, żeby natychmiast odłożyć telefon i przestać oglądać zdjęcia tostów w kształcie serca podanych na tacy z bukiecikiem róż. Kolaże fotek w srebrnych ramkach. Żartobliwe posty o całej armii dzieci potrzebnej do przygotowania niedzielnego obiadu i o tym, ileż to będzie później zmywania. I oczywiście o mężach, którzy pomyśleli zawczasu i zarezerwowali milusią restaurację „w ramach gorącego podziękowania mojej wspaniałej żonie. Nasze dzieci to szczęściarze, że mają taką fantastyczną mamę".

Nawet w dobrych czasach miałam fart, jeśli dostałam kartkę, którą rzeczywiście kupiły dzieci, a nie Jack. I jeszcze większy, jeśli o jedenastej nie krzyczał na dzieciaki, żeby coś na niej, do cholery, napisały, podczas gdy ja pełna urazy krzątałam się w kuchni, wrzucając z brzękiem sztućce do szuflady, i mówiłam przez zaciśnięte zęby: „To nie ma znaczenia. Skomercjalizowane bzdury".

Jack wyszedł z łazienki w ręczniku owiniętym wokół bioder. Radarem mężczyzny z długim małżeńskim stażem wyczuł moje niecierpliwe wyczekiwanie, nie był jednak w stanie rozpoznać jego źródła. Rozglądał się po pokoju, szukając wskazówek.

Uznałam, że skrócę jego męki — i przy okazji swoje.

— Nie przyszły do mnie wczoraj żadne listy, jak mnie nie było?

Ostatnio Jack szybko dopadał poczty, robiąc z tego swoisty zabobonny rytuał: chciał jako pierwszy poznać złe wiadomości.

— Nie zostawiłem ci ich na stole w kuchni? Albo może przy pojemniku na chleb?

— Nic nie widziałam.

Wyskoczyłam z łóżka i jak najszybciej zbiegłam na dół, starając się nie pokazać Jackowi swojej desperacji.

Rzeczywiście, wetknął dwa listy w szparę między pojemnikiem na chleb a stojakiem na noże. Wyciągnęłam je, czując przypływ radosnej nadziei, która natychmiast zgasła. Żaden z nich nie wyglądał na kartkę z życzeniami. Druk reklamowy z Majestic Wine. I oficjalnie wyglądająca koperta. Poczułam lekkie ukłucie w sercu, bo pomyślałam, że może ci tam jacyś na górze będą próbowali mnie wplątać w kradzież popełnioną przez Jacka. Zawsze uważałam, że żony powinny o wszystkim wiedzieć. Rozerwałam kopertę. W środku było pismo ze szkoły gotowania Hannah.

„Z przykrością zawiadamiamy, że w związku z nieobecnością przez cały semestr letni bez przedstawienia udokumentowanych okoliczności łagodzących, niniejszym skreślamy Hannah Anderson z listy słuchaczy Darling Cookery College ze skutkiem natychmiastowym".

Wszystkiego najlepszego z okazji pieprzonego Dnia Matki.

Popędziłam na górę jak stado rozjuszonych bawołów i podetknęłam list Jackowi pod nos, w momencie, kiedy miał jedną nogę w bokserkach, więc zaczął komicznie skakać po pokoju, usiłując jednocześnie czytać i złapać równowagę.

— Na litość boską! Parę tysięcy funtów za semestr, a jej się nawet nie chciało tam chodzić.

Faktycznie, to trochę kpina z tych wszystkich zdjęć, które jej robiłam w naszej kuchni, kiedy tylko wzięła do ręki drewnianą łyżkę, i wrzucałam na fejsa.

Wbiłam się w jakieś ciuchy, nawet nie zawracając sobie głowy myciem zębów, przeleciałam przez ulicę i zaczęłam walić do drzwi Kate. Wydawała się zaskoczona na mój widok, bo raczej nie przychodziłam bez zapowiedzi.

— Wszystko w porządku?

— Och, no wiesz, zwykłe rodzinne dramaty na dobry początek Dnia Matki.

Przewróciła oczami.

— Ja za to jestem matką roku. Niedawno jedna taka przyszła do mnie do domu, żeby mi powiedzieć, jak beznadziejnie sobie radzę z Daisy.

— No nie! Kto?

— Ktoś, kto nie ma dzieci.

— No, ja byłabym zajebistą matką, gdybym nie miała dzieci. Boże, co za tupet. Czy doszłaś do tego, dlaczego jej zdaniem jesteś beznadziejna?

— Właściwie nic ciekawego. Mój eks ma nowe życie, a Daisy czuje się pominięta. Opowiem ci kiedyś, jak nie będziesz miała nic innego do roboty.

Byłam przekonana, że historia Kate jest właśnie wyjątkowo ciekawa, ale nie wyglądało na to, żebym miała ją dzisiaj usłyszeć. Dałabym wszystko, żeby móc pomyśleć o czyimś innym nieszczęściu, a nie o własnym.

— No, a ja szukam Hannah. Jest tutaj?

Kate położyła mi dłoń na ramieniu.

— Tak, jest w pokoju Daisy.

Usiłowałam uspokoić głos, ale zamiast tego zaczęłam krzyczeć, nie kryjąc złości:

— Hannah! Hannah!

Zjawiła się na podeście z tępym wzrokiem i bezczelną miną, którą ostatnio widywałam u niej coraz częściej.

— Co?

Pomachałam listem, tłumiąc w sobie ryk wściekłej furii przez wzgląd na to, że nie byłam we własnym domu, gdzie zrobiłabym raban, który zatrząsłby chałupą w posadach.

— Chcę z tobą porozmawiać o piśmie ze szkoły gotowania. Mogłabyś wziąć swoje rzeczy i przyjść do domu? — Czułam się, jakby z nozdrzy buchało mi gorące powietrze. — Proszę.

Hannah w pierwszej chwili się przygarbiła, ale szybko poderwała głowę i buntowniczo uniosła podbródek. Zerknęła na Kate i przez chwilę miałam nadzieję, że uratuje nas stara dobra zasada prania brudów we własnym domu, ale nie. Popatrzyła na mnie wzrokiem, który wydał mi się pełen nienawiści.

— Pewnie piszą, że moja frekwencja na zajęciach nie była za dobra? No i co, kurwa, z tego? Gówno mnie obchodzi ciasto francuskie, ciasto kruche i cholerny sos holenderski. Nigdy nie chciałam uczyć się gotować, ale czy ty mnie słuchałaś? Tego, czego ja chcę? Nie. Wstydziłaś się, że twoja córka spieprzyła maturę, i nie wiedziałaś, co powiedzieć swoim znajomym, żebym nie wyszła w ich oczach na aż takiego przegrywa.

Poczucie niesprawiedliwości ukłuło mnie w samo serce. Z poprzedniego lata pamiętałam tylko Hannah podpierającą dłonią podbródek i mówiącą: „Skąd mam wiedzieć, co chcę robić? Mam dopiero osiemnaście lat. Ty nie poszłaś na studia, a teraz robisz taki dramat z tego, że ja też nie idę".

Z jednej strony miałam ochotę wypalić do niej z grubej rury, z drugiej — czułam zażenowanie, że jesteśmy u Kate i odstawiamy awanturę z darciem ryja, podczas gdy nigdy nie słyszałam od Daisy ani jednego brzydkiego słowa.

— Przykro mi, że tak to odebrałaś. — Ale to nie była prawda. W tej chwili uważałam, że jest rozwydrzoną, arogancką ropuchą, ale nie chciałam, żeby Kate wzięła mnie za złą matkę. Gorszą, niż byłam w rzeczywistości. — No, zbieraj swoje rzeczy i chodźmy do domu porozmawiać z tatą.

Daisy stała za Hannah z oczami na szypułkach. Zawsze widziała mnie tylko w roli fajnej mamy, która pukała do drzwi pokoju córki z talerzykiem czekoladek — „na poprawę humoru". A ja w głębi duszy uwielbiałam się tak prezentować, poza tym żal mi było Daisy, która musiała często radzić sobie sama. Zachęcałam ją, żeby spędzała u nas jak najwięcej czasu („Zawsze jesteś mile widziana!"), bo radość, jaką Daisy sprawiały nasze rodzinne hałaśliwe przekomarzanki i wygłupy była jak miód na moją żałosną duszę.

Odwróciłam się do Kate.

— Przepraszam, że tak tu wpadłam z awanturą. Już was zostawiamy w spokoju.

— Nic się nie przejmuj — uśmiechnęła się. — Wpadnij kiedyś wieczorem na wino, jeśli będziesz potrzebowała odetchnąć.

Wow. Musiałam wyglądać na roztrzęsioną, skoro Kate zapraszała mnie do siebie. Sally niedawno zrobiła na ten temat uwagę: „Byłaś kiedyś u Kate? — spytała. — Zaproszona?”. Powiedziała to w taki sposób, że chciałam bronić Kate. „Nie, ale oczywiście ona dużo pracuje. A kiedy nie jest w pracy, pewnie lubi spędzać czas z Daisy”. Sally nie odpuszczała: „Ta biedna dziewczyna i tak już za dużo czasu spędza sama. W każdym razie moim zdaniem to niegrzeczne przyjmować zaproszenia i nigdy się nie rewanżować”.

Szczerze mówiąc, ja z kolei nie znosiłam ludzi, którzy prowadzili buchalterię gościnności, podliczając każdą filiżankę kawy, każde ciasteczko, każdą nadziewaną oliwkę na zasadzie: kto jest komu co winien i nie zapraszam ich więcej, dopóki...

Skrzywiłam się lekko. „Raczej tego nie liczę. Zapraszam ludzi, kiedy mam ochotę się z nimi spotkać. Poza tym Kate jest dosyć skryta. Nie powinnyśmy brać tego do siebie. Nie sądzę, żeby była jakąś szczególnie imprezową osobą”.

Sally była jednak w dziwnym nastroju, jak to jej się zdarzało, i zaczęła sarkać, że ona też nie jest imprezowa, ale udaje jej się od czasu do czasu zaprosić ludzi na drinka. W głębi duszy uważałam, że pewnie robi to dlatego, żeby ktoś dotrzymywał jej towarzystwa, bo Chris tak często wyjeżdżał, ale nie zamierzałam się spierać. Nie mogłam się za to doczekać, żeby skorzystać z zaproszenia Kate, i wrzucić piękne zdjęcie na Facebooka, by udowodnić Sally, że się myli.

Tymczasem musiałam się dowiedzieć, co do diabła dzieje się z Hannah. Niemalże siłą przeprowadziłam ją przez ulicę, przy czym starałam się wyglądać na spokojną i zrelaksowaną — „trzeba tylko wyjaśnić taki tam mały problemik" — a jednocześnie opierałam się pokusie, żeby zacisnąć palce wokół jej ramienia i mocnym szarpnięciem wciągnąć ją do domu. Najwyraźniej moja kartka na Dzień Matki była jeszcze w WHSmith.

Spodziewałam się, że Jack będzie czekał na nas w kuchni, gotowy do zwarcia ze mną szeregów, ale był na górze. Furia, którą starałam się opanować u Kate, wybuchła z siłą wulkanicznej eksplozji.

— Jack! Jack! Zejdziesz na dół i pomożesz mi wyjaśnić drobną kwestię wagarów twojej córki przez, och, tylko trzy miesiące, czy będziesz siedział na górze i użalał się nad sobą?

— Co się stało tacie? — spytała Hannah gniewnie.

Cholera. No tak. Nie podzieliliśmy się jeszcze tą drobną radością przy rodzinnej kolacji.

— Trochę się dzieje u niego w pracy.

— Już idę. — Jack pokazał się na szczycie schodów.

Usiedliśmy we trójkę przy kuchennym stole. Napięcie między nami przypominało barykady. Odezwałam się dojrzałym głosem negocjatorki:

— Możesz nam powiedzieć, co się stało w szkole gotowania?

Hannah uniosła podkreślone kredką brwi. Wyglądały komicznie, jak dwie gąsienice.

— Nie ma o czym mówić. Bo tam nie chodziłam — rzuciła bezczelnie, a ja miałam ochotę polecieć na górę, spakować wszystkie jej rzeczy i wywalić ją razem z nimi za drzwi, krzycząc: Jeśli jesteś taka zajebiście mądra, a my tacy cholernie głupi, to może idź sobie pomieszkać gdzie indziej i przekonaj się, czy ci to odpowiada?!

Na szczęście włączył się Jack.

— Hannah, możesz sobie darować te przemądrzałe uwagi. Nie gniewamy się.

Omal się nie zakrztusiłam, gryząc język, żeby nie palnąć: Spokojnie, kto mówi o gniewie? Jestem tylko tak wściekła, że zaraz krew mi się zagotuje i wytryśnie uszami.

— Ale bardzo nas to martwi — ciągnął Jack — i chciałbym wiedzieć, gdzie chodziłaś każdego dnia przez ostatnie trzy miesiące, jeśli nie byłaś w szkole.

Hannah spuściła powieki.

— Nigdzie. Tu i tam.

Kochałam Jacka za to, że potrafił stłumić strach przed pójściem do więzienia i mówić do córki głosem pełnym dobroci i życzliwości:

— Możesz nam powiedzieć, nawet jeśli zrobiłaś coś, czego się wstydzisz.

— Nie wstydzę się. Wszyscy tak się przejmowali Olliem i jego wyczynami, że nigdy nie było dobrego momentu, żeby wam powiedzieć, co robię, więc po prostu to robiłam. Podejrzewałam, że jak powiem tobie i mamie, zaraz będzie afera — wyjaśniła, ze specjalnym naciskiem na „mamę”, żeby podkreślić uciążliwość mówienia mi o czymkolwiek.

Jack poruszył się na krześle i cierpliwie czekał.

— Chodzę do tego college'u co Daisy. Uczę się hydrauliki.

Mój Boże. Miałam syna, który za chwilę obroni dyplom inżyniera, ale postanowił zostać kurą domową.

Córkę, która ledwo potrafiła wymienić główkę w elektrycznej szczoteczce do zębów, a uczyła się na hydrauliczkę. I męża, o którym myślałam, że jest szychą w biznesie, ale najwyraźniej był tylko złodziejem.

Do tego ja — trochę pyskata, odrobinę rozrzutna, czasem wybuchowa i zapewne nie za bystra — ale uważałam się za całkiem solidną żonę i matkę.

Tymczasem wyszło na jaw, że jestem osobą, do której nikt nie ma na tyle zaufania, by jej się zwierzać ze swoich problemów.

Wszystkiego najlepszego z okazji Dnia Matki.

Podpis: Najlepsze życzenia dla wszystkich
w Dniu Matki! Nie mogę wrzucić fotki,
bo mój telefon odmówił współpracy,
ale wznoszę toast za wszystkie ciężko
pracujące mamy! Wspaniałego dnia!
#SzczęściaZdrowia

ROZDZIAŁ 28

KATE

Wtorek, 3 kwietnia —
dzień po Wielkanocy

Wielkanoc to diabelski wynalazek dla ludzi takich jak ja, bez partnera i z tylko dwiema faktycznie widywanymi znajomymi — przeprosiłyśmy się z Sally bardzo po brytyjsku, mówiąc „Przepraszam za tamto", zamiast wyjaśnić sprawę do końca, i znów machałyśmy do siebie zza płotu i lajkowałyśmy swoje posty na Facebooku. Nawet to, że mam Daisy, nie pomagało, bo ona wybrała świąteczne nadgodziny przy kasie w supermarkecie, zamiast oglądanie ze mną filmów na kanapie. Jak nie pracowała, to łaziła gdzieś z Hannah. Pewnego dnia zobaczyłam je razem na ulicy. Daisy była aż rozświetlona, tryskała energią i chęcią życia, jakiej nigdy nie widziałam, kiedy byłyśmy tylko we dwie.

Skoro nie zaglądała mi przez ramię, żeby zobaczyć, co robię na komputerze, mogłam spokojnie oddać się uzależnienieu od Facebooka. Laptop przyzywał mnie syrenim śpiewem, obiecując historie o tym, co porabia Alex, jeśli tylko kliknę jego stronę (po raz kolejny!). Gdybym zobaczyła, że zakochał się w kimś innym, kto nie ciągnie za sobą tak potężnego bagażu jak ja, sprawiającego, że przyszłość byłaby szeregiem króliczych nor, do których można wpaść i złamać sobie nogę, miałabym spokojne sumienie. Byłby to zapewne przykry i pozorny spokój, ale przestałabym pragnąć faceta, który mógłby wykonywać każdą pracę, ale musiał zostać akurat cholernym dziennikarzem śledczym. W Nowy Rok, w oparach szampana, prawie przekonałam samą siebie, że warto zaryzykować. Wbrew rozsądkowi, sporadyczne wiadomości na Facebooku zaczęły się przeradzać w regularne pogawędki. Ale kłótnia z Sally otrzeźwiła mnie i wzmogła czujność. Sąsiadka ewidentnie miała swoje podejrzenia co do tego, kim naprawdę jestem. Chyba urwałam się z choinki, jeśli myślałam, że mogłabym mieć normalny związek. Nigdy nie byłabym w stanie pozwolić sobie na szczerość. Musiałabym pamiętać wszystko, co mówię, biegać za samą sobą z gąbką do tablicy i ciągle zamazywać własną przeszłość, bojąc się dnia, w którym Alex mógłby powiązać Kate Jones z Izabelą Kowalski. Dlatego kilka tygodni temu wcisnęłam „wyślij" pod wiadomością, w której mu wyjaśniałam, że cudownie było znów na niego wpaść, ale nie byłam w odpowiednim stanie ducha, by zaczynać z kimkolwiek relację, i nie będę już więcej do niego pisać. Tak trzeba. Podjęłam słuszną decyzję.

Tyle tylko, że moje serce jej nie akceptowało — ani trochę.

Nadal dokładnie oglądałam jego zdjęcia, klikałam je z nosem w ekranie, szukając w kadrze kawałeczka damskiej torebki. Zadręczałam się, patrząc na fotografię uśmiechniętego Alexa na tle skalistego wybrzeża Pembrokeshire. Z kim tam pojechał? Myśli o pieszej wędrówce z nim, siedzeniu na murku i podziwianiu widoków i o późniejszym zasłużonym obiedzie w pubie były tak pociągające, że uświadomiłam sobie tęsknotę, jakiej nie czułam, odkąd zostawił mnie Oskar — który, jak potwierdziła Daisy lekceważącymi burknięciami, zdecydowanie przebolał już nasze rozstanie. A ja ciągle tkwiłam w tym samym miejscu, porzucona jak niedojedzony kebab na ławce.

Przewijałam posty Sally. Szczęściara, rozbijała się po Chile między randkami z Chrisem w Europie. Tych dwoje nieźle sobie żyło. Rzadko bywali w domu. Pewnie łatwo utrzymać świeżość w związku, jeśli weekendy spędza się na testowaniu łóżek z baldachimem w europejskich stolicach, zamiast na wydawaniu poirytowanych okrzyków: Chodź tu i pomóż mi z tą poszwą na kołdrę! Nic dziwnego, że się nie spieszyli z posiadaniem dzieci. Co prawda miałam gdzieś przesiadywanie w restauracjach i rozpływanie się z zachwytu nad purée z selera czy próbowanie „apetycznych" krewetek w tempurze (#KąsekZaKąsek) zamówionych przez mojego partnera. Marzyłam jednak, żeby chociaż raz móc wyjechać na weekend z kimś, kto tyle o mnie wiedział, że nie musiałabym się ciągle pilnować i przepuszczać każdej myśli przez filtr.

Po drugiej stronie ulicy zobaczyłam Giselę i Jacka. Spacerowali razem, trzymając się za ręce. Wczoraj widziałam, jak ona się zatrzymała, odwróciła do niego i powiedziała coś tak żarliwie... A potem go przytuliła. Ich mowa ciała świadczyła o wzajemnym szacunku — akceptacji kompromisu, trosce, znajomości praktycznej strony wspólnego życia. Jack był naprawdę tolerancyjnym facetem. Oskar nigdy by nie zniósł tych niekończących się korowodów gości. Gisela ciągle zamieszczała zdjęcia, a to swoich przyjaciół z Kanady, a to jej druhny, która wpadła na kilka dni z Irlandii, a to dziesięciu koleżanek Hannah, które u nich nocowały. Nie zauważyłam ostatnio niczego o Olliem. Muszę pamiętać, żeby zapytać Giselę, co u niego. Dziecko chyba niedługo się urodzi. Gisela będzie świetną babcią — jeśli przeboleje, że Natalie jest o tyle starsza od Olliego. Nie odważyłam się jej tego powiedzieć, ale jeśli najgorszą rzeczą, jakiej doświadczyła, było to, że jej syn związał się z kobietą, którą ona nieszczególnie lubiła, to miała cholerne szczęście.

Poczułam ulgę, udając się w ulewnym deszczu do pracy, kiedy wszyscy inni żałowali, że święta nie mogą trwać wiecznie. Kiepsko to świadczyło o moim życiu.

O wpół do piątej byliśmy w drodze do osiemdziesięcioletniej kobiety, która spadła z drabiny, zmieniając żarówkę, kiedy dyspozytor przekierował nas do innego wypadku: „CAT 1, A22 w kierunku Caterham", czyli zagrożenie życia i zdrowia. Zawsze baliśmy się takich zgłoszeń — karambol na ruchliwym odcinku dwupasmówki. Cztery samochody, trzy osoby lekko poszkodowane, dwie ciężko ranne. Byliśmy o kilka minut od wjazdu na autostradę, dodaliśmy gazu i pomknęliśmy poboczem. Dojazdówka była zatkana aż do M25. Niewiarygodne, że mimo naszej syreny i błyskających świateł kierowcy reagowali powoli; długo trwało, zanim ustąpili nam z drogi.

Pete klął, posuwając się pomału w korku, w potokach deszczu, w których ledwo co było widać, nawet przy wycieraczkach pracujących na full. Byliśmy tuż za inną karetką i wszystko wskazywało na to, że drogówka przyjechała dosłownie kilka minut przed nami, bo jeszcze sprawdzali samochody i zabezpieczali miejsce wypadku. Policjanci skierowali pierwszą karetkę do sportowego samochodu, który maską wbił się w róg ciężarówki jadącej przed nim, a z tyłu uderzył w niego land-rover. Widziałam siedzącego za kierownicą sportowego auta mężczyznę z zakrwawioną twarzą. Jeden z funkcjonariuszy wskazał nam pas zieleni, gdzie grupa czterech czy pięciu osób stała wokół kobiety leżącej na stosie kurtek. Niektórzy trzymali nad nią parasole. Na poboczu zaczął się już zbierać mały tłumek. Nigdy nie przestawało mnie zdumiewać, jak w takich sytuacjach wielu ludzi gapiło się i nie robiło nic, żeby pomóc. Zarezerwowałam specjalne miejsce w piekle dla dwóch czy trzech osób, które robiły zdjęcia i filmowały telefonami.

Kiedy tylko Pete'owi udało się wcisnąć na pas zieleni obok sportowego auta, chwyciłam torbę ze sprzętem. Panowałam nad strachem dzięki świadomości, że mam odpowiednie doświadczenie, żeby sobie poradzić. Zeskoczyłam na ziemię, ubrana w odblaskowe przeciwdeszczowe spodnie i kurtkę, powtarzając sobie zasadę ABCDE — *Airways* (drożność dróg oddechowych), *Breathing* (ocena oddechu), *Circulation* (oznaki krążenia), *Disability* (ocena przytomności), *Exposure* (ekspozycja pacjenta — odsłonić, obejrzeć). Nawet po tylu latach w zawodzie recytowanie tych pięciu słów mnie uspokajało, przypominało, na czym skupić się najpierw.

Policjant kazał się trochę cofnąć wszystkim oprócz jednego faceta, który przedstawił się jako Geoff. Patrzył przez zaparowane okulary, zdesperowany, żeby przekazać mi to, co wie. Mówił nieskładnie, połykając słowa.

— Byłem... samochodzie za nimi. To ta ciężarówka. Nie wrzuciła kierunkowskazu. Nie dałem rady wyhamować... deszczu. Ale nie uderzyłem... mocno. Dach zerwało i ona wisiała połową ciała na zewnątrz, więc ją wyjęliśmy. Nie wiem, czy dobrze zrobiliśmy. Jest w dwudziestym dziewiątym tygodniu ciąży. Krew... leci z nogi, chyba jest złamana, owinęliśmy ją bandażem z apteczki w jednym z samochodów. Traci... dużo krwi.

Często widziałam taki wyraz twarzy: niemal dziecięcą ulgę, że przyjechaliśmy i przejmujemy pałeczkę. Nie miałam im za złe, wolałabym jednak, żeby jej nie ruszali, ale nie powiedziałam tego.

— Dziękuję. Policja może was później poprosić o złożenie zeznań.

Uklękłam.

— Dzień dobry, mam na imię Kate i jestem ratowniczką. Przeniesiemy panią do karetki tak szybko, jak będzie to możliwe, żebyśmy mogli dobrze panią obejrzeć. Wiem, że jest tu mokro i zimno.

Jedną stronę twarzy miała zakrwawioną, a kręcone włosy układały się po bokach głowy w mokrych strąkach. W innych okolicznościach byłaby jedną z tych kobiet, za którą ludzie oglądają się na ulicy: regularne rysy, prawdziwa piękność.

Z zebranej wokół niej grupki dobiegły niechętne pomruki. Jakaś kobieta zaczęła na mnie krzyczeć, żeby zabrać tę dziewczynę do szpitala.

— Dlaczego nie przyleciał helikopter?! — wołała. — Nie widzi pani, że ona potrzebuje właściwej opieki?

Spojrzałam na nią, czując idiotyczną pokusę, żeby wymienić wszystkie kursy, które musiałam zaliczyć, żeby zdobyć kwalifikacje ratowniczki medycznej.

— Zanim ją przeniesiemy, muszę się upewnić, że nie będzie z tego więcej szkody niż pożytku. Helikopter nie lata w taką pogodę.

Z karetki przybiegł Pete. Przykryłam ranną folią NRC. Kiedy Pete sprawdzał drożność dróg oddechowych i oddech pacjentki, wyciągnęłam z torby ciśnieniomierz.

— Jak ma pani na imię?

Kobieta stęknęła.

— Sophie. Czy dziecku nic nie będzie? Boli mnie brzuch. Gdzie mój chłopak? Co z nim?

Geoff wskazał mężczyznę w sportowym samochodzie. Spojrzałam na niego. Policji udało się siłą otworzyć drzwi i teraz załoga pierwszej karetki wyjmowała go ze środka.

— Moja klatka piersiowa. Strasznie boli.

— Sophie, ratownicy już się nim zajmują — powiedziałam. — Moi koledzy są przy nim. Zachowaj spokój, dobrze?

Przez szum deszczu słyszeliśmy, jak facet z samochodu jęczy z bólu, dobiegał do nas jego spanikowany głos.

— Nic jej nie jest? A co z dzieckiem? Czy ona krwawi? Zabieracie ją do szpitala?

A potem uspokajający ton ratownika.

Było w tym głosie coś znajomego, czego nie potrafiłam określić. Jakby mój mózg był tuż-tuż od znalezienia odpowiedzi, ale nie mógł przekroczyć linii mety. Deszcz bębnił o kaptur mojej kurtki i spływał mi po plecach.

Chociaż facet potwornie cierpiał, usiłował zobaczyć Sophie i nie zważał na polecenie ratownika, żeby się nie ruszał, bo nie jest w stanie go zbadać. Co jakiś czas, mimo krwi ściekającej mu po policzkach, w błyskach świateł migał mi wyraz twarzy, który już tyle razy widziałam, zwłaszcza u mężczyzn. Śmiertelne przerażenie, że stało się coś, czego nie mogą naprawić komuś, kogo kochają. Ten strach usuwał różnice między ludźmi. Nieważne, czy mieszkałeś w domu z łazienką przy każdej sypialni, czy w takim ze wspólnym wychodkiem, czy zamawiałaś zakupy spożywcze z Ocado, czy wycinałaś kupony z gazety, żeby nie głodować — nikt z nas nie był odporny na utratę kogoś drogiego; nie potrafiliśmy sobie wyobrazić, jak bez tej osoby w ogóle miałoby nastać jutro.

Sophie jęczała i popłakiwała. Widziałam, że próbuje być dzielna, ale nie mogła poradzić sobie z bólem. Zdecydowaliśmy z Pete'em przeprowadzić wszystkie pozostałe potrzebne badania już po przeniesieniu jej na noszach do karetki.

Podpięłam ją do monitora pracy serca.

— Podam ci coś na złagodzenie bólu.

— Nie zaszkodzi dziecku?

Nabrałam morfiny do strzykawki.

— Nie, jednorazowa dawka nie zaszkodzi. Nic ci nie będzie.

Wzięłam zestaw do założenia wenflonu, żebym mogła zacząć podawać płyn i ustabilizować ciśnienie krwi.

Pete pobiegł po resztę sprzętu, który został na zewnątrz. Po chwili usłyszałam jego podniesiony głos:

— Ale z was hołota, co za bydlaki! Jak by wam się podobało, gdyby ktoś was fotografował w skasowanym samochodzie? Obrzydliwe sępy. Z drogi, zjeżdżajcie!

Zatrzasnął drzwi. Nawet gdy dochodziło do najgorszego wypadku, nawet kiedy na autostradzie leżały trupy, zawsze znalazł się jakiś idiota, który, cały podjarany, filmował swoim telefonem nieszczęście innych i wrzucał potem do internetu. Pete uruchomił silnik i karetka ruszyła z szarpnięciem. Manewrując między szczątkami rozbitych samochodów, wjechał na dwupasmówkę.

Sophie wiła się z bólu.

— Z dzieckiem będzie dobrze, prawda? — wymamrotała niewyraźnie.

Ciśnienie krwi spadało, co oznaczało, że traciła mnóstwo krwi z rany na nodze. Poczułam ukłucie niepokoju.

— Zachowaj spokój i mów do mnie. Powiedz mi, dokąd jechaliście, zanim doszło do wypadku.

— Do centrum handlowego, poszukać łóżeczka. Wstąpiliśmy po drodze kupić coś do jedzenia w Waitrose w Caterham.

Widziałam, z jakim trudem mówi, jakby szukała gdzieś w oddali odpowiednich słów.

— Bluewater? Moja córka uwielbia ten sklep.

Sophie wiła się niespokojnie.

— Nie ruszaj się, jeśli możesz. Wiem, że boli. — Spróbowałam odwrócić jej uwagę. — Czyli miałaś dzień wolny?

— Nie, jestem weterynarką i dzisiaj byłam na porannej zmianie.

Słuchałam jej nieuważnie, bardziej zainteresowana wysiłkiem, z jakim mówiła, a nie samą treścią. Pracowałam metodycznie, starając się opanować skok adrenaliny wywołany świadomością, że zależy ode mnie życie nie jednej, lecz dwóch osób.

— Weterynarka, to musi być ciekawa praca.

Oderwałam prowizoryczne bandaże, teraz już całkowicie przesiąknięte krwią, i założyłam świeży opatrunek na prawej goleni, która była przecięta aż do kości. Wzdrygnęłam się, widząc, jak szara i kleista wydaje się jej skóra w ostrym świetle karetki. Mój wzrok przykuł mały tatuaż z pszczołą na nadgarstku i uświadomiłam sobie, że to jest kobieta, którą poznałam na grillu u Giseli, ta, która tymczasowo mieszkała w domu swojej przyjaciółki. Nic nie powiedziałam. Nie była to odpowiednia pora na przypomnienie, że się znamy.

Pete powiadomił centrum urazowe, żeby zespół ginekologiczno-położniczy był w pogotowiu.

— Czy od momentu wypadku czułaś ruchy dziecka? — spytałam.

— Chyba tak. Nie jestem pewna. — Usiłowała się podnieść i usiąść.

— Połóż się, dobrze? Żebym mogła sprawdzić palpacyjnie, co z dzieckiem. Mam trochę zimne ręce.

Potarłam dłońmi o siebie. Zanim dotknęłam jej skóry, poprosiłam bogów, w których nie wierzę, żeby brzuch nie był sztywny i napięty. Nigdy nie widziałam tego na własne oczy, ale wiedziałam, że wypadek samochodowy może spowodować oderwanie się łożyska od ściany macicy, a wtedy miałybyśmy kłopoty. Panika niebezpiecznie zaburzała mi koncentrację, umysł atakował obrazami, które z całą stanowczością wyparłam z pamięci, a teraz nabierały kolorów i dźwięków. Kiedy moje ręce zetknęły się z miękkim brzuchem Sophie, poczułam przypływ ulgi i natychmiast wróciłam do rzeczywistości, tu i teraz. Dobra, odhaczyłam jedną rzecz na mojej liście. Przycisnęłam dłoń mocniej, rozpaczliwie pragnąc wyczuć jakieś oznaki ruchu, i w końcu zostałam nagrodzona — dziecko drgnęło.

Uśmiechnęłam się, mając nadzieję, że udało mi się ukryć własny strach.

— Z małym albo małą wszystko w porządku. Najlepsze, co możesz zrobić, to zachować spokój.

Właśnie układałam sobie w głowie, co jeszcze muszę sprawdzić, kiedy ciche, ciągłe jęki Sophie nabrały intensywności. Zaczęła krzyczeć.

— Mam mokro między nogami. Czy ja krwawię?

— Sophie, oddychaj głęboko — powiedziałam, najłagodniej jak umiałam. — Zobaczę, co się dzieje. Który to tydzień?

Co prawda Geoff już mi to powiedział, ale uznałam, że nie ma co odpowiedzialnością za ustalenie tych istotnych faktów obarczać faceta, który prawdopodobnie zarabiał na życie sprzedawaniem ubezpieczeń dla zwierząt domowych.

— Dwudziesty dziewiąty. Za wcześnie. Jeszcze nie może się urodzić.

Zgadzałam się w pełni. Nie mogłam być odpowiedzialna za niemowlę.

Wyglądało jednak na to, że będę. Sophie odeszły wody i wszystko wskazywało na to, że jej dziecku —

w przeciwieństwie do Daisy, która przychodziła na świat przez osiemnaście godzin — bardzo się spieszyło.

Sophie rzucała się na noszach.

— Czuję, że rodzę. Chcę mojego partnera. Gdzie on jest? Nie dam rady bez niego!

Podłączyłam ją do Entonoxu.

— Posłuchaj mnie. Jest w dobrych rękach, dostaje najlepszą możliwą opiekę. W tej chwili musimy się skoncentrować na zapewnieniu bezpieczeństwa tobie i dziecku. Oddychaj.

— Pete! — zawołałam, starając się nie wpadać w panikę. — Chyba mamy akcję porodową.

Sophie dyszała, twarz miała wykrzywioną bólem.

Równie dobrze mogłam być operatorką wózka widłowego, która niespodziewanie ma kierować porodówką. Cała moja wiedza medyczna wyparowała. Z ociąganiem sięgnęłam po pakiet porodowy, żeby wyjąć fartuch, koszulę szpitalną, podkładki i poczuć, że ta cała cholerna sytuacja jest realna. Wzięłam się w garść, skupiłam i przypomniałam sobie szkolenie na ratownika. Wiedziałam, że muszę ustalić pozycję dziecka. Nie pora na trudny poród pośladkowy. Usiłowałam odwrócić uwagę Sophie, pytałam ją o partnera, jak długo są razem, jakie mają imiona dla dziecka. W końcu mówienie stało się dla niej zbyt dużym wysiłkiem, więc zamilkłam, przypominając sobie, jak chciałam, żeby Oskar był cicho i dał mi się skupić na własnym ciele i wydaniu naszej córki bezpiecznie na świat. Bałam się zaufać swojej ocenie, ale po dłuższej chwili, która wydawała mi się wiecznością, zdołałam ustalić — choć to, że Sophie wiła się z bólu utrudniało sprawę — że dziecko na pewno ułożyło się głową w dół. Wykrzyczałam tę wieść Pete'owi, który odwrzasnął, żebym była gotowa na szybką akcję, bo „u wcześniaków to często nie trwa długo".

Z fałszywą wesołością w głosie powiedziałam Sophie, że zaoszczędziła sobie wielu godzin porodu, ale ona zdołała tylko jęknąć.

Pete lawirował między samochodami w wieczornych godzinach szczytu. Co jakiś czas droga kompletnie się blokowała. Jak zwyle podczas deszczu.

Sophie ścisnęła mnie za rękę. Zaczęłam mierzyć czas między skurczami.

— Pete, gaz do dechy!

— Staram się — odpowiadał z zaciśniętymi zębami — spory ruch, robię, co mogę.

— Powinniśmy być w szpitalu na długo, zanim urodzisz, ale lepiej przebierzemy cię w koszulę. — Skurcze przyspieszały, przychodziły już w mniej niż pięciominutowych odstępach, więc nie byłam wcale pewna, czy tak rzeczywiście będzie. Włożyłam fartuch i odcięłam nożyczkami resztę jej spodni. — To twoje pierwsze dziecko?

— Pierwsze, tak... Daleko jeszcze?

Głos Sophie słabł, jakby odpływała. Spojrzałam na bandaże, którymi opatrzyłam niedawno jej nogę — robiły się czerwone. Tętno rosło.

Nie byłam pewna, jak wygląda pełne rozwarcie, ale nie mogło być wiele większe od tego, jakie teraz widziałam. Podałam pacjentce Entonox. Przygryzła końcówkę rurki, zasysając ze świstem gaz, kiedy kolejny skurcz przeszył jej ciało.

— Długo jeszcze, Pete? — Zauważyłam, że podnoszę głos.

W ciągu dziesięciu lat pracy ratowniczki nigdy nie musiałam odbierać porodu. Chwała Bogu, że Sophie była tak targana bólem, że nie widziała mojej twarzy. Czułam się sparaliżowana, bałam się spojrzeć w dół i zobaczyć główkę dziecka, ujrzeć sinego noworodka, który nie oddycha. Jedenaście tygodni za wcześnie. Będę odpowiedzialna za podtrzymanie pracy tych maleńkich płuc. Musiałam sobie przypomnieć, że przeżywają znacznie młodsze wcześniaki. I zaraz potem kolejna myśl: na ogół przeżywają dlatego, że są na oddziale ze specjalistycznym sprzętem, otoczone ludźmi mającymi ogromną wiedzę i lata doświadczenia.

— Jakieś czterdzieści minut.

Będę musiała to zrobić. Usiłowałam skupić się na tu i teraz, przypominając sobie szkolenie.

— Oddychaj głęboko i przyj tylko, jeśli musisz. Bardzo dobrze ci idzie.

Sophie płakała.

— Nie pozwól mojemu dziecku umrzeć. Proszę, nie pozwól mu umrzeć.

Oczywiście już wcześniej się zdarzało, że ludzie błagali mnie, bym utrzymała bliską im osobę przy życiu. Pamiętałam osiemdziesięcioośmioletniego mężczyznę, który siedział, trzymał za rękę żonę, umierającą na udar, i mówił: „Nigdy nie spędziłem bez niej nocy i nie chcę tego robić. Nie możecie pozwolić jej umrzeć", jakbyśmy byli bogami z prawem do decydowania, kto zostaje, a kto odchodzi. Myślałam później o nim przez wiele miesięcy, wyobrażałam sobie, jak wchodzi powoli po schodach, powłócząc nogami, do samotnego, zimnego łóżka. Ciekawe, czy przeżył chociaż rok. Jednak nawet jego cierpienie to było nic w porównaniu z błaganiami Sophie — pierwotnymi, tak poruszającymi, że chciałam postąpić wbrew temu, czego nas uczono: obiecać jej, że wszystko będzie dobrze.

Mimo że od prawie dwudziestu lat byłam ateistką, modliłam się, żeby dziecko zaczekało. Żeby jakaś superkompetentna położna przybiegła do karetki i przejęła ode mnie pacjentkę. Ale zanim zjechaliśmy z autostrady, zaczęła pojawiać się główka. Prawie krzyczałam na Sophie, by przestała przeć.

— Krótkie oddechy. Wydychaj przez usta! Powoli i spokojnie.

Kiedy pędziliśmy główną drogą w kierunku szpitala, Sophie wydała z siebie pierwotny, zawodzący jęk i w strudze krwi i śluzu w moje ręce wślizgnęło się drobniutkie ciałko, z szybkością, która nieomal mnie zaskoczyła. Owinęłam dziecko, starając się siłą woli skłonić je, żeby się poruszyło i zaczęło płakać.

— Co z nim? Nic mu nie jest?

Serce biło mi tak, jakby chciało się wyrwać z piersi. Masowałam córeczkę Sophie przez tkaninę, w którą ją owinęłam, czekając na jakąś reakcję, jakiś znak życia.

Po całej wieczności sprowadzającej się do kilku sekund rozległ się dźwięk, na który wszyscy czekaliśmy — słabe kwilenie, jakby kocięcia uwięzionego w garażu. Poczułam ulgę, że nie będę musiała robić sztucznego oddychania z masażem serca na tej maleńkiej klatce piersiowej. Głosem niebezpiecznie bliskim szlochu powiedziałam:

— Dziewczynka.

Okryłam Sophie kocem, odchyliłam jej koszulę i położyłam dziecko na jej brzuchu, skórą do skóry, żeby nie traciło ciepła. Z twarzy Sophie zniknęły strach i gotowość do wykorzystania wszystkich dostępnych jej zasobów, a ich miejsce zajęła elektryzująca mieszanka — czułość i zwierzęcość matczynej miłości. Zanim zdążyłam zdumieć się tym i pozachwycać, karetka się zatrzymała. Natychmiast wpadł do środka tłum ludzi, wydawali rozkazy, komenderowali i niczym rycerze z bajki na białych koniach bez zwłoki zabrali Sophie i jej córkę.

Wytoczyłam się na zewnątrz, a Sophie, posadzona na wózku, znikła już w głębi szpitala. Kiedy tylko opadła adrenalina, nogi odmówiły mi posłuszeństwa, jakby przestały działać w stawach, jakby straciły zdolność poruszania się do przodu.

Z trudem ruszyłam do toalety, wołając do Pete'a, żeby na mnie zaczekał. Idąc, podpierałam się dłonią o ścianę, żeby się nie przewrócić. Zwymiotowałam. Zastanowiłam się, czy nie zadzwonić do kierownika i powiedzieć mu, że muszę iść do domu. Ale nie, za krótko tu pracowałam, by wiedzieli, że taka reakcja naprawdę jest u mnie wyjątkiem. Nie chciałam zostać zepchnięta na boczny tor, wysyłana tylko do poparzeń lokówką i zwichniętych kostek. Zawały serca, udary, krwotoki, rany głębokie aż do kości — z wszystkim tym umiałam sobie poradzić.

Umyłam twarz nad umywalką, zacisnęłam zęby (całkiem dosłownie, stanęłam przed lustrem i wysunęłam szczękę do przodu) i wróciłam chwiejnym krokiem do karetki. Kręciło mi się w głowie, czułam się przybita.

Kiedy zakończyliśmy procedurę przekazywania pacjentki, Pete zawiózł mnie z powrotem do stacji pogotowia. Niedawne przeżycia rozwiązały mu język.

— Jasna cholera. Dobrze się spisałaś. Dziecko było maleńkie, co?

Czułam się, jakby w moim organizmie krążyło za mało krwi, żeby dotrzeć do mózgu. Siedziałam wymięta na przednim fotelu, w głowie błyskały mi różne obrazy, niosąc ze sobą pytania: czy powinnam wcześniej przenieść Sophie do karetki, czy mogliśmy szybciej dojechać do centrum urazowego, czy zrobiłam dość, żeby dziecko przeżyło.

Kiedy wróciłam do pokoju ratowników, chciałam zapytać, czy ktoś słyszał, jaki jest ich stan i czy wiemy, co z partnerem Sophie. Układałam sobie słowa w głowie, formowałam je na języku, ale nie miałam dość sił, żeby je wypchnąć przez usta. Nie wiedziałam, jak mogłabym kiedykolwiek wrócić do karetki, jeśli dziecko umarło. Jednak gdy tylko weszłam, koledzy zaczęli bić brawo.

— Byłaś wspaniała, Kate.

I popłynęły wymieniane z ekscytacją opowieści. Pierwszy raz naprawdę byłam w centrum wydarzeń, w poważnej akcji, kiedy wszyscy chcą wrócić we wspomnieniach do swojego podobnego doświadczenia, do tego momentu, gdy sprawy stoją na ostrzu noża, do cienkiej granicy między katastrofą a triumfem, do tej idealnej mieszanki adrenaliny, fartu i wiedzy, które — wbrew wszystkiemu — przyniosły szczęśliwe zakończenie.

Nie wiedziałam, jaki będzie ostateczny wynik. I bałam się mieć nadzieję.

Nie potrafiłam dołączyć do kolegów. Chociaż chciałam. Pragnęłam być częścią czegoś, mieć poczucie przynależności, które inni ludzie traktowali jako coś oczywistego. W umyśle kotłowało mi się za dużo dźwięków i obrazów — rozpaczliwa miłość i przerażenie na twarzy partnera Sophie, kiedy siedział przypięty pasami w samochodzie, wycie dochodzące z głębi jej trzewi, to dziecko, maleńki różowy cud życia, moje dłonie w lateksowych rękawiczkach, ustawione nad klatką piersiową malutką jak u lalki.

Potrząsnęłam głową, żeby odegnać inne obrazy, starsze, wspomnienia w sepii, które usiłowałam zostawić za sobą, ale które zawsze czaiły się gdzieś z boku jak stado mew czekających, aż trafi im się frytka. Nigdy więcej nie chciałam usłyszeć tego przejmującego skowytu bólu i żalu.

Zjawił się Martin, który zajmował się partnerem Sophie. Podszedł prosto do mnie.

— Słyszałem, że odebrałaś poród, żywe dziecko. Dobra robota. Wiesz, co z matką?

— Nie, jeszcze nie. Straciła dużo krwi z rany na nodze. Córeczka była maleńka. Mam nadzieję, że przeżyje. — Przełknęłam ślinę. Nikt nie był przyzwyczajony do okazywania przeze mnie emocji. — A co z tym facetem? Wyglądało, jakby miał obrażenia klatki piersiowej?

Martin spuścił wzrok.

— Zgadza się. I do tego uraz głowy.

Czasem nienawidziłam tej pracy. Cholernej arbitralności tego wszystkiego. Nikt, kto wyruszał na małą wyprawę po zakupy, podekscytowany myślą o dziecku w drodze, nie spodziewał się, że kilka godzin później będzie leżał na intensywnej terapii. Starałam się nie dopuścić, by mój umysł cofnął się do dnia, w którym w jednej sekundzie śpiewałam „Baa, Baa, Balck Sheep", a za chwilę siedziałam w policyjnej celi.

— Na ile poważne?

— Początkowo nie wyglądało to źle, myślał, że ma tylko złamane żebro, nawet nie chciał, żebyśmy poinformowali jego bliskich, powtarzał, że nic mu nie jest i nikt nie musi się dowiedzieć, nie ma sensu nikogo straszyć. Ale później zaczął być zdezorientowany, nie mógł sobie przypomnieć swojego nazwiska i daty urodzenia, i ciągle nam mówił, żebyśmy zadzwonili do jakiejś Sally, robił się agresywny, wiesz, jak to czasem się dzieje z tymi, co oberwą w łeb. — Martin zmarszczył czoło. — Powiedział, że Sally to jego żona. Chyba musiało mu chodzić o siostrę, przecież jego partnerka właśnie rodziła w karetce obok.

Zmartwiałam. Nagle zrozumiałam, dlaczego jego głos wydawał mi się znajomy. Sally. Fioletowy sportowy wóz. Ten sam, który przez kilka miesięcy parkował na podjeździe pod oknem mojego salonu. Lotus czy coś takiego. No i Sophie, weterynarka. Cała nasza gromadka stoi w ogrodzie Giseli na jednym z jej przyjęć. Mój umysł jeszcze walczył, usiłując mnie przekonać, że to wszystko był zbieg okoliczności, a nie brzydka prawda, której nie chciałam zaakceptować.

— Podaliśmy mu środki uspokajające — ciągnął Martin, nieświadomy kłębowiska myśli w mojej głowie. — Pewnie go potrzymają kilka dni, zobaczą, czy dadzą radę zmniejszyć obrzęk. — Wzruszył ramionami. — Biedny facet. Nawet nie wie, że ma córkę.

Musiałam zapytać.

— Dowiedzieliście się, jak ma na nazwisko?

Martin spojrzał trochę zdziwiony.

— Znaleźliśmy w prawie jazdy. Gas-coś-tam. Gastrol? Jakieś takie dziwne.

Zaczęłam sobie przypominać wszystkie moje rozmowy z Sally. Posty na Facebooku o różnych miejscach, w których spotykała się z Chrisem na weekend. Niekończące się zdjęcia kieliszków wina to tu, to tam, wszędzie. Czyżbym popełniła błąd? Źle zrozumiała sytuację, zakładając, że ojcem dziecka Sophie jest facet w samochodzie? Martin wyraźnie tak myślał. Odtworzyłam w pamięci rozmowę w karetce. Wymieniła imię? Czy mówiła „partner"? Powiedziała mi, że nie są razem długo.

Martin przyglądał mi się, czekając na wyjaśnienie, dlaczego pytam.

— Pójdę napić się herbaty przed następnym wezwaniem — wypaliłam.

Zrobił znużoną minę, jaką często widywałam u ludzi, którym wydawało się, że już mnie zaczynają poznawać, a tu nagle bez ostrzeżenia zwodzony most podjeżdżał w górę.

Musiałam posiedzieć sama i przemyśleć, co wiem, zanim przyjdzie kolejne zgłoszenie. Dotarłam tylko do pytania: Czy Chris odszedł od Sally, a ona nam tego po prostu nie mówiła?, bo zostałam wezwana do czterdziestodwuletniego mężczyzny z palpitacjami serca. Okazało się, że wypił za dużo coli i kawy przed sesją bardzo brutalnej gry na PlayStation.

Skończyłam zmianę i pojechałam do domu, czując się, jakby głowa miała mi eksplodować. Pytania, co z Sophie i czy jej dziecko przeżyło, przeplatały się z myślami o trójkącie Sally, Sophie i Chrisa oraz niezłym gównie, w które wdepnęli. Zazwyczaj uspokajałam się mantrą: „Nie każdy umiera i nie każdy przeżywa", ale dziś okazała się ona dalece niewystarczająca.

ROZDZIAŁ 29

SALLY

Wtorek, 3 kwietnia

Zdjęcie: Kelnerki z butelkami wina, kelnerzy z tartinkami z polędwicą Wellington i quiche'em z serem kozim i burakiem.
Podpis: Nie najgorszy sposób na spędzenie dnia pracy!
#Praca #KochamTęRobotę

Była ósma wieczorem, kiedy wróciłam do domu po długim dniu pracy. Udało mi się wreszcie uciec z imprezy branżowej „Podróż odkrywców wina" dla sommelierów restauracyjnych, podczas której oni wszystkiego próbowali, a ja piłam wodę, z coraz większym trudem znosząc mizoginię, z jaką przyjmowano fakt, że to kobieta, a nie mężczyzna, może mieć wystarczająco czułe podniebienie, by zostać starszą specjalistką od zakupów wina. Pobiegłam na górę i zrzuciłam kostium, który zrobił się trochę przyciasny; to był efekt braku Chrisa nadzorującego poziom spożycia śmieciowego żarcia. Będę musiała pójść na dietę. Zaczęliśmy znacznie częściej esemesować i gadać, odkąd półtora miesiąca temu został na noc, a ostatnia rozmowa dotyczyła naszej wspólnej historii i tego, jak trudno mu wyobrazić sobie, że zostawia ją za sobą. Nie zapytałam wprost — nie chciałam go wystraszyć, ale uznałam, że może w takim razie Chris przekonuje się do myśli o posiadaniu dzieci.

Zaproponował kolację w przyszłym tygodniu w Ginger Hen, co wzięłam za dobry znak. To było nasze specjalne miejsce, gdzie często świętowaliśmy urodziny i rocznice. Gdyby chciał zakończyć nasze małżeństwo, po co miałby to robić przy trzydaniowym posiłku, z uwijającymi się wokół nas kelnerami, „Jeszcze wody? Jeszcze wina?", przedłużając agonię? Nie. Chris nie lubił dramatyzmu. Byłam pewna, że w takim wypadku raczej zaproponowałby pójście na kawę, więc może uświadomił sobie, że to, co nas łączyło, jednak warto ratować.

Właśnie mościłam się w piżamie na kanapie przed telewizorem, kiedy rozległ się dzwonek do drzwi. Pożałowałam, że nie mogę wysłać Chrisa, który znakomicie radził sobie z takimi intruzami, czujny i cięty niczym rottweiler. Nie czuł potrzeby bycia uprzejmym wobec świadków Jehowy czy domokrążców, w przeciwieństwie do mnie.

Nie cierpiałam takich wieczornych najść. A co dopiero mają powiedzieć starsi ludzie. Przeszło mi przez myśl, żeby zignorować dzwonienie, ale potem pewnie nie mogłabym zasnąć, miałabym paranoję na punkcie włamywaczy myślących, że nikogo nie ma w domu, nasłuchiwałabym brzęku tłuczonej szyby w oknie.

Krzyknęłam przez drzwi wejściowe:

— Kto tam?

— Gisela.

Znajdowała się chyba na szczycie listy osób, których towarzystwo byłam w stanie znieść: odpowiednio powierzchowna, ale wesoła i wielkoduszna. Na Kate musiałam mieć nastrój, na tę jej dziwną mieszankę asertywności, która potrafiła łatwo przerodzić się w obcesowość, i jakiejś nieśmiałości, tego, że wyglądała, jakby nigdy nie była pewna, czy wypada zostać na kawę. Nie mówiąc już o tym, że potrafiła być nieprzyjemna. Nie popełnię już więcej błędu, komentując jej metody wychowawcze. Gisela przynajmniej była prostolinijna. Nigdy na jej widok nie czułam paniki i potrzeby wymyślenia pięciu tematów rozmowy na wypadek, gdyby zapadła między nami niezręczna cisza.

— Dobry wieczór, wejdź — powiedziałam, otwierając drzwi. W głowie robiłam przegląd butelek win, zastanawiając się, które jest zimne, i czy w lodówce znajdzie się jakiś w miarę świeży ser.

Cofnęłam się, żeby ją przepuścić, czując ciekawość zmieszaną z odrobiną irytacji, mimo że na ogół doskwierała mi samotność. Przyzwyczaiłam się już jednak do cichych wieczorów, do swojej rutyny: nadrabiania zaległości w odpowiadaniu na służbowe maile, oglądania filmów i seriali na DVD, kąpieli i wczesnego kładzenia się spać.

— Przepraszam za najście, Sally, ale zobaczyłam, jak podjeżdżasz, i chciałam sprawdzić, czy wszystko okej?

— W porządku, dziękuję. — Usiłowałam złagodzić opryskliwość w moim głosie. — Właśnie weszłam, to był długi dzień, stąd ten szlafrok. — Nigdy nie byłam pewna, czy Gisela uważa mnie za beznadziejną żonę przez to, że tak dużo pracowałam i wyjeżdżałam, czy skrycie zazdrości mi kariery.

Podrapała się w nos, marszcząc czoło, jakbym powiedziała coś bardzo dziwnego. Zaczęłam się gorączkowo zastanawiać, co wywołało jej niepokój, dlaczego tu teraz przyleciała. Byłam sama od czterech miesięcy, od początku grudnia, chociaż nie wiedziałam, jak mogłaby się o tym dowiedzieć. Może po prostu zgadła, bo od dawna nie widziała Chrisa.

Chciałam się jej pozbyć. Byłam zbyt zmęczona, żeby uważać na słowa, i planowałam spędzić wieczór, szukając w internecie nowych ciuchów na tę ważną randkę z Chrisem w przyszłym tygodniu. Coś seksownego, może trochę odważniejszego niż to, do czego on i ja byliśmy przyzwyczajeni.

— Potrzebujesz czegoś ode mnie?

Zamrugała kilka razy.

— Mogę się całkowicie mylić. — Wydęła policzki, jakby sama siebie utwierdzała w przekonaniu o tym, co wie. — Czy dziś po południu Chris odzywał się do ciebie?

— Przez cały dzień miałam spotkania. A poza tym i tak jest teraz w delegacji. Pewnie porozmawiamy później na FaceTimie, tuż przed snem. — Wyrzucałam z siebie pośpiesznie słowa, żeby brzmieć przekonująco. Miejmy nadzieję, że w następną środę Chris do mnie wróci i już nigdy nie będziemy tematem plotek w Parkview.

Widząc, jak Giseli rzednie mina, przestałam koncentrować się na własnych kłamstwach, i zaczęła docierać do mnie niepewność w jej głosie.

— Sally, możliwe, że się mylę, ale byłam na Twitterze, chciałam się dowiedzieć, czy otwierają Wagamamę tam, gdzie kiedyś była pizzeria na głównej ulicy. — Wyglądała na trochę zakłopotaną, jakby właśnie się przyznała, że naprawdę ma za mało do roboty. Szybko podjęła: — Kiedy wstawiłam hasztag Windlow, wyrzuciło zdjęcia z wypadku na drodze między nami a Caterham. Strasznie mi przykro, ale wydaje mi się, że był tam Chris. Doszło do karambolu na A22 i jeden z samochodów wyglądał jak jego fioletowy lotus. Było widać początek tablicy rejestracyjnej. CLG 2 coś tam, to jego, prawda?

Gapiłam się na nią.

— Jesteś pewna? Jest ranny?

Przez jej twarz przemknął wyraz paniki.

— Nie wiem. Nie było żadnych szczegółów, tylko filmik i kilka zdjęć z przyjazdu karetek. I jeszcze podali, że w jednym z samochodów była kobieta w ciąży.

— Pokaż.

Gisela wyciągnęła telefon i po scrollowaniu, które trwało całą wieczność, znalazła wreszcie zdjęcie. Powiększyła je. Rzeczywiście wyglądało to na jego samochód — a raczej to, co z niego zostało — zgnieciony między ciężarówką a land-roverem.

— O Boże. Ale przecież gdyby to był on, ktoś już by się ze mną skontaktował? Skoro ten post jest z szesnastej trzydzieści?

Wzięłam komórkę i dopiero teraz przypomniałam sobie, że szef trzymał mnie przez godzinę, opowiadając o swoich pomysłach na nowy asortyment, a ja się spieszyłam i usiłowałam sprawdzić wszystkie ustalenia z ostatniej chwili.

— Cholera, rozładował się. Już dawno miałam zmienić telefon na nowy. Strasznie słaba bateria.

Rzuciłam się do telefonu stacjonarnego, staroświeckiego, z tarczą — próba retro ironii w wykonaniu Chrisa — i zadzwoniłam na jego komórkę. Od razu włączyła się poczta. Błysnęła mi w głowie myśl, że może nie żyje, że nigdy już z nim nie porozmawiam, nigdy nie powiem tego tysiąca rzeczy, które jeszcze musieliśmy rozwiązać. Zawsze byłam dumna z siebie, że potrafię zachować spokój w kryzysie, ale teraz miałam pustkę w głowie.

Mijając Giselę, która wydawała się równie bezradna jak ja, pobiegłam do kuchni, żeby podłączyć telefon do ładowarki.

— Możesz jeszcze popatrzeć, czy nie ma więcej informacji?! — krzyknęłam do niej. — Dokąd go mogli zabrać?

— Nie wiem. East Surrey? Croydon? Epsom? Może do któregoś z londyńskich? Podzwonić po szpitalach? Myślałam, że policja zawsze się kontaktuje z najbliższą rodziną.

Przez okno zobaczyłam, jak Kate podjeżdża pod swój dom i wysiada z samochodu.

— Jest Kate. Może będzie wiedziała, co robić.

Złapałam klucze i wyleciałam z domu prosto na deszcz, w samym szlafroku. Zawołałam do niej, a ona zrobiła taką minę, jakbym była ostatnią osobą, którą chciała widzieć.

Gisela streściła jej, co wiemy, i pokazała feed na Twitterze.

— Słyszałaś coś w pracy? — spytała.

Kate się zawahała. Unikała patrzenia mi w oczy. Ledwie w ogóle się zatrzymała, żeby z nami porozmawiać.

— Nie. Nie. Byłam dzisiaj w Betchworth. Ludzi z wszystkich poważnych wypadków drogowych wiezie się do centrum urazowego w szpitalu St Benedict's, tuż za Croydon. Jak tam zadzwonisz, powiedzą ci, na którym jest oddziale. — Zaczerwieniła się i poprawiła: — Oczywiście, jeżeli to w ogóle on. — Urwała. — Może nie.

Nie wydawała się przekonana.

Odwróciłam się do Giseli.

— Pojadę tam — oznajmiłam.

— Straszna pogoda — powiedziała Kate. — Może lepiej najpierw zadzwoń, żeby się upewnić, że tam jest? Jeśli się nim zajmują, i tak nie będziesz mogła go zobaczyć. Nie lepiej poczekać do rana?

Czekać do jutra? Jaka normalna żona siedziałaby w domu, kiedy jej mąż może być w stanie krytycznym?

Popatrzyłam na nią wyczekująco. Chciałam, żeby mi powiedziała, że podzwoni i dowie się jak najwięcej. Mimo naszej kłótni o Daisy zawsze czułam, że w głębi serca jest dobrym człowiekiem. A teraz wyglądała, jakby chciała się schronić w swoim domu i zjeść fasolkę z tostem, zamiast mi pomóc w potrzebie.

Zanim zdążyłam coś powiedzieć, zza rogu wyjechał radiowóz. Poczułam, że miękną mi kolana. Przez sekundę stałyśmy w kompletnej ciszy. Radiowóz mijał powoli dom Giseli, policjanci ewidentnie wypatrywali w deszczu numerów posesji. Podbiegłam w ich kierunku na chwiejnych nogach. Gisela za mną, kątem oka dostrzegłam, że Kate znika za drzwiami swojego domu.

Z radiowozu wysiadła trzydziestokilkuletnia policjantka.

— Szukam Sally Gastrell?

— To ja. — Zamknęłam usta, zanim wydobył się z nich krzyk, który czaił się w głębi gardła.

— Możemy wejść do środka?

— Mam wejść z tobą? — zwróciła się do mnie Gisela.

Kiwnęłam głową. Ręce tak mi się trzęsły, że policjantka wzięła ode mnie klucze i otworzyła drzwi. Weszłyśmy do salonu i usiadłyśmy.

Policjantka położyła dłonie na kolanach.

— Może mi pani powiedzieć, czy jest spokrewniona z Chrisem Gastrellem? — Brzmiało to tak, jakby miała co do tego jakieś wątpliwości.

— To mój mąż, jesteśmy dziesięć lat po ślubie. Co się stało? — Powiedziałam to głośniej, niż zamierzałam. Gdyby była tu moja matka, z pewnością łypnęłaby na mnie gniewnie, że nie okazuję wystarczającego szacunku funkcjonariuszce. W piersi wzbierał mi szloch.

Policjantka zmarszczyła brwi, jakby spodziewała się innej odpowiedzi.

— Czy coś mu się stało? Jest ranny? — To dziwne, ale wydawało mi się bardzo ważne, żeby nie dawać po sobie poznać, że od pewnego czasu byliśmy w faktycznej separacji.

Kobieta powiedziała o wypadku: że była jednym z funkcjonariuszy na miejscu i że Chris prosił ją, żeby się ze mną skontaktowała, zanim trzeba było mu podać środki uspokajające.

— Zawieziono go do szpitala St Benedict's.

— Jest na intensywnej terapii? — Zająknęłam się przy tych strasznych słowach, przywołujących obraz przewodów i rurek. — Czy on umrze?

Policjantka spojrzała przepraszająco.

— Miał fachową opiekę na miejscu. Ale nie znam żadnych szczegółów medycznych. Wszystko pani powiedzą w szpitalu. Czy wie pani, dokąd jechał mąż?

— Nawet nie miało go być dzisiaj w Wielkiej Brytanii. Myślałam, że jest w Paryżu. Może wracał z lotniska?

— Nie wiem — wzruszyła ramionami. — Był na A22 w pobliżu Caterham.

Czyli jakby po drodze z Gatwick, ale nie do końca. Może M23 została zamknięta. Nie rozumiałam, jakie znaczenie miało to, dokąd jechał.

— Chciałabym teraz pojechać do szpitala.

Policjantka skinęła głową.

— Jest pani w stanie prowadzić? Albo ma inny transport?

Gisela położyła mi rękę na ramieniu.

— Zawieźć cię?

Chciałam odmówić, ale uświadomiłam sobie, że niezbyt stabilnie trzymam się na nogach.

— Mogłabyś? Dziękuję. Pójdę się tylko ubrać.

— Skoczę do siebie i dam znać Jackowi, co się dzieje.

Policjantka zawahała się w progu, jakby miała coś jeszcze do powiedzenia.

Nie miałam czasu na jej rozterki. Przeszłam obok niej i otworzyłam drzwi wejściowe.

— No to do widzenia — powiedziałam. — Dziękuję, że pani przyjechała.

W końcu wyszła, zaraz za nią Gisela. Zostawiłam uchylone drzwi i pognałam na górę. W samych majtkach szukałam ciuchów, nie dbając o to, że wszystkie poniewierają się teraz na podłodze, chociaż, odkąd wyszłam za Chrisa, nauczyłam się je starannie składać.

Kiedy zbiegłam na dół, Gisela już wróciła.

Mrużyła oczy, jakby usiłowała coś zrozumieć. Ruszyła do samochodu, mówiąc:

— Gotowa?

Wskoczyłyśmy do jej garbusa i wystartowałyśmy z rykiem silnika. Przyglądałam jej się kątem oka. W jej twarzy było coś, co mnie przestraszyło. Taką samą minę miał tata, kiedy mi powiedział, że dziadek choruje na raka. To była mina osoby, która wie, że musi powiedzieć ci prawdę, ale wolałaby nakłamać ile wlezie, gdyby tylko mogło jej to ujść na sucho.

W końcu przerwała milczenie.

— Mogę ci coś powiedzieć, zanim tam dojedziemy, w razie gdyby w szpitalu doszło do jakiegoś nieporozumienia?

Serce podskoczyło mi do gardła.

— Co?

Wyrzucała z siebie słowa, jakby musiała się ich pozbyć.

— Czekając na Jacka, żeby wyszedł z łazienki, zerknęłam jeszcze na Twittera. Jakiś cholerny sęp zrobił zdjęcie samochodu Chrisa i napisał: „Modlę się, żeby ciężarnej żonie tego faceta nic się nie stało”.

Poczułam złość. Nerwowo przełknęłam ślinę.

— Co za idiota w ogóle robi zdjęcia wypadku? To musiała być koleżanka z pracy albo ktoś, kogo podwoził.

Gisela patrzyła przed siebie. Jednak wiedziałam, że fakt, iż nie widziała Chrisa od kilku miesięcy, nie umknął jej uwadze.

Roześmiałam się chrapliwie.

— Jestem pewna, że ciężarna kobieta nie ma z nim nic wspólnego. Nie mógłby mieć dziecka. Nie znosi dzieci.

Jej brak odpowiedzi wskazywał, że nie jest przekonana.

Bardziej do siebie niż do niej powiedziałam:

— Mieliśmy iść w środę do Ginger Hen. Teraz nic z tego.

Oparłam się o zagłówek.

Gisela prowadziła, jak na nią wyjątkowo milcząca. W głowie mi huczało. Z jednej strony zastanawiałam się, jak poważnie ranny jest Chris, czy wróci do pełni zdrowia, a z drugiej — analizowałam rozmowę z policjantką, to lekkie wahanie, jakby usiłowała się czegoś ode mnie dowiedzieć, jakby moje miejsce w życiu Chrisa nie było tak jasno określone, jak można by się spodziewać. Raz po raz dawałam wyraz swojemu zdenerwowaniu, wygłaszając chaotyczne tyrady.

— Powinno być jakieś prawo zabraniające zamieszczania zdjęć z wypadków w internecie. Dlaczego policja na to pozwala?

— Pewnie zaraz po wypadku skupiają się na pilnowaniu, żeby inne samochody się nie zderzyły. A ludzie są tak przyzwyczajeni do fotografowania, że zapominają, iż wszystko wokół nich dzieje się w realu.

Kiedy zbliżałyśmy się do rejestracji SOR-u, wyczułam w Giseli jakąś powściągliwość, jakieś ociąganie. Może była jedną z tych osób, które z trudem znoszą bliskość chorób i chorych.

— Chcesz poczekać na mnie na zewnątrz?

— Nie, jeśli wolisz, żebym z tobą weszła. — Zatrzymała się i dotknęła mojej ręki. — Chodź. Może nie będzie tak źle, jak myślisz.

Pchnęłam drzwi. Twarze ludzi na krzesłach w poczekalni zlały mi się w niewyraźną plamę, nie obchodziło mnie, czy ktoś pokaleczył się w szklarni albo myślał, że ma zawał. Wiedziałam, że jest źle. Miałam męża na intensywnej terapii.

Podeszłam do rejestracji. Gisela została z tyłu, żeby pozwolić mi załatwić sprawę, ale kiedy powiedziałam, że mój mąż miał wypadek samochodowy i chyba jest na intensywnej terapii, a rejestratorka poprosiła mnie łagodnym tonem o jego nazwisko i datę urodzenia (chociaż jeszcze chwilę wcześniej jej mina wyrażała: Jest kolejka na trzy godziny czekania), zaczęłam płakać. Szlochałam tak, że nie mogłam oddychać, jakby kasztan utknął mi w tchawicy.

Gisela przejęła pałeczkę, położyła mi dłoń na ramieniu i pokierowała w stronę oddziału intensywnej terapii neurologicznej. Miałam nadzieję, że zapamiętała, którędy iść: skręcić w prawo przed rentgenem, dalej przez podwójne drzwi... i co tam jeszcze dzieliło mnie od chwycenia mojego męża za rękę.

Cokolwiek zagubiło się między jego pragnieniem wolności — by wspiąć się jak najwyżej na drabinie kariery, bez ciężaru rodzinnych zobowiązań — a moim marzeniem o wychowywaniu następnego pokolenia, on przegrywał, wygrywał i blefował u mojego boku, kiedy razem szliśmy przez świat. To przy nim przeżyłam ten ważny okres przejściowy, między dwudziestym rokiem życia a trzydziestym, kiedy zmieniłam się z osoby wiedzącej wszystko najlepiej, w taką, która ma świadomość, że do właściwej odpowiedzi dochodzi się z czasem.

No i go kochałam.

W końcu znalazłam się przy rejestracji na oddziale neurologicznym i wwiercałam się wzrokiem w tył głowy pielęgniarki, która siedziała w rogu małego pomieszczenia, pisząc coś na komputerze. Spojrzała na mnie i się uśmiechnęła.

— Przyszłam odwiedzić Chrisa Gastrella — mój głos brzmiał obco.

— A kim pani jest?

— Jego żoną, Sally. Czy mogę go zobaczyć? W jakim jest stanie?

— Żoną? — Znów ta zdziwiona mina. Może większość żon po otrzymaniu wiadomości, że ich mąż jest na intensywnej terapii, wyrażało lekki żal i obiecywało, że za parę dni, jak tylko skończą oglądać *Obsesję Eve*, wpadną do niego? Jakby w szpitalu nie spodziewali się, że przyjdę. — Muszę tylko coś sprawdzić. — Ruchem głowy wskazała mały pokoik. — Proszę tam chwilę zaczekać.

Opadłam na plastikowe krzesełko, wsłuchując się w odgłos jej kroków oddalających się szybko korytarzem.

Gisela była wyraźnie zaniepokojona.

— Dobrze się czujesz?

Ciekawe, czy osoby innej narodowości odparłyby: A jak, kurde, ci się wydaje? Na szczęście dla niej byłam brytyjska do szpiku kości. Na dolnej linii rzęs zbierały mi się koraliki łez.

— Myślisz, że nie żyje? Że poszła po kogoś, kto mi o tym powie?

— Cii… — Gisela starała się mnie uspokoić, wydając kojące dźwięki. Siedziałyśmy osłupiałe, wśród grzechotliwych odgłosów wózków pchanych korytarzem, jęków bólu, pikania urządzeń. Makabryczny soundtrack życia, którego nie chciałam znać. Jak na kogoś, kto mógłby stanąć w szranki z moją matką, jeśli chodzi o umiejętność paplania w każdej sytuacji, nawet Gisela wydawała się bezradna.

Po około pięciu minutach poczułam, że nie usiedzę ani sekundy dłużej, nie wiedząc, czy Chris żyje. Zerwałam się z krzesła.

— Muszę się dowiedzieć, co się dzieje.

Ruszyłam przed siebie, Gisela dreptała za mną. W której jest sali?

Wreszcie pojawiła się pielęgniarka i znów kazała nam czekać. Miała dziwny wyraz twarzy, jakby wolała już opróżniać baseny pacjentów, niż ze mną rozmawiać.

— Ktoś u niego jest w tej chwili — powiedziała. — Jeszcze momencik.

— Ale czy z nim wszystko dobrze?

— Lekarz jutro z panią porozmawia. Mąż jest w tej chwili pod wpływem środków uspokajających, to znaczy… nieprzytomny. Monitorujemy go bardzo dokładnie. Proszę jeszcze minutkę poczekać w tamtym pokoiku. Zawołam panią, kiedy tylko będę mogła.

Wyczułam, że chce się mnie pozbyć. Nigdy nie czułam się bardziej niepożądana, mniej pozbierana.

Gisela pociągnęła mnie delikatnie za rękę. Miałam ochotę odkręcić się i jej wyrwać.

— Chodź — powiedziała — usiądźmy.

— Myślisz, że na czym polega problem? Dlaczego po prostu nie mogę tam wejść? — Czułam, że za chwilę pobiegnę korytarzem i zacznę wdzierać się do wszystkich sal, dopóki nie znajdę męża.

Pozwoliłam Giseli zaprowadzić się z powrotem do pustawego pomieszczenia z jasnoniebieskimi zasłonkami i nijakim obrazkiem przedstawiającym łąkę.

Akurat, jak tam dotarłyśmy, przeszedł koło nas sanitariusz pchający na wózku kobietę z wyprostowaną i unieruchomioną nogą.

— Pani nie płacze, pani kochana. Wyjdzie z tego. Zobaczy pani. Za parę dni będzie zdrów jak ryba. Ani się pani obejrzy, a już będzie kołysał dzieciaczka. Wracajmy na ortopedię, zanim dostanę ochrzan od oddziałowej. Powiedziałem jej, że idziemy najwyżej na dziesięć minut, żeby tylko mogła mu pani powiedzieć, że został tatą. Na pewno usłyszał. No, no, już nie płaczemy. Musi pani o siebie zadbać dla tej małej.

I dalej tak ćwierkał, a ona siedziała zgarbiona, zbolała i milcząca, przy czym i tak udawało jej się wyglądać ładnie — z aureolą mocno kręconych blond włosów wokół głowy — mimo płynących po policzkach łez. Ładnie i znajomo. Najwyraźniej jednak też była ofiarą jakiegoś wypadku, bo miała pokaleczoną, posiniaczoną twarz.

Nagle zaskoczyło. Szepnęłam do Giseli.

— Czy to nie ta weterynarka z przyjęcia u ciebie? Sophie jakaś tam?

Gisela się odwróciła.

— Kto? Ta dziewczyna na wózku?

Powinnam się spodziewać, że Gisela nie będzie zdolna ściszyć głosu do poziomu wymaganego, żeby mówić dyskretnie o kimś znajdującym się półtora metra od nas.

Kobieta odwróciła głowę, a potem szybko uciekła wzrokiem. To była na pewno ona. Uznałam, że nie wypada jej zatrzymywać i pytać, co się stało.

W tym momencie wróciła pielęgniarka i przywołała nas skinieniem dłoni.

— Jest tam, o, w tej sali. Podano mu środki uspokajające, więc nie będzie mógł z panią rozmawiać, ale być może panią usłyszy. — Wyjaśniła, że ma obrzęk mózgu spowodowany siłą uderzenia, na ile mogą to na razie potwierdzić na podstawie tomografii. Podają mu te leki, żeby zmniejszyć ciśnienie wewnątrzczaszkowe, bo wtedy powinien ustąpić obrzęk.

Kiedy weszłyśmy na salę i zobaczyłam, jak leży z rurką w gardle, podłączony do różnych monitorów, wydałam cichy okrzyk przerażenia.

Gisela zaciągnęła zasłonkę wokół nas i powiedziała:

— Zaczekam na zewnątrz. Dam wam trochę prywatności.

Wzięłam go za rękę. Spodziewałam się, że będzie zimna, ale była ciepła. Przyglądałam się, jak jego klatka piersiowa wznosi się i opada. Popatrzyłam na jego ręce, na palce z rzadkimi ciemnymi włoskami u podstawy, starając się, by ich kształt wrył mi się w pamięć, w razie gdyby to był koniec. Gdybym naprawdę miała spędzić resztę życia bez niego. Tak bardzo chciałam dziecka, że go odepchnęłam. A teraz mogę nie mieć też jego. Pomyślałam o ostatnich pięciu miesiącach. O tym, że kiedy dzwonił, odczekiwałam kilka sygnałów i odbierałam dopiero tuż przed włączeniem się poczty. Że celowo zamieszczałam na Facebooku zdjęcia, na których piłam w knajpach, siedziałam w restauracjach z kolegami z pracy, wznosiłam toasty w winnicach na całym świecie. Z niewidocznym hasztagiem: wcale za tobą nie tęsknię.

Ależ byłam głupia.

ROZDZIAŁ 30

KATE

Czwartek, 5 kwietnia

Nie mogłam znaleźć sobie miejsca. Musiałam wiedzieć, czy to dziecko przeżyło. Nauczyłam się nie angażować emocjonalnie w sprawy pacjentów, inaczej nie mogłabym otrząsnąć się z tego, co widziałam. Ale tym razem było inaczej. Kiedy usiłowałam zasnąć, widziałam pod powiekami jakby wypalone w moim mózgu obrazy tego drobniutkiego ciałka. Słyszałam żałosne kwilenie ze zbyt słabo rozwiniętych płuc. A przede wszystkim pamiętałam wyraz oczu Sophie. Przejście od bólu do pragnienia, by chronić, kiedy tylko wzięła córkę na ręce. W takich chwilach za każdym razem przypominałam sobie Becky. Nawet teraz, kiedy w oczach stawała mi jej twarz, musiałam odganiać ten obraz. Nie mogłam znieść wspomnienia tych katuszy, szarpiącego, powalającego bólu ogarniającego całe jej ciało.

Jak zawsze, kiedy moje myśli zapuszczały się w ciemne zaułki, chociaż zwykle starałam się je okiełznać, chciałam mocniej przytulać Daisy i prosić, żeby jeszcze bardziej uważała (zamiast krótkiego: „Bądź ostrożna"), kiedy wychodziła z domu. Musiałam walczyć z poczuciem, że w każdej chwili mogę ją stracić. Czy wiedziałaby wtedy, jak bardzo ją kocham? W tej chwili przypominałyśmy wrogów żyjących w warunkach niełatwego rozejmu. Przez ostatnie dwa dni wstawałam wyjątkowo wcześnie, żeby mogła poczuć domieszaną do jajecznicy na śniadanie... miłość. Niestety nie przyniosło to jeszcze spodziewanego efektu.

Dzisiejszy ranek nie był wyjątkiem.

— Dlaczego nagle tak wcześnie wstajesz, żeby mi zrobić śniadanie?

W naszym domu nie było już czegoś takiego jak prosta rozmowa. W każdym zdaniu, w każdym pytaniu, które padało z ust Daisy, czaiło się oskarżenie.

— Uważam, że naprawdę ciężko pracujesz, ucząc się do matury, więc chcę mieć pewność, że zaczynasz dzień z czymś dobrym i ciepłym w żołądku, zanim pójdę do pracy.

Próbowałam nie czuć się krytykowana. Daisy nie była typem dziewczyny, której możesz wywalić kawę na ławę i od razu zająć się rozwiązaniem problemu. Znacznie bardziej przypominała Oskara — trzeba było zerwać zewnętrzną warstwę, żeby dosięgnąć ukrytych pod spodem emocji, tak jak technik kryminalistyki odsłania warstwy gleby, szukając śladów. Kilka razy wspomniałam o tym, co Sally powiedziała mi o Oskarze, starając się „stworzyć okazje do rozmowy" godne idealnego rodzica. Ale Daisy odnosiła się do mnie tak, jakby to była moja wina, że Oskar miał nowe dziecko i się z nią nie kontaktował. A przecież błagałam go, żeby zaangażował się w jej wychowanie, był częścią życia córki. W końcu, po kilku kolejnych rzuconych drwiącym tonem uwagach, jak to „tacie tak trudno jest wrócić do Wielkiej Brytanii", straciłam cierpliwość i powiedziałam:

— Rozumiem, jakie to okropne, dowiedzieć się, że masz brata przyrodniego i drugą rodzinę, której w tej chwili nie jesteś częścią. Ale prawda jest taka, że tata nas zostawił i postanowił wyjechać na stałe do Argentyny. — Starałam się, żeby nie zabrzmiało to jak użalanie się nad sobą, ale poczułam potężny przypływ gniewu. — Przykro mi z powodu tego, co się stało. Nikt nie chciałby bardziej ode mnie, żebyśmy nadal były w domu z twoim tatą, prowadząc normalne, nudne życie. Wiem, że łatwo mnie obwiniać, ale ostatecznie to ja się tobą zajmowałam, ja jestem z tobą dzień w dzień. Za nic bym tego nie oddała, ale to nie twój tata wziął za ciebie odpowiedzialność, tylko ja.

Przez całe życie chodziłyśmy wokół siebie na paluszkach, bałyśmy się być matką i córką, które wykrzykują sobie słowa prawdy. A teraz Daisy wzięła się pod boki i wypaliła:

— Nie masz pojęcia, jakie to trudne, mieć nie swoje imię, nie swoje nazwisko. Być pozbawionym tożsamości rodzinnej. Nie móc nawet rozmawiać o tym, gdzie spędziłaś dzieciństwo, do których szkół chodziłaś, koło kogo siedziałaś w zerówce. I w dodatku ty monitorujesz wszystko, co wrzucam na social media, co komu mówię. Nie mogę tu nikogo zaprosić, nie mówiąc już, Boże uchowaj, o zrobieniu imprezy. Nie moja wina, że spieprzyło ci się życie i moje też przy okazji. A jak to będzie, kiedy sama będę mieć dzieci? Też będą kłamać o tym, skąd pochodzą? Jak mam w ogóle stworzyć z kimś związek, jeśli nie wolno mi powiedzieć chłopakowi, kim jestem? To jest strasznie głupie. Nawet nie mogę mieć cholernego smartfona, bo jeszcze ktoś się zorientuje, gdzie jestem. — Rąbnęła swoją nokią i wybiegła.

Po raz setny przeklęłam Oskara, że uznał swoją pierwszą rodzinę za zbyt skomplikowaną i wybrał łatwe wyjście, zakładając drugą z kimś innym.

Wyobraziłam sobie, jakby to było wszystkim się przyznać. Patrzeć, jak wydłużają im się miny, jak się cofają, jakby moja tragedia była zaraźliwa. Połowa wyraża współczucie, pozostali po cichu czują odrazę, są podejrzliwi. Czy naprawdę zdołałabym wrócić do wyłapywania ciekawskich spojrzeń na ulicy, do słuchania obelg wykrzykiwanych pod moim oknem, do poczucia, że w pracy przekierowują zgłoszenia do innych załóg? Nie miałam nic, co mogłabym udowodnić, z czym pójść do kierownictwa, tylko przeświadczenie, że jestem spychana na boczny tor i nikomu nawet się nie chce wysłuchać mojej wersji wydarzeń — albo nie jest co do niej przekonany.

Nigdy nie potrafiłam znaleźć prawidłowych odpowiedzi. Pozbyć się uczucia, że nie ma dobrego rozwiązania. Zanim teraz spróbowałam porozmawiać z Daisy, wyszła z domu, trzaskając drzwiami. Patrzyłam przez okno, jak puka do Giseli. Byłabym szczęśliwa, gdyby mój jedyny problem polegał na tym, że córka nie nauczyła się piec sufletu.

W pracy był taki młyn — wezwanie do śpiączki cukrzycowej, ataku astmy, a do tego jak zwykle kilka fałszywych alarmów: ból pleców, infekcja ucha i dziecko, które połknęło trochę mydlin — że nie miałam czasu zadręczać się natrętnymi myślami. Ostatnim zgłoszeniem było podejrzenie udaru. Kiedy zajechaliśmy do centrum urazowego, zobaczyłam Elaine, jedną z pielęgniarek z SOR-u, która miała dyżur, kiedy przyjmowano Sophie.

— Wiesz może, co z tą kobietą, która we wtorek urodziła w karetce? — spytałam.

— Dziecko jest na OIOM-ie noworodków, ale nie wiem, w jakim stanie. Matkę chyba przyjęli na ortopedię.

Chociaż powtarzałam sobie, że Sophie, jej córka i cały dramat z Chrisem to nie moja sprawa, zaraz po skończonej zmianie wróciłam do szpitala. Szłam korytarzami i czułam się dziwnie bezbronna bez mojego uniformu ratowniczki.

Wyjaśniłam, kim jestem, pielęgniarce w rejestracji na ortopedii.

— Lepiej zapytam, czy będzie chciała się z panią zobaczyć. Na razie przychodziła tylko rodzina. — Zniknęła w głębi korytarza.

Mówiła takim tonem, jakbym była budowlańcem, który wraca, żeby tłumaczyć się z fuszerki, a nie osobą, która prawdopodobnie uratowała dziewczynie życie. I także, mam nadzieję, jej dziecka.

Pielęgniarka wyjrzała z pokoju Sophie.

— Może pani wejść na kilka minut.

Szybko wemknęłam do sali.

— Dzień dobry, Sophie. Jestem Kate. Ratowniczka medyczna, która cię tu przywiozła.

Kiwnęła głową.

— Pamiętam. Przynajmniej trochę. Byłaś naprawdę dobra i miła. Uratowałaś moje dziecko. I mnie chyba też. Zaraz mają mnie do niej zabrać.

Podeszłam do okna, żeby nie widziała łez w moich oczach.

— Ile ważyła? Nadałaś już jej imię?

— Kilo sześćdziesiąt siedem. Chris chciał ją nazwać Lola, więc tak właśnie zrobiłam. — Przełknęła ślinę, a ja znów pomyślałam o tym, jak często widuję w swojej pracy radość idącą w parze ze smutkiem. Odchrząknęła i mówiła dalej. — Wydawała mi się taka maleńka, ale powiedzieli, że wszystko z nią dobrze, chociaż muszą cały czas monitorować jej oddech i pracę serca. Miała rurkę w nosie.

Odczekałam chwilę, żeby opanować wzruszenie.

— To wygląda przerażająco — powiedziałam — ale chodzi po prostu o to, żeby dostawała wszystkie odpowiednie składniki odżywcze. Ma najlepszą opiekę. Zdziwiłabyś się, jak szybko noworodki wychodzą na prostą. A jak ty się czujesz? Jak noga?

— Chyba w porządku. Rano był u mnie lekarz i nie wydawał się bardzo zaniepokojony. Miałam wczoraj transfuzję, a rano przy kontroli pielęgniarka wyglądała na zadowoloną. O siebie nie dbam. Chcę tylko przytulić córeczkę, mieć pewność, że nic jej nie jest.

W tych kilku słowach podsumowała prawdę o macierzyństwie.

— Wiesz, gdzie jest Chris?

Pokręciłam głową, czując się jak zdrajczyni wobec Sally, i odparłam:

— Nie. Widziałaś się z nim?

— Zawieźli mnie do niego na wózku późnym wieczorem pierwszego dnia, chociaż zalecali odpoczynek.

Ale nie chciałam zasnąć, dopóki go nie zobaczę. Pozwolili mi zostać tylko kilka minut. Czy po urazie głowy ludzie naprawdę dochodzą do siebie? Powtarzali tylko, że czekają, aż obrzęk mózgu ustąpi, a potem odstawią leki i go obudzą.

— Nic nie wiem o jego stanie, ale ludzie po takich obrażeniach mogą wrócić do pełni zdrowia. Ma zapewnioną najlepszą opiekę. — Wbrew przypływowi lojalności wobec Sally i tak miałam nadzieję, że Sophie i Chris będą żyli długo i szczęśliwie. Żadna córka nie powinna wychowywać się bez ojca.

Sophie patrzyła z beznadziejnym smutkiem.

— Nie zniosę tego, jeśli on nigdy nie zobaczy Loli. Jeśli ona nigdy nie pozna taty.

Wzięłam ją za rękę, czując przebłysk złości, że Oskar zdecydował się nie uczestniczyć w życiu Daisy, podczas gdy niektórym nawet nie była dana taka szansa.

— Wiem, że jest ciężko — powiedziałam — ale staraj się nie martwić na zapas. Będziesz świetną mamą. Niedługo staniesz na nogi. Chris też, mam nadzieję.

Przekrzywiła głowę.

— Czy my się już nie spotkałyśmy? To znaczy poza tym, że mnie ściągnęłaś z pasa zieleni? Wyglądasz bardzo znajomo.

Kiwnęłam głową.

— Mieszkam w Parkview, gdzie w zeszłym roku pilnowałaś domu swojej znajomej. Spotkałyśmy się ze dwa razy na imprezach u Giseli.

Przyjrzała się dokładnie mojej twarzy. Uświadomiła sobie, że znam jej sekrety. Takie, przed wyjawieniem których chcielibyśmy mieć czas i spokój, żeby przygotować scenę, przedstawić je pod innym kątem i pokazać się w znacznie lepszym świetle.

Spuściła głowę.

— Nie chcieliśmy, żeby to się stało. W przyszłym tygodniu miał powiedzieć żonie. — Spojrzała mi w oczy, chociaż głos jej zamarł. — Czy Sally już wie o mnie?

— Nie mam pojęcia — odparłam. Mogłam powiedzieć, co myślę o romansie Sophie z żonatym mężczyzną, nie wspominając już o zaniedbaniu antykoncepcji. Chciałam bronić Sally, a na karcie Sophie wypisać moją dezaprobatę wobec zachowania jej i Chrisa. Wiedziałam jednak, jak to jest być osądzaną. Wiedziałam, jak bardzo ludzie, znający mniej więcej dziesięć procent faktów, lubią się wymądrzać na temat rzeczy, które ich w ogóle nie dotyczą. I że trudno wskazać różnicę między tym, czy romans skończy się gorzko, czy rozwinie się i przetrwa pod naporem życiowych przeciwności. Kropla octu i szczypta soli potrafią zmienić cały smak potrawy, a to też niełatwo zrozumieć.

— Moja praca polega na ratowaniu ludziom życia, nie na ich ocenianiu. Musisz odpoczywać. Trzymaj się.

— Dziękuję. Zrobię wszystko, żeby Lola była bezpieczna.

Odwróciłam się i odeszłam.

Dzięki mnie matka urodziła córkę. I rozpaczliwie pragnęłam, by ta córka poznała swojego ojca. Wierzyłam bardziej niż kiedykolwiek, że jeden błąd nie powinien oznaczać wiecznej kary.

Może pewnego dnia wybaczę nawet sobie.

ROZDZIAŁ 31

GISELA

Czwartek, 5 kwietnia

Zdjęcie: Gisela z Olliem noworodkiem na rękach i uśmiechnięty szeroko młody Jack.
Podpis: Wszystkiego najlepszego z okazji urodzin, Ollie! Nie mam pojęcia, gdzie podziały się te dwadzieścia dwa lata. Wspaniałego dnia. #TakDumnaZCiebie #ŚwiatUTwoichStóp

Późnym wieczorem wróciłam od Sally, wycieńczonej i zapłakanej po frustrującym dniu w szpitalu, gdzie rozminęła się z lekarzem i nadal nie wiedziała, co dokładnie dzieje się z Chrisem. Ogarnęła ją taka rozpacz, że wyrywały mi się komunały w rodzaju: „Współczesna medycyna może dziś zdziałać cuda". Udało mi się ugryźć w język, zanim powiedziałam, że z tego wyjdzie, bo jednak arogancją byłoby twierdzić, iż wiem więcej od neurologa.

Kiedy tylko weszłam do domu, Jack zbiegł po schodach. Niepokój ścisnął mi serce. Tęskniłam za czasami, kiedy zakładałam, że jak ktoś gna na złamanie karku, to po to, by przekazać dobre wieści: Jackowi zaakceptowano ofertę budowy nowego kempingu, Hannah zdała prawo jazdy, Ollie dostał się na studia. Albo chociaż ktoś znany polubił post któregoś z dzieciaków na Instagramie. Zachwyt, jaki mógł przynieść lajk od Brooklyna Beckhama, został wyparty przez strach przed nieznanym. Strach przed tym, jakie jeszcze cholerstwo będzie próbowało mnie wykończyć. Strach, że Jack zostanie aresztowany, stracimy dom, Hannah stanie się jedną z tych zagubionych osób, które nigdy nie odnajdą swojej drogi w życiu, że będzie dryfować, aż zgorzknienie i uraza zastąpią cały jej potencjał bycia dumną ze swojego miejsca w świecie. Gorsze od tego wszystkiego było przerażenie, że nigdy więcej nie zobaczę Olliego, nigdy go nie przytulę i nie poczuję scalającej nas miłości. Nie pozwalałam sobie nawet myśleć o tym, co się stanie, kiedy urodzi się ich dziecko. Czy to naprawdę możliwe, że będę babcią, która nie pozna swojego wnuka i będzie mówić o synu i jego rodzinie, że „nie utrzymują stosunków"?

Dopadł mnie Jack, machając telefonem.

— Natalie urodziła.

— O rany boskie! Co pisze?

Twarz Jacka się zachmurzyła. Podał mi komórkę.

„Alfie Oliver Webster, urodzony o 6.00, 5 kwietnia 2018. 3400 g" — przeczytałam.

Piętnaście godzin temu. Mojemu synowi urodziło się dziecko, a ja się dowiaduję o tym dopiero teraz.

Spojrzałam na Jacka.

— Ollie został ojcem w swoje urodziny.

Jack kiwnął głową.

— Nie wydaje się możliwe, że jest tatą, co? Czuję się, jakbym to ja wczoraj została mamą. Pamiętasz, kiedy przyszedł na świat, z tą grzywą włosów? No i patrz, nie wybrali naszego nazwiska.

Kiedy Jack ocierał łzę, mnie zalała fala sprzecznych emocji. Nazwisko to małe piwo, chociaż przypieczętowało moją antypatię do Natalie. Żadne z kłębiących się we mnie uczuć nie odpowiadało mglistemu wyobrażeniu, jakie kiedyś miałam o radosnym momencie zostania babcią. Myślałam, że będę przynajmniej po pięćdziesiątce, a nie że zobaczę, jak ojcem zostaje mój syn będący jeszcze dzieckiem. Chłopiec, który niecałe osiem miesięcy temu kłócił się z Hannah, kto zjadł ostatniego loda Magnum. Czy trzymał Natalie za rękę, kiedy rodziła? Uspokajał ją, że wszystko będzie dobrze, kiedy krzyczała? Wziął syna w ramiona i szeptał, że nigdy go nie zawiedzie? Po prostu nie potrafiłam wyobrazić sobie Olliego w tej roli. Zawsze, kiedy Titch był chory albo miał biegunkę, Olliemu pierwszemu zbierało się na mdłości. Gdybym nie czuła się taka nieszczęśliwa, roześmiałabym się, wyobrażając sobie jego reakcję na urodzenie łożyska.

Poza szokiem i niedowierzaniem czaił się smutek, wypływający na powierzchnię jak nurek, któremu kończy się oddech. Głęboki, bezbrzeżny smutek z powodu wszystkiego, co straciłam. Przede wszystkim dlatego, że Natalie tak szybko i zręcznie odebrała mi Olliego, ledwo zdążyłam rozpoznać zagrożenie. Byłam głupia, myśląc, że mogę z nią konkurować, a moja matczyna miłość bezinteresownie dawana przez dwie dekady może przebić zaledwie roczny związek. Teraz mojemu synowi, mojemu dwudziestodwuletniemu synowi, urodziło się dziecko, a ja w tym nie uczestniczyłam. Żadnego ostrzeżenia, telefonu bladym świtem, że mam wnuka. Nie dostał nawet naszego cholernego nazwiska.

Zastanawiałam się, czy do Olliego doszedł list, który włożyłam do koperty razem z kartką urodzinową. Istniała szansa, że skoro był w szpitalu ponad dobę, jeśli poród trwał długo, to jeszcze go nie przeczytał. Przepraszałam w nim, szczerze i bez zastrzeżeń — przynajmniej na papierze. Napisałam, że nie miałam racji, byłam dogmatyczna i zaślepiona. I najbardziej na świecie liczyło się dla mnie to, żeby był szczęśliwy. Ja dokonałam swoich wyborów, czasami niedoskonałych i pełnych błędów, a on, oczywiście, powinien dokonać swoich. Dodałam jeszcze, że nie traktowałam go jak dorosłego, bo dla mnie zawsze będzie moim małym synkiem, i może zrozumie to, kiedy sam ma zostać rodzicem. A wszystko, co powiedziałam, wynikało z miłości, chociaż teraz pewnie tego nie dostrzega. Czy moglibyśmy porozmawiać?

Objęłam Jacka.

— Nie przysłał zdjęcia. Nie dostałam nawet cholernego zdjęcia mojego własnego wnuka.

Otarł oczy.

— Daj mu czas. Niech sobie uświadomi, że rodzicielstwo nie jest nauką ścisłą, jak mu się wydaje.

Zrobiłam nam herbaty. Siedzieliśmy pogrążeni w myślach, w dziwnej pułapce — czuliśmy się zdruzgotani czymś radosnym.

— Mam nadzieję, że Ollie się trzyma — powiedziałam bardziej do siebie niż do Jacka. — Urodzenie się dziecka to taki szok dla systemu. — Ciekawe, kiedy Natalie wyjdzie ze szpitala.

Rozważałam właśnie spędzenie reszty wieczoru na kanapie, zwinięta w kłębek, tak zajęta użalaniem się nad sobą, że nie miałam nawet energii, by poszperać w kredensie w poszukiwaniu awaryjnej czekolady, kiedy zadzwonił telefon. Adwokat Jacka, Graham. Od razu go poznałam po absurdalnie wesołym tonie. Zapewne życie umilała mu myśl o pobraniu astronomicznego honorarium od swojego klienta za znalezienie okoliczności łagodzących (rozrzutna żona, wygórowane ambicje, a może kupno za dużego domu?).

Zaschło mi w gardle.

— Jack. Telefon do ciebie. — Żaden adwokat nie dzwonił o dziewiątej wieczorem, jeśli nie miał do powiedzenia czegoś ważnego.

Rozpoznałam po sposobie, w jaki Jack szedł w moją stronę, że wie, kto dzwoni.

— Za dwa tygodnie? Będziesz tam? — Brzmiał jak mały chłopiec na pierwszej dwudniowej szkolnej wycieczce. Kilka razy kiwnął głową, z na wpół przymkniętymi oczami, jak ktoś, komu trudno uwierzyć, że to się dzieje naprawdę.

Oddał mi telefon.

— Mike poszedł na policję. Mają mnie przesłuchać o siedemnastej trzydzieści w przyszły czwartek. — Opadł na fotel. — O Jezu. Nie sądziłem, że jednak to zrobi. Po piętnastu latach wspólnego biznesu.

Chciałam okazać współczucie. Poklepać go po ręku i zgodzić się, że to nie fair. Ale nie było nie fair. Jack ukradł pieniądze. Komuś, kto był jego przyjacielem. Nie bezpośrednio z jego portfela, ale z firmy, którą razem prowadzili. Takie samo złodziejstwo jak wtargnięcie do banku i opróżnienie sejfu. Tylko nie aż tak odważne ani niebudzące tajonego podziwu.

Miałam nadzieję, że będę żoną, która stanie przy nim, zapięta na ostatni guzik (i w świetnej spódnicy), coś jak żona u boku skompromitowanego polityka, bez kokieterii i złudzeń, ale z godnością, zdecydowana nie dopuścić do rozpadu rodziny, trzymając wysoko głowę i emanując przeświadczeniem, że „ludzie popełniają błędy, ale my jesteśmy silni, bo trwamy razem". Tymczasem miałam ochotę krzyczeć, jaki mój mąż był durny, wściekać się, że nie mogę zobaczyć się z synem i wnukiem, wrzeszczeć z powodu Hannah i zaprzepaszczenia jej kosztownej edukacji — gdybym posłała ją do zwykłej lokalnej szkoły, zaoszczędzilibyśmy ponad pięćdziesiąt tysięcy funtów, a jeszcze jakieś drobne na odlotowe wakacje. Szukałam słów pocieszenia, czegoś, co podniosłoby nas na duchu, kiedy zjawiła się Hannah, wymachując swoim iPadem.

— Jestem ciocią! Widzieliście zdjęcia, które Ollie wrzucił na Instagrama?

Podbiegłam do niej. Odepchnęłam od siebie myśl o obelżywej ironii, jaką jest to, że oglądam swojego wnuka po raz pierwszy na Instagramie. Śliczny szkrab w miękkich niebieskich śpioszkach, śpiący z rękami wyciągniętymi nad głową, zupełnie bezbronny. Ollie z synkiem na rękach i dumą wypisaną na twarzy. Przyjrzałam się dokładnie zdjęciu Natalie, uśmiechniętej, ale wyczerpanej.

Pragnęłam sięgnąć w głąb fotografii i dotknąć miękkiej skóry, włosków jak puszek na głowie wnuka, wdychać zapach noworodka, zapach rodziny, następnego pokolenia, niewytłumaczalnej, nieodpartej miłości. W moim sercu zagościło dziwne poczucie straty, jakbym opłakiwała kogoś, kogo jeszcze nie straciłam.

Jeśli będę musiała błagać, żeby go zobaczyć, zrobię to.

Tymczasem miałam inne zadanie: nie dopuścić, żeby mąż poszedł do więzienia.

ROZDZIAŁ 32

SALLY

Piątek, 6 kwietnia

Postanowiłam, że zadzwonię do rodziców, żeby zakomunikować im o wypadku Chrisa, dopiero jak się uspokoję i zdołam powstrzymać łzy. Przez ostatnie dwa dni kursowałam między domem a szpitalem. Czas mijał powoli. Patrzyłam na śpiącego Chrisa i zastanawiałam się, co z niego zostanie, kiedy odzyska przytomność. W środę udało mi się dopaść lekarza, który najwyraźniej prezentował skrajne podejście (uważał, że nie należy dawać fałszywej nadziei), bo opisywał rzeczowo szczegóły tomografii mózgu Chrisa, ale nie pomagał mi zrozumieć, jak bardzo jest to poważne.

— Czy to możliwe, że wyjdzie z tego zupełnie bez szwanku? — zapytałam.

— Możliwe, tak — wzruszył ramionami.

Kiedy próbowałam wypytywać pielęgniarki, mówiły, żebym była cierpliwa i uspokajały, że robią wszystko, co w ich mocy.

Do czwartku wieczorem wciąż nie dostałam żadnych konkretnych odpowiedzi. Nie byłam pewna, czy w ogóle kiedykolwiek będę w stanie zadzwonić do rodziców i się nie rozkleić, więc chwyciłam byka za rogi i wyszlochałam swoje nieszczęście mamie, która chociaż raz słuchała, zamiast od razu wyskakiwać ze swoimi opiniami. Zaproponowali, że przyjadą, ale odmówiłam. Powiedziałam, że będę ich informować na bieżąco i żeby odwiedzili mnie za tydzień lub dwa, kiedy zdążę się lepiej zorientować, co się dzieje. Teorie spiskowe mojej matki byłyby dodatkowym stresem, z którym na razie nie byłam gotowa sobie poradzić.

W piątek w południe, właśnie kiedy wychodziłam, żeby pojechać do szpitala, zjawiła się z tatą, wielkim słojem Nescafé — „Wiedziałam, że pewnie macie jeden z tych ekspresów, a moim zdaniem kawa z nich nawet się nie umywa" — i dużą bombonierką Tunnock's Teacakes — „Potrzebujesz cukru na ten szok. Tata się zastanawiał, czy nawaliły hamulce lotusa? Te sportowe samochody to są dobre, dopóki pogoda się nie zepsuje".

Usiłowałam tłumaczyć, że jadąca przed nim ciężarówka nie zasygnalizowała zmiany pasa. Mama pokiwała mądrze głową i opowiedziała długą historię o tym, jak mikrobus ściął róg kawiarni na sąsiedniej ulicy od domu rodziców. Nie było tu żadnej korelacji, poza tym, że oba pojazdy, które spowodowały wypadek, miały cztery koła. Zaczęłam żałować, że im powiedziałam.

Oboje kręcili się po domu, komentowali wbudowane półki w prysznicu — „Cudowny pomysł, człowiek się nie potyka o szampon" — elektryczne drzwi do garażu — „Chwała Bogu, że takich nie mamy. Bałabym się, że rozetną samochód na pół" — mikrofalówkę ukrytą w szafce — „Nigdy byś nie przypuszczała, że tu jest, co?"

Mama bardzo chciała pojechać do szpitala, stwierdzając w rzadkiej chwili samoświadomości: „Mogę paplać bez końca, a wtedy ty sobie odpoczniesz od myślenia, co by tu powiedzieć".

Odparłam, że wpuszczają tylko po jednej osobie, bo bałam się, że chociaż nieprzytomny, mógłby usłyszeć, jak rozmawiamy, i dowiedzieć się, co moja matka naprawdę o nim myśli.

Pojechałam sama. Po drodze myślałam, jak to się stało, że tak wygląda moje życie. Jeszcze tydzień temu wyobrażałam sobie nasze spotkanie w Ginger Hen: wszystko będzie takie nowe i ekscytujące, a Chris na pewno zarezerwował pokój na górze, nasz ulubiony, z wyłożonym kafelkami kominkiem i łóżkiem z baldachimem. A teraz nie wiedziałam, czy w ogóle wydobrzeje na tyle, by prowadzić normalne życie.

Wpuszczono mnie na oddział przez podwójne drzwi. To zaledwie trzy dni, a ja już miałam poczucie swojskości. Jak zawsze dużo się tu działo, pielęgniarki pchały monitory na kółkach, wypełniały karty pacjentów, uspokajały zdenerwowanych krewnych. Na sali odciągnęłam zasłonę przy łóżku Chrisa. Siedziała tam jakaś kobieta, trzymała go za rękę, opierała mu głowę na ramieniu i coś do niego mruczała. Zaczęłam się zastanawiać, czy to jakaś wolontariuszka dotrzymująca towarzystwa nieprzytomnym pacjentom, ale nagle na mnie spojrzała.

Miała posiniaczoną twarz i dopiero teraz zauważyłam, że siedzi na wózku. To ją widziałyśmy z Giselą, kiedy pierwszy raz przyjechałyśmy do szpitala.

— Jesteś Sophie? Weterynarka?

Skinęła głową, z rozszerzonymi oczami. Puściła dłoń Chrisa.

— Przepraszam, nie rozumiem... Co ty tu robisz? — Powinnam mówić ciszej, upomniałam się w myślach.

Odpowiedziała prawie szeptem, ale w jej tonie słychać było determinację.

— Uczestniczyłam w tym samym wypadku co Chris.

— Byłaś z nim w samochodzie? Gisela mówiła, że widziała na Twitterze, że ktoś siedział obok, ale policja nic o tym nie wspomniała, więc myślałam, że się pomyliła.

Wydawała się zaskoczona, jakbym zadała jej pytanie, którego się nie spodziewała.

Nastąpiła chwila ciszy, kiedy patrzyłyśmy na siebie, ten krótki moment, zanim wszystko stało się jasne. Wyraz jej twarzy zmienił się z czujnego w defensywny.

Dłoń sama podniosła mi się do ust.

— O mój Boże. To ty. Miałaś z nim romans. Dlatego jechaliście razem.

Łzy napłynęły jej do oczu.

— Tak mi przykro. My nie chcieliśmy.

— Od jak dawna? Od jak dawna, do cholery? Miał zamiar mnie zostawić? Czy ktoś w ogóle zamierzał mi powiedzieć?

— Nie chciał cię skrzywdzić. Chcieliśmy mieć pewność. To było skomplikowane, bo... — urwała i przełknęła nerwowo ślinę.

— Nie chciał mnie skrzywdzić? — Nie byłam w stanie powstrzymać gniewu. — Wcale na to nie wyglądało, do diabła! Ale idiotka ze mnie. Czekałam, dawałam mu czas i przestrzeń, żeby sobie przemyślał, żeby podjął decyzję. Wierzyłam w jego kłamstwa, że z nikim się nie spotyka. Mówił ci, że kilka dni temu się kochaliśmy?

Mówił? Powiedział, że w przyszłym tygodniu umówiliśmy się na kolację? — Cisza. — Nie. Jasne, że ni cholery nie mówił.

Zanim zdążyłam powiedzieć coś więcej, wpadła pielęgniarka.

— Co tu się dzieje? To jest oddział intensywnej terapii. Nie można krzyczeć. Przykro mi, muszę poprosić, żeby pani wyszła, dopóki się pani nie uspokoi.

— Już wychodzę, proszę się martwić — odparłam lodowato. — Nie będę zakłócać spokoju zdzirze mojego męża.

Opuściłam salę i rozszlochałam się tak, że ludzie wchodzący na oddział odsuwali się z respektem na bok, jakbym właśnie usłyszała złe wieści, których nikt nie chce przyjąć do wiadomości. Dopiero gdy weszłam do windy, przypomniałam sobie strzęp rozmowy z pierwszego wieczoru, kiedy minął nas sanitariusz pchający wózek. Coś w rodzaju „tylko tyle, żeby mu powiedzieć, że jest tatą". A Gisela pokazała mi tego dziwnego tweeta od osoby, która się modliła za ciężarną żonę. Zaczęłam się zastanawiać, czy Sophie wyglądała, jakby spodziewała się dziecka. Nie pamiętałam, żeby miała brzuch. Może już urodziła? Musiałam wiedzieć.

Odwróciłam się na pięcie i wcisnęłam przycisk przy drzwiach, żeby wrócić na oddział.

Tym razem w progu zatrzymała mnie pielęgniarka.

— Przepraszam panią, ale nie może pani tam teraz wejść. Pacjent musi odpocząć.

Z wielkim wysiłkiem udało mi się wydobyć z siebie słowa:

— Czy urodziło mu się dziecko? Czy ona urodziła dziecko mojemu mężowi?

— Przykro mi. Nie mogę udzielać pani informacji o innych pacjentach. — Pielęgniarka zachowała całkowicie obojętny wyraz twarzy. Przypominała mi znikopis, zabawkę z dzieciństwa, w której można było wyczyścić ekran, przesuwając guzik. Zmiana jej tonu, wcześniej poirytowanego, na życzliwy przeraziła mnie. Czy to mogła być prawda? Czy to możliwe, że Chris ma dziecko z kimś innym? Nie mieściło mi się to w głowie. Jeśli tak, to dlaczego ona, a nie ja, która o tym marzyłam?

— Proszę, niech mi pani powie. Proszę, niech mi pani skróci męki. To jest okrutne. Naprawdę okrutne.

Wzięła mnie za ramię.

— Najlepiej będzie, jeśli pójdzie pani do domu i odpocznie. Proszę wrócić po weekendzie. — Powiedziała to stanowczo, tonem kończącym sprawę.

Straciłam całą wolę walki i pozwoliłam, żeby pielęgniarka popchnęła mnie w kierunku wyjścia. Wytoczyłam się stamtąd chwiejnie, oślepiona przez łzy. Pojechałam prosto do Giseli, żeby ją zapytać, co pamięta z gadania sanitariusza. Załomotałam do jej drzwi z niecierpliwością, która przeraziła nas obie.

Wciągnęła mnie do środka, odpędziła Jacka i posadziła mnie przy kuchennym stole, gdzie opowiedziałam jej bez ładu i składu całą historię. Trzeba przyznać, że nie miała trudności z nadążeniem za moją chaotyczną gadaniną i nawet nie mrugnęła na wieść, że Chris ma romans z Sophie. W innych okolicznościach może znalazłabym w sobie energię, by poczuć się urażona, że to, co dla mnie było zdumiewające, jej wcale nie dziwiło.

Nie mogła mi pomóc w tym, na czym naprawdę mi zależało — poznaniu szczegółów rozmowy sanitariusza z Sophie.

— Właściwie w ogóle jej nie słyszałam — stwierdziła. — Nie zwracałam uwagi, dopóki mi jej nie pokazałaś palcem. Ale czy to w ogóle możliwe? Przecież chyba po raz pierwszy spotkali się w lipcu.

Wałkowałyśmy sprawę wte i wewte, a żadna z odpowiedzi nie pasowała do tego, co wiedziałyśmy o świecie. Może pierwszego wieczoru w szpitalu właśnie mu powiedziała, że jest w ciąży, a on zostanie tatą? Ale skąd ten idiota, który zrobił zdjęcie po wypadku, wiedziałby, że Sophie jest w ciąży? Z kolei jeśli urodziła, musieli się spiknąć mniej więcej tydzień po pierwszym spotkaniu, kiedy nawet nie zaczęłam dyskutować z Chrisem o założeniu rodziny.

W końcu nie mogłam już dłużej myśleć. Nie potrafiłam oddzielić tego, co wiedziałam, od tego, co sobie wyobraziłam. Hannah wróciła z college'u, Jack zaczął przebąkiwać coś o obiedzie i mimo zapewnień Giseli, że w niczym nie przeszkadzam, wróciłam do domu, stawić czoło rodzicom, zastanawiając się, jak to możliwe, że niektórzy ludzie mają takie proste, nieskomplikowane życie.

ROZDZIAŁ 33

SALLY

Poniedziałek, 9 kwietnia

Spędziłam cały weekend w łóżku, przesypiając długie godziny. Za każdym razem, kiedy się budziłam, mama albo szeptała z tatą pod drzwiami mojej sypialni o tym, żeby wezwać lekarza, albo zaglądała, żeby spytać, czy chcę jajko w koszulce na wzmocnienie. Czułam się, jakbym miała grypę. Wszystko mnie bolało. Powtarzałam sobie, że muszę jechać do szpitala, znaleźć odpowiedzi, ale sam wysiłek postawienia nóg na podłodze osłabiał mnie i przyprawiał o dreszcze. Nie miałam siły walczyć. A jeśli Chris nadal był pod wpływem leków uspokajających, nie uzyskam żadnych odpowiedzi. Ale w poniedziałek pragnienie, by dowiedzieć się prawdy, wygoniło mnie z mojej nory.

Tata zaproponował, że pojedzie ze mną. Nie mogłam znieść myśli, że ktoś miałby być świadkiem mojego upokorzenia, jeśli to wszystko okaże się prawdą.

— Dzięki, tato. Ale to chyba coś, co muszę załatwić sama.

Najwyraźniej musiał nagadać mamie, żeby nie oczerniała Chrisa. Z niesłychaną jak na siebie powściągliwością powiedziała:

— Nie słyszałaś jeszcze jego wersji wydarzeń, słoneczko, więc nie wyciągaj pochopnych wniosków.

Zaparkowałam samochód przed szpitalem i sprawdziłam makijaż w lusterku. Może będę mieć większe szanse, żeby się czegoś dowiedzieć, jeśli personel na mój widok nie rzuci się od razu wzywać ochronę.

Zanim weszłam do środka, udzieliłam sobie surowej reprymendy. Żadnych krzyków. Będę spokojną, racjonalną kobietą, której wszyscy zechcą pomóc.

Na szczęście nie natknęłam się na pielęgniarkę, która wcześniej wpuszczała mnie na oddział, bo akurat była zajęta rozmową przez telefon.

Weszłam prosto do sali Chrisa, przygotowana na widok Sophie trzymającej go za rękę, siedzącej tam, gdzie ja powinnam siedzieć. Ale jego łóżko było puste i, o ile mogłam to ocenić, zabrano też jego rzeczy.

Pobiegłam korytarzem do dyżurki pielęgniarek.

— Przyszłam do Chrisa Gastrella, ale nie ma go w łóżku. — Słyszałam drżenie w swoim głosie. — Czy zabrano go na tomografię?

Pielęgniarka wyglądała na zdziwioną.

— Chris Gastrell? Chyba nie ma go już na tym oddziale.

— Był tu w piątek. Podano mu środki uspokajające. Przywieziono go po wypadku samochodowym.

— A pani kim jest?

— Jego żoną. Sally Gastrell.

— Przepraszam bardzo — uniosła brwi. — Dopiero dziś wróciłam po urlopie. Zaraz sprawdzę.

Podreptała w głąb oddziału, przywołała gestem inną pielęgniarkę, która wycofała się do czegoś, co wyglądało jak schowek. Siedziały tam kilka minut, a ja wciąż nie wiedziałam, czy mój mąż nie jest przypadkiem w drodze do szpitalnej kostnicy.

„Moja" pielęgniarka wróciła szybkim krokiem.

— Został przeniesiony na oddział intensywnego nadzoru. Odstawiono środki uspokajające i został wybudzony. Tam powiedzą pani więcej.

Zaczęłam znów oddychać spokojniej, przepełniona ulgą, że Chris żyje.

Pokazała mi drogę i nie zdołała ukryć swojego zadowolenia, że będę prać swoje brudy gdzie indziej.

Znalazłam go w niewielkiej czteroosobowej sali. Siedział w łóżku, nieogolony, z poszarzałą twarzą.

— O mój Boże. Jesteś przytomny. Wszystko w porządku? Kiedy się wybudziłeś? — Chciałam zapytać o tyle rzeczy, ale łzy zatykały mi gardło, chociaż trudno było mi rozstrzygnąć, czy wygrywał smutek, czy gniew.

Chris spojrzał na mnie, jakbym była ostatnią osobą, którą spodziewał się zobaczyć.

— W piątek po południu — powiedział bezbarwnym, znużonym głosem. Jakże innym od swojego zwykłego autorytatywnego tonu.

Zjawiła się pielęgniarka i położyła mu dłoń na ramieniu.

— Jest pan teraz w stanie rozmawiać z gośćmi? Czy chce pan odpocząć?

— Może spać — wtrąciłam. — Po prostu z nim posiedzę.

Pielęgniarka miała dziwny wyraz twarzy.

— Dla osób po wybudzeniu spod wpływu środków uspokajających to może być bardzo męczące. Czasami wolą pobyć sami.

Byłam już tak blisko, odpowiedzi wydawały się na wyciągnięcie ręki, więc nie miałam zamiaru pozwolić, by ta kobieta odegrała rolę cerbera.

— Nie zostanę długo.

— Nic mi nie będzie — powiedział wreszcie Chris.

Pielęgniarka poprawiła mu poduszki i zaciągnęła zasłonę.

— W takim razie tylko kilka minut.

Usiadłam w fotelu, rozdarta między chęcią przytulenia go a uderzenia pięścią.

— Jak się masz? Przestraszyłeś mnie. Boże, jak weszłam na intensywną terapię i zobaczyłam, że twoje łóżko jest puste, omal nie padłam. — Wiedziałam, że paplam.

Chris uniósł dłoń.

— Sal, muszę ci coś powiedzieć. W samochodzie była ze mną inna kobieta. Chyba się z nią tu spotkałaś parę dni temu.

Kiwnęłam głową.

— Poznałam ją. Pewnie to ona pozwalała ci się „oderwać".

Wyglądał, jakby otwarcie powiek wymagało od niego ogromnego wysiłku.

— Miałem ci powiedzieć w przyszłym tygodniu. Była w ciąży i w wyniku wypadku urodziła jedenaście tygodni za wcześnie.

— Dziecko było twoje? — Czułam, że mój mózg odpycha informacje, które podawał mi Chris, a jednocześnie zrozumiałam, że tych jedenaście tygodni może być brakującym kawałeczkiem układanki, przekreślającym wszelką nadzieję.

Przytaknął.

Rozpacz, którą trzymałam w ryzach tylko siłą woli, znów mnie ogarniała, jak gęsty szlam zamazujący wyobrażoną przyszłość.

— Nie — wysyczałam, zdesperowana, by mnie stąd nie wyrzucili, zanim nie dokopię się do prawdy. — Przecież nie chciałeś dzieci! O to właśnie chodziło.

Westchnął. Słyszałam, z jakim trudem mówi, jak chrapliwy jest jego głos.

— Nie planowaliśmy tego. Przykro mi.

Powinnam wrócić później, ale nie mogłam. Nie mogłam wyjść, dopóki się nie dowiem. A nie powinnam dręczyć człowieka, o którym jeszcze kilka dni temu myślałam, że może umrzeć.

Wypuściłam powietrze i zacisnęłam wargi, czując, że zaraz się rozsypię. Wydawało mi się, że minęło sto lat od momentu, kiedy widziałam matkę jego dziecka, jak przejeżdża obok mnie na wózku, odbierając mi wszystko, przywłaszczając sobie życie, którego pragnęłam, a ja tylko patrzyłam za nią, nie mając o niczym pojęcia.

— Z dzieckiem w porządku? — spytałam.

I już nic więcej nie było potrzebne, wiedziałam wszystko: to, jak jego twarz natychmiast zmiękła, jak lekko załamał mu się głos. Facetowi, który szukając w internecie miejsca na urlop, w pierwszej kolejności ustawiał filtr „tylko dorośli".

— Jakoś się trzyma. W tej chwili potrzebuje pomocy w oddychaniu i martwią się o infekcje, ale dzielnie walczy. — Dziesięć lat małżeństwa nauczyło mnie rozpoznawać napięcie w głosie Chrisa, kiedy starał się nie rozpłakać.

Córka. Dziewczynka, jaką sobie wyobrażałam. Jej maleńkie kalosze obok moich w przedpokoju. Jej najlepsze rysunki na naszej lodówce. Kapcie biedronki obok łóżka.

Nie wiedziałam dotąd, że złamane serce jest odczuciem fizycznym. Usiłowałam wziąć się w garść. Byłam przygotowana na to, że mnie zostawi. Ale nie na coś takiego. Przenigdy na coś takiego.

Przez chwilę milczałam, przyglądając się dumie i strachowi na jego twarzy. Kłębiły się we mnie różne sprzeczne myśli, mieszanka poczucia krzywdy, zwykłej ludzkiej życzliwości i oczywiście miłość do niego, ta cholerna miłość, która nie chciała po prostu paść i umrzeć na zawołanie, mimo ogarniającej moje ciało wściekłości. Wyrwało mi się pierwsze, co przyszło mi do głowy.

— Jeśli ona z tego nie wyjdzie, nie poczuję się lepiej.

Zobaczyłam — a powinnam to przewidzieć — że Chris nawet nie dopuszcza do siebie takiej możliwości; chciał się tylko koncentrować na pozytywach.

— Nawet tak nie mów — wychrypiał.

— Przepraszam, nie o to mi chodziło... Chciałam powiedzieć, że mam nadzieję, że wszystko z nią będzie dobrze. Wykuruje się, jestem tego pewna.

— Jeszcze nie wiemy.

Zamilkłam, zdając sobie sprawę, że prawię komunały. Przecież nie miałam pojęcia o wcześniakach, żadnego barometru, który pomógłby mi zrozumieć, co się może zdarzyć.

Chris przesunął dłonią po twarzy.

— Dałbym wszystko za to, żeby to się nie stało.

Usiłowałam powstrzymać szloch, ale był silniejszy ode mnie.

Otarłam łzy.

— Jestem w szoku. Czy to mnie nie chciałeś? Czy dziecka ze mną?

Zamknął na chwilę oczy i omal wtedy nie wyszłam, czując się winna, że go przesłuchuję, kiedy jest w takim stanie, poturbowany fizycznie i psychicznie. Ale spojrzał na mnie z determinacją, jakby uznał, że nie zostawi miejsca na nieporozumienia.

— Kochałem cię, Sally. — Ten czas przeszły, te głupie dwie literki zabrzmiały jak fałszująca trąbka w środku solo na skrzypcach. Poczułam je gdzieś głęboko w żołądku. Chris mówił powoli i z rozmysłem, jakby musiał włożyć całą energię w ustawienie słów we właściwej kolejności. — Naprawdę cię kochałem. Ale nigdy nie chciałem mieć z tobą dziecka. Nigdy nie czułem, że taka dynamika rodzinna sprawdziłaby się w naszym przypadku. Nie potrafię wyjaśnić dlaczego. Może byliśmy za młodzi, kiedy się poznaliśmy, i byłem przyzwyczajony do tego, że mam cię wyłącznie dla siebie. Zawsze, kiedy próbowałem sobie wyobrazić przyszłość, widziałem tylko nas. Nigdy nas z dziećmi.

— A z nią mogłeś? — Przełknęłam głośno ślinę.

— Nie planowałem tego. Przysięgam.

— Jak długo to trwało? Od razu jak wprowadziliśmy się do domu w Parkview? Po grillu u Giseli w lipcu? Wcześniej?

— Teraz to nieważne.

— Może dla ciebie, ale ja chciałabym wiedzieć, kiedy wszystko zaczęło się sypać. Kiedy zrezygnowałeś z nas. Albo zdecydowałeś się nie mieszać mnie do tego, że poznałeś inną kobietę?

Chris mrużył oczy, jakby myślenie było fizycznym wysiłkiem.

— Po imprezie u Jacka, kiedy się poznaliśmy, spotkaliśmy się kilka razy na siłowni.

A ja go zachęcałam do uprawiania sportu, myśląc, że będzie łatwiej z nim żyć, stanie się mniej pedantyczny i czepialski, jeśli będzie pompował w siebie endorfiny.

— Jeszcze w lutym uprawialiśmy seks. Zostałeś na noc. Liczyłam się z tym, że wrócisz już na zawsze.

— Miałem taki mętlik w głowie. Nie chciałem od ciebie odchodzić tylko dlatego, że Sophie zaszła w ciążę. Nadal coś do ciebie czułem.

Brawo, facet na tyle przyzwoity, by się wstydzić, że jego uczucia okazały się zbyt słabe i dlatego wdał się w romans.

— A teraz? — wykrztusiłam.

— Dziecko wszystko zmienia, Sally. Przykro mi.

Wydarło się ze mnie jeszcze jedno pytanie, chociaż wiedziałam, że nie powinnam go zadawać, i zapiekło mnie w gardle żółcią i goryczą, uśmiercając jednocześnie marzenie.

— Czyli gdybym zaszła w ciążę przypadkiem, zostałbyś ze mną?

— To nie było tak.

Nagle poczułam się zbyt znużona, żeby dowiadywać się, jak w takim razie było. Szczegóły, które już znałam, wystarczały mi z nawiązką. Byłam załamana, poddałam się, bo nic nie mogło mnie zranić bardziej niż zdanie: „Nigdy nie chciałem z tobą dziecka", kiedy widziałam, jak bardzo już kocha swoją córkę.

Wstałam. Weszła pielęgniarka.

— Przepraszam, że przeszkadzam — powiedziała — ale pacjent naprawdę powinien teraz odpoczywać.

— Proszę się nie martwić. Już sobie idę. — Odwróciłam się do Chrisa. — Nie wiem, co ci powiedzieć. Mam nadzieję, że warto było. Naprawdę mam taką nadzieję.

Chwiejnym krokiem szłam korytarzem, usiłując oswoić się z wiadomością, że Chris został tatą nie naszego dziecka. Podczas gdy ja go błagałam, żebyśmy z pary zmienili się w rodzinę. Czułam się, jakbym piła na pusty żołądek i doszła do tego przełomowego momentu, kiedy nie byłam pijana, ale wolniej mi się myślało, dłużej przetwarzałam wszystko w głowie.

Skręciłam w lewo, mijając szereg szpitalnych przychodni — centrum onkologii, rentgen, USG — gdzie jedno kiwnięcie palca losu mogło obrócić czyjeś życie w gruzy. W drodze na parking przeszłam obok oddziału położniczego. Przed wejściem kilka kobiet w zaawansowanej ciąży paliło papierosy. Musiałam powstrzymywać się z całych sił, żeby nie podbiec do nich i nie powyrywać im petów spomiędzy palców, krzycząc: Spójrzcie na mnie! Spójrzcie! Oddałabym wszystko, żeby urodzić! A wy, wy traktujecie to jako coś oczywistego. Nic was to nie obchodzi, że krzywdzicie swoje dziecko? Nerwowo przełknęłam ślinę i zadowoliłam się posłaniem palaczkom krzywego spojrzenia.

Czy Sohpie była w tym budynku? Wdychała zapach córeczki Chrisa i cieszyła się swoim szczęściem?

Przyciskała twarz do mięciutkich włosów? Patrzyła z zachwytem na drobne paluszki u nóg? W mózgu w kółko rozbrzmiewały mi jego słowa: „Po prostu nie widzę siebie w roli ojca. Jestem zbytnim egoistą. Kocham swoje życie takie, jakim jest".

Poszłam na skróty, przez wschodnie skrzydło szpitala, obok niewielkiego sklepu Marks & Spencer i kawiarni. Siedziało tam kilkoro zbolałych krewnych pacjentów, o twarzach w odcieniach szpitalnej szarości, jakby z palety Farrow & Ball w wersji dla ubogich, zmęczonych długimi tygodniami na huśtawce zniweczonych nadziei i rozczarowań. Kiedy dotarłam do samochodu, nogi miałam jak z ołowiu, jakby grzęzły w ciężkim, mokrym piachu nieszczęścia. I wtedy pojawiła się świadomość, której nie mogłam już dłużej wypierać. Matematyka była prosta: jeśli poród nastąpił jedenaście tygodni za wcześnie, to znaczy, że we wrześniu, dwa miesiące po naszej przeprowadzce do Parkview, ta kobieta była już w ciąży. A przecież to ja marzyłam o dziecku, ale Chris kategorycznie nie chciał się na to zgodzić.

Opadłam na fotel w samochodzie. Podciągnęłam kolana pod brodę i siedziałam skulona, jakbym chciała całą sobą otoczyć potworny ból, uzmysłowienie sobie, że Chris prawdopodobnie nigdy nie wyprowadził się do służbowego mieszkania, nie wsiadł do pociągu jadącego na King's Cross, nie mówiąc już o lataniu co dwa tygodnie do Stanów. Zapewne spotykał się ze mną w te wieczory, kiedy Sophie była na przykład na szkoleniu. Dzwonił do mnie z samochodu w drodze z pracy. Pisał esemesy, kiedy poszła na siłownię.

Jadąc do domu, zastanawiałam się, dlaczego nie powiedział mi prawdy i nie zakończył naszego małżeństwa, zamiast rzucać mi ochłapy nadziei, żebym czekała, podczas gdy on kombinował, usiłując dojść do — czego? Czy ona zdecyduje się urodzić? Czy mają przed sobą przyszłość, czy są tylko przyjaciółmi z łóżkowym bonusem i niedostateczną antykoncepcją?

Zatrzymałam się na początku mojej ulicy i napisałam esemesa do Giseli: „Wpadnę na minutkę, dobrze?".

Bez odpowiedzi. Nie mogłam jeszcze stawić czoła rodzicom. Jak już powiem mamie, to wszystko stanie się realne. Zdecydowanie zbyt realne. Oparłam głowę na kierownicy i siedziałam tak dobrze ponad godzinę. Za każdym razem, kiedy zbierałam się, żeby wrócić do domu, myśl o zakomunikowaniu, że Chrisowi urodziła się córeczka, doprowadzała mnie do płaczu.

Ktoś zapukał w szybę. Podniosłam głowę, spodziewając się zobaczyć jakiegoś sąsiada, który będzie gderał, że zaparkowałam przed jego domem. Ale to była Kate, w drodze ze sklepu na rogu.

Uchyliłam drzwi.

— Sally? Wszystko w porządku?

— Nie, nie bardzo.

— Zmarzniesz, jak będziesz tutaj siedzieć. Chciałabyś wejść na kawę?

Pozwoliłam, żeby zaprowadziła mnie do swojego domu. Stałam schowana za winklem, kiedy otwierała drzwi. Sprawdziła, czy moi rodzice nie wyglądają przez okno i skinęła na mnie, żebym weszła.

Przy kilku gorących napojach i paczce ciasteczek imbirowych opowiedziałam jej całą swoją historię.

Po twarzy płynęły mi łzy, których nie miałam siły się wstydzić. Kate kręciła głową.

— Biedactwo. Co za potworny szok. A ja ci zazdrościłam wolności i tych wszystkich podróży, ekscytującej pracy. Zakładałam, oczywiście niesłusznie, że nigdy nie chciałaś zostać mamą.

— Dlaczego miałabyś myśleć inaczej? Każdemu, kto chciał słuchać, mówiłam, że uwielbiam być wolna od dzieci, ale jeśli mam być zupełnie szczera, nienawidziłam pytań na ten temat. Nie znosiłam ludzi za to, że nie wiedzieli, jak bardzo cierpiałam. Nie mogłam słuchać kobiet, tych ich wszystkich historii o tym, jak mały nie chce jeść brokułów albo wchodzi rodzicom do łóżka o czwartej nad ranem. Po prostu byłam cały czas zazdrosna, ale nie na zasadzie, że byłoby cudownie mieć to co ty, tak jak się komuś zazdrości nowego samochodu albo ładnej kuchni. Tylko ohydnie zawistna, tak że nigdy więcej nie chciałam z taką matką rozmawiać ani jej widzieć. Jakby to, że one mają to, czego tak bardzo pragnęłam, zmniejszało prawdopodobieństwo, że kiedyś w końcu urodzę dziecko. — Wyznając prawdę, udało mi się wreszcie wydłubać drzazgę, która sprawiała ból, kiedy się ją nacisnęło, i cały czas groziło mi, że ranka przerodzi się w coś gorszego.

— Ale musiało ci być trudno tak nikomu nic nie mówić. Nie uzmysłowiłam sobie w ogóle, że on odszedł. Podziwiałam tylko wasz wystawny styl życia.

— Powiedziałam rodzicom, ale uznali, że się wygłupiamy i jeśli zaczniemy razem hodować pomidory i grać w brydża, wszystko wróci do normy. — Usiłowałam się roześmiać, ale brzmiało to, jakbym krztusiła się rozpaczą.

O szóstej, kiedy byłam już tak zmęczona, że niemal usypiałam w pół zdania, zjawiła się córka Kate. Pomachała na przywitanie i powiedziała:

— Wiecie co? Hannah została ciocią! Dziewczyna Olliego urodziła dziecko. Mogę kupić mu prezent? To chłopczyk.

— Wspaniała wiadomość — uśmiechnęła się do niej Kate. — Tak, zacznij myśleć, co możemy mu wysłać. Załatwiam teraz coś z Sally, więc daj mi jeszcze kilka minut i potem przygotuję obiad.

— A co, jeszcze nie gotowy?

Kate zrobiła przepraszającą minę, a Daisy pobiegła na górę, głośno tupiąc.

Wzruszyłam ramionami.

— Ludziom ciągle rodzą się dzieci, Kate. Po prostu muszę się do tego przyzwyczaić. Lepiej już pójdę. Dziękuję. Dziękuję, że mnie wysłuchałaś. — Wstałam. — Jak przybiegłyśmy tu z Giselą tamtego wieczoru, wiedziałaś już, że Chris ma dziewczynę, prawda?

Kate skinęła głową.

— Przepraszam, że cię do tego nie przygotowałam. Nie możemy rozmawiać o pacjentach. Straciłabym pracę.

— Pewnie i tak bym ci nie uwierzyła. Nadal z trudem mieści mi się to w głowie. Przepraszam, że okłamywałam ciebie i Giselę co do tego, gdzie Chris jest. — Wciąż czułam się oszołomiona, jakby takie niesłychane rzeczy nie zdarzały się zwyczajnym ludziom, takim jak my.

Jakby takie dramaty przytrafiały się jedynie osobom, które szukały mocnych wrażeń, flirtowały, piły i miały w pogotowiu sekretne telefony, żeby je wykorzystać w przypadku romansu.

Kate poklepała mnie po ramieniu.

— Czasem bardzo trudno jest być szczerą. — Przez jej twarz przesunął się cień. Czekałam na ciąg dalszy. Zdecydowanie coś się w niej kryło, coś więcej, niż widoczne na pierwszy rzut oka. Po chwili wstała. — Wpadaj, kiedy zechcesz, żeby się wygadać.

Poszłam do domu, zerkając po drodze w okna salonu Giseli. Cudowny mąż, dwoje dzieci i teraz jeszcze wnuk.

Szkoda, że nie mam takiego życia.

ROZDZIAŁ 34

GISELA

Czwartek, 19 kwietnia

Podczas gdy Jack brał prysznic i golił się przed pójściem na komisariat, zeszłam na dół. Uznałam, że siedzenie w sypialni z wypisanym na twarzy nieszczęściem nic nie pomoże. Wiedziałam, że Jack odprawi rytuał wybierania spinek do mankietów w kształcie kostek do gry, które nosił, gdy mu zależało, żeby coś dobrze poszło. Nie byłam pewna, czy uda mi się zdobyć na porozumiewawczy uśmiech na ten widok, kiedy raz po raz wstrząsały mną dreszcze paniki. Jak to będzie, kłaść się codziennie do łóżka bez Jacka? Jak w ogóle miałabym zasnąć, wyobrażając sobie jego twarz przyciśniętą do ściany w ciasnej celi, i te krzyki, szczęk metalu w tle? Pędziłam przez życie, zajmując się dzieciakami, i zakładałam, że jak już odwalę najcięższą robotę wychowawczą, Jack będzie na miejscu, żebyśmy kontynuowali to, co przerwaliśmy dwadzieścia dwa lata temu.

A teraz okazuje się, że może go nie być.

Minęły te wszystkie lata, kiedy czekał, żebym go zapytała, co on chce na obiad, zamiast zgadzać się z konieczności na chilli con carne bez czerwonej fasoli (Hannah) czy risotto bez czosnku (Ollie). I przystawał na to, przystawał na wszystko. Zaczynał rozmowy o pracy i pieniądzach, w których nigdy nie dochodziliśmy do sedna, bo akurat Hannah dramatyzowała, że nie może znaleźć swojego fioletowego stanika, albo dzwonił Ollie z uniwersytetu, a ja trzymałam go jak najdłużej na linii, chcąc dowiedzieć się wszystkiego o jego studiach, znajomych, miłościach. „Poznałeś kogoś miłego? — Poznałem mnóstwo miłych ludzi. — Wiesz, co mam na myśli. — Jeszcze za wcześnie, mamo, za wcześnie, żeby przyciągający laski magnes się ustatkował".

Śmiałam się, właściwie nie zauważając, że Jack przestawał czekać, aż skończę gadać przez telefon, i zaszywał się w gabinecie. Siedział tam do późna, aż musiałam krzyknąć: „Czy raczysz dołączyć do nas na kolacji, czy mamy zacząć bez ciebie?!".

Gdybym tylko słuchała. Gdybym tylko usłyszała.

Próbowałam zapomnieć o strachu, przeglądając feed Natalie na Facebooku, przez profil Hannah. Tym razem byłam wdzięczna, że Hannah nie jest w stanie usiąść koło jakiegokolwiek urządzenia elektronicznego, żeby się na coś nie zalogować. Najczęściej podchodziła do wylogowania się z absolutną niefrasobliwością. A teraz wykorzystywałam to bezwstydnie, żeby śledzić własnego wnuka.

Moja potrzeba zrozumienia, co się dzieje z Olliem i jego synem, zdecydowanie przeważała nad poczuciem winy z powodu tego wścibskiego węszenia. Przewijałam posty Natalie. Alfie w kąpieli, Alfie śpi na piersi Olliego, Alfie w łóżeczku, a tu jego maleńkie śpioszki powiewają na sznurku jak chorągiewki. Przyjrzałam się zdjęciu Olliego trzymającego Alfiego tuż przy swojej twarzy.

Dziecko było niewątpliwie jego. Linia ust, łuk brwi. Odchyliłam się na krześle, żeby łzy nie zmoczyły klawiatury, kiedy czytałam komentarze pod fotografiami.

„Przepiękny, kochana! Cudownie zobaczyć twoją małą rodzinkę".

„Nie mogę się doczekać, żeby przyjść i poznać bobasa!"

„Wpadnę w środę po południu. Przyjdziesz na spotkanie NCT* w tym tygodniu?"

Zaczynałam rozumieć dziadków, którzy szli do sądu, żeby walczyć o prawa do kontaktu z wnukami. Ci wszyscy ludzie — połowa z nich luźni znajomi — wpadali sobie, kiedy im się żywnie podobało, żeby poznać mojego wnuka, a ja nawet nie wiedziałam, czy doszły te małe ogrodniczki (przeanalizowałam zdjęcie z suszącym się praniem, ale ich nie dostrzegłam). Trudno było mi znieść myśl o obcych, o których nigdy nie słyszałam, dotykających drobnych paluszków Alfiego, patrzących, jak pulchne nóżki kopią w powietrzu. Przecież właśnie po to — dla wnuka — zachowałam starą kolejkę elektryczną Olliego, jego samochodziki Micro Machines, które ustawiał na podłodze, z policzkiem przytulonym do dywanu, zamykajac się na całe godziny we własnym świecie. Nie pozwoliłam Jackowi wyrzucić autek, kiedy sprzątaliśmy strych przed przeprowadzką tutaj.

Przyjrzałam się widocznemu na zdjęciach tłu — głębi pokoi. Najwyraźniej sprzątanie zostawiła Olliemu, sądząc po bluzach poniewierających się na kanapie

* National Childbirth Trust, brytyjska organizacja charytatywna zapewniającą wsparcie rodzicom podczas ciąży i pierwszych lat życia dziecka.

i liczbie kubków widocznych na stole. Natalie wyglądała na wykończoną. Pamiętałam to absolutne wyczerpanie karmieniem dziecka w nocy, kiedy bałam się zasnąć, na wypadek, gdybym pięć minut później musiała się obudzić. Ten marazm i niemoc, zastanawianie się, czy jeszcze kiedyś poczuję się normalnie, będę w stanie napić się wina i nie zapaść w drzemkę po dwóch łyczkach. Miałam nadzieję, że Ollie pomaga. Nie byłam pewna, czy rozumiał, jak burza hormonów wpływa na kobiety, chociaż mieszkał ze mną wystarczająco długo.

Cokolwiek mówiłby Jack, będę musiała pojechać do Bristolu i rozbić obozowisko pod ich drzwiami, dopóki mnie nie wpuszczą.

Ściągnęłam wszystkie zdjęcia. Strasznie chciałam zamieścić dwie fotki — na jednej byłby Alfie, a na drugiej malutki Ollie. Wnuk zdecydowanie wyglądał na Andersona, bez względu na to, jakie dostał nazwisko. Nie mogłam jednak ryzykować, żeby Natalie się dowiedziała, że wchodzę na jej stronę, bo był to mój jedyny sposób, żeby zobaczyć, co się u nich dzieje; Ollie ewidentnie usunął mnie ze znajomych czy jakoś inaczej zablokował. Przeglądałam teraz swój feed i zamieszczone na nim zdjęcia z ferii wiosennych. Dlaczego ludzie wrzucają fotki, na których ich brzydkie stopy wystają znad krawędzi leżaka? Wszyscy, których znałam, najwyraźniej byli w jakimś miejscu z ciągnącym się w nieskończoność basenem, palmami albo chociaż cholernym koktajlem — i uznawali za konieczne pokazać swoje koślawe paluchy u nóg.

Wszedł Jack.

— Możesz mi wywinąć kołnierzyk z tyłu?

Zatrzasnęłam pokrywę laptopa z poczuciem winy, że nie siedziałam z mężem na górze w sypialni.

Wydawał się tak spięty i zdenerwowany, że zerwałam się z krzesła.

— Wyglądasz jak filar społeczeństwa. Będzie dobrze, kochanie. Po prostu mów prawdę. Cokolwiek się stanie, przejdziemy przez to.

Przyciągnął mnie do siebie.

— Bogu dzięki za to, że jesteć, Zell. Żałuję, że nie byłem lepszym mężem. Zawiodłem cię.

Nie miał pojęcia, jak bardzo ubolewałam nad tym, że nie byłam oszczędną żoną.

— Na pewno nie chcesz, żebym pojechała z tobą na komisariat?

— Na pewno. Masz się w ogóle do tego nie mieszać. Nie chcę, żeby pojawiły się jakiekolwiek podejrzenia, że cokolwiek wiedziałaś. Graham po mnie przyjedzie.

— Nie sądzę, żeby zawiezienie męża na komisariat przemawiało za moją winą — powiedziałam, przytulając się policzkiem do jego twarzy. Wciąż nie mieściło mi się w głowie, że Jack pewnego dnia wykombinował sposób, jak wyprowadzić na prywatne konto część pieniędzy z kwoty za każdą sprzedaną przyczepę kempingową.

Odsunął mnie na długość ramienia i spojrzał mi prosto w oczy.

— Nie wiem, czy pójdę do więzienia. — Głos zaczął mu się łamać, wziął głęboki wdech. — Ale gdyby się tak stało, obiecaj, że na mnie poczekasz. Tylko o to proszę. Wiem, że zdołam przez to przejść, jeśli mnie nie zostawisz.

— Nie zostawię. Obiecuję. — Przytuliłam go, zastanawiając się, w jaki sposób tamten długowłosy student, który jechał stopem, żeby mnie zobaczyć, oszczędzając na bilecie na pociąg, by móc mnie zabrać na kolację, stał się tym czterdziestoczterolatkiem z perspektywą odsiadki.

Dam radę. Będę musiała, nawet jeśli nie mogłam przegnać myśli, że dziadek kryminalista nie zwiększa moich szans na przekonanie Natalie co do naszych zdolności opieki nad wnukiem. Zanim zdążyłam ubrać tę mało pomocną myśl w słowa, w progu stanął adwokat Jacka.

— No dobra, powodzenia. Zadzwoń, jak tylko wyjdziesz.

Zerknęłam na Grahama.

— Nie zatrzymają go na noc, prawda?

— Mało prawdopodobne. W tej chwili po prostu pomaga im w dochodzeniu.

Zaczęły mi drżeć wargi.

— Do zobaczenia. Kocham cię.

Słowa uleciały, opadły.

Patrzyłam, jak samochód odjeżdża, i kręciłam głową nad tym, jak chyłkiem dopada nas prawdziwe życie, podgryza rok po roku wszystko, co beztroskie i w zamian zostawia ciężkie brzmię — tam, gdzie najpierw były piórka, szczypta odpowiedzialności, tak lekkiej, że wydawała się przywilejem. Własne mieszkanie, wspaniała okazja biznesowa, niezależność osiągnięta znacznie wcześniej od naszych rówieśników. A wraz z nią ambicje, by mieć więcej, większe i lepsze — akceptowanie dłuższych godzin, cięższej pacy, mniejszej ilości czasu dla siebie — aż zostaliśmy przytłoczeni przez to, co się powinno, co wypada, co trzeba mieć. Wyprzedawaliśmy kawałki swojej duszy i nawet tego nie zauważyliśmy.

Gdzie ona teraz była, ta dziewczyna z koralikowymi bransoletkami na kostkach, która przez całą noc leżała z Jackiem na plaży, szeptem opowiadając o swoich marzeniach i gapiąc się w gwiazdy, a potem szła prosto do pracy, ziewając, kiedy wystukiwała faktury przy biurku, ale nie mogła powstrzymać uśmiechu na wspomnienie pieszczoty, obietnicy, planu na przyszłość?

Była tutaj. Siedziała przy wykonanym na wymiar dębowym stole i zazdrościła każdemu, kto pisał na Facebooku o swoim fantastycznym życiu. Nie miała kontaktu z synem, który na osiemnastkę dostał roleksa, prawie nie rozmawiała z córką, którą posłała do szkoły, gdzie grano w lacrosse, i czekała, aż jej mąż, dyrektor finansowy, dowie się, czy pójdzie do więzienia.

Zabawne, jak się życie układa.

Zdjęcie: Żonkile, zawilce, ciemierniki.
Podpis: Pierwsza wiosna w naszym nowym domu i życie usłane różami!
#KochamSwójOgród

ROZDZIAŁ 35

KATE

Poniedziałek, 14 maja

Bóg raczy wiedzieć, dlaczego uważałam, że Sally zadziera nosa i uważa się za nie wiadomo co. Odkąd cała afera z Chrisem wyszła na jaw, czułam się winna, że tak ją oceniałam. Kto jak kto, ale ja powinnam wiedzieć, że to, co ludzie pokazują światu, może być zasłoną dymną, skrywającą najróżniejsze lęki i niepewność. Po raz pierwszy od dawna ktoś mnie regularnie odwiedzał. Poznałam nawet jej rodziców. Mama była przezabawna, niestrudzenie próbowała znaleźć plusy sytuacji, w której znalazła się Sally: „Ale trawę to zawsze przycinał stanowczo za krótko. A to przecież sprzyja chwastom. U nas w trawie nie ma żadnego mchu ani mleczy. Zobaczysz, jak twój trawnik będzie wyglądał w lecie, gdy tata odprawi swoje czary".

Zapomniałam, jak miło mieć przyjaciółkę, z którą mogłam się zrelaksować, siedzieć w ciszy albo oglądać telewizję, bez poczucia, że muszę się jakoś wykazać. Zawsze przynosiła znakomite wino, więc przez ostatnie półtora miesiąca wypiłam więcej niż przez cały poprzedni rok. Typowo po brytyjsku, alkohol utorował drogę do poznania sekretów Sally. Im więcej piła, tym częściej powtarzała, że w dzieciństwie nigdy nie czuła się dość dobra, że całe życie czekała, aż poniesie klęskę i teraz wreszcie się to stało. Nie przestawała kręcić głową. „Mama i tata uważali, że jestem geniuszem, bo dobrze sobie radziłam w szkole, ale to dlatego, że cholernie dużo się uczyłam. Wszyscy będą o mnie gadać. Pewnie cała ulica widziała, jak wchodził i wychodził, wynosił swoje rzeczy, kiedy wiedział, że jestem w pracy. Mieszkał ze swoją ciężarną kochanką, a ja przekonywałam samą siebie, że zaraz do mnie wróci i będziemy żyć długo i szczęśliwie". Po drugiej butelce mówiła po prostu: „Muszę być głupia, naprawdę strasznie głupia".

Dzisiaj byłam szczególnie zadowolona z towarzystwa Sally, bo siedziałam jak na szpilkach, czekając na Daisy, która zdawała ponownie pierwszą część matury z psychologii. Powinna być w domu o piątej, ale napisała, że idzie „wyczilować się" u Hannah. Pozwoliłam na to. Nadal czułam potrzebę wynagrodzenia córce tego, że rok temu nie dałam się jej w pełni skoncentrować na nauce, bo zarządziłam przeprowadzkę dzień po ostatnim egzaminie.

Mój esemes z pytaniem, jak jej poszło, pozostał bez odpowiedzi. Gdy o dziewiątej wieczorem usłyszałam szczęk otwieranych drzwi, usiłowałam nie rzucić się do przedpokoju, ale nie mogłam się powstrzymać.

— Jak ci poszło?

— Właściwie to nie wiem.

Myślałam, że z frustracji zaraz oszaleję. Wydałam mniej więcej połowę miesięcznej pensji na fluorescencyjne markery, fiszki, specjalne długopisy, konkretny typ cienkopisu, każdy rodzaj parszywych przyborów do pisania, jakiego można potrzebować w dowolnej sytuacji. Przepytywałam ją, aż sama potrafiłam opisać ze szczegółami budowę jądra migdałowatego. Dawałam jej suplementy z kwasami omega, przyrządzałam mnóstwo ryb i usiłowałam tak ustawić grafik w pracy, żeby być wieczorem w domu i móc dopilnować, by kładła się spać o rozsądnej porze. W nagrodę za to wszystko dostawałam: „Właściwie to nie wiem".

Z trudem opanowałam zniecierpliwienie.

— Odpowiedziałaś na wszystkie pytania?

— Tak jakby. Nie do końca o to chodzi — powiedziała, kręcąc głową, jakbym była zbyt ograniczona, żeby pojąć, co może obejmować egzamin maturalny.

Wyminęła mnie i weszła do salonu.

— O, cześć, Sally.

Sally pomachała, chociaż miała nieco zaburzoną koordynację ruchową, bo opróżniła prawie całą butelkę wina i nalegała, żeby odkorkować drugą.

— Cześć. Przepraszam, przepraszam. Zaraz sobie pójdę. Jak ci poszło?

Niech mnie gęś kopnie, jeśli Daisy nie zaczęła omawiać z nią egzaminu pytanie po pytaniu. Konsultowała się, czy zdaniem Sally dobrze napisała o „pamięci epizodycznej". Jeśli kiedykolwiek śmiałam zasugerować odpowiedź, przy tych rzadkich okazjach, kiedy zostałam dopuszczona do świętości, jaką były pytania z egzaminu maturalnego, Daisy udawała, że słucha, następnie mówiła: „Nie to napisałam".

Sally z trudem trafiła kieliszkiem do ust, ale nadal starała się prowadzić rozmowę.

— Co sobie dzisiaj powtarzasz? — spytała.

— Zaburzenia osobowości.

Sally zaśmiała się nieprzyjemnie.

— Mogłabyś przeprowadzić badania nade mną. Czy jest jakiś termin na określenie osoby, która żyje złudzeniami i okazuje się, że okłamuje samą siebie i wszystkich innych na temat życia, które prowadzi?

Wzdrygnęłam się, bo chciałam chronić Daisy przed poznaniem szczegółów tego, co spotkało Sally. I tak już miała kiepski obraz związków damsko-męskich.

Daisy założyła włosy za uszy.

— Niezupełnie. Jest coś, co się nazywa zaburzenie dysocjacyjne, kiedy ludzie mają więcej niż jedną tożsamość, przypomina to osobowość mnogą, trochę tak, jak gdyby w różnych momentach było się różnymi osobami. — Spojrzała na mnie wymownie.

Sally zmrużyła oczy w wyrazie koncentracji.

— Czytałam o tym. Ale nie sądzę, żeby mnie to dotyczyło. Chyba byłam po prostu głupia.

Daisy wyglądała na zdziwioną i poirytowaną.

Sally ciągnęła lekko bełkotliwie:

— Czy to, o czym mówisz, nie dzieje się, kiedy człowiek miał jakieś straszne przeżycia i nie może sobie z nimi poradzić?

Daisy pokiwała głową, znów popatrzyła na mnie z uniesionymi brwiami.

— Zdarza się częściej, niż myślisz — powiedziała.

Mała prowokatorka.

Chciałam jej wykrzyczeć, że nie mam zaburzenia osobowości, że to, co zrobiłam, nie wynikało z choroby, tylko z tego, że nie miałam wyboru. I nie chodzi o żadną osobowość mnogą, ale o to, że musiałam pozbyć się starej i przyjąć nową, zupełnie inną, żeby nas chronić. Dlaczego bez przerwy obwinia mnie się o to, co złe, kiedy tak bardzo staram się wszystko naprostować?

Ciekawe, czy Daisy pamiętała, jak kuliła się przestraszona na schodach w środku nocy, kiedy miała jakieś sześć lat, a ja próbowałam zablokować drzwi wejściowe. Chwilę wcześniej usiłowałam uspokoić Becky, omal jej nie wpuściłam, stare przyzwyczajenia, każące nieść pociechę i opiekę, umierają powoli. Rzuciła się na mnie, krzycząc, wrzeszcząc i drapiąc, a Daisy za moimi plecami popłakiwała ze strachu.

I cała nasza wspólna historia, moja i Becky, przyjaźń od dziecka. Zostawanie u siebie na noc, kiedy chichotałyśmy, zamiast spać; odpisywanie od siebie matmy; dom jednej nie miał dla drugiej tajemnic — wiedziałyśmy, gdzie znaleźć sok pomarańczowy, herbatniki, nawet zapasową rolkę papieru toaletowego. Mogłyśmy swobodnie skakać z tematu na temat i rozumiałyśmy się w pół słowa. Nagle wszystko to przestało się liczyć.

Potem zaczęły się listy, głuche telefony, a Daisy jak gdyby nigdy nic oznajmiała, że widziała, jak Becky przechodzi obok jej szkoły. Oskara już dawno nie było, a ja za bardzo się bałam, żeby pozwalać Daisy bawić się samej w ogródku za domem czy chodzić do innych dzieci. Bałam się, że zniknie. Przeprowadziłyśmy się do Leeds, ale w końcu nas tam znalazła.

Sally patrzyła to na Daisy, to na mnie, jakby jej skołowany mózg próbował zrozumieć te wszystkie insynuacje i przytyki, którymi bombardowała mnie córka.

Daisy teatralnym gestem sięgnęła po torbę, z taką miną, jakby właśnie udowodniła, że ma rację.

— No, idę się uczyć. Jutro znowu psychologia.

Sally wstała.

— Muszę wracać do domu — zwróciła się do mnie. — Przepraszam, że ci zawracam głowę, kiedy chcesz spędzać czas z rodziną.

Stłumiłam prychnięcie. Daisy z fochem w jednym pokoju, odpowiadająca mi monosylabami, to nie był sielankowy, milusi „czas z rodziną", jaki wyobrażała sobie Sally.

— Wiem, że teraz tak się nie czujesz — powiedziałam — ale wyjdzie z tego coś dobrego. Po prostu jeszcze tego nie widzisz.

Przygarbiła się.

— Mam nadzieję, że masz rację.

— Mam.

Mnie spotkało najgorsze, a przetrwałam.

Nie musiała wiedzieć, jak będzie ciężko.

ROZDZIAŁ 36

SALLY

Czwartek, 17 maja

Przez kilka tygodni po wypadku wciąż żywiłam nadzieję, do której nie mogłam się nikomu przyznać, że Chris do mnie wróci. W idiotycznych chwilach skrajnego optymizmu — zwykle po kieliszku wina albo czterech — wyobrażałam sobie, że jednak będę miała dziecko, skoro już stworzył precedens. Przeboleję romans. Pewnie byłabym w stanie zaakceptować jego córkę w naszym życiu, zwłaszcza gdybym sama urodziła. Wracałam myślami do ostatniego razu, trzy miesiące temu, kiedy został na noc i kochaliśmy się z taką czułością. Uznałam wtedy, że szkoda byłoby odrzucić wszystko, co mieliśmy, przekonana, iż on czuje to samo. Prawda jednak była taka, że Sophie, w szóstym miesiącu ciąży, oczekiwała ich dziecka. Czy on myślał o powrocie? Czy ona tak późno rozważała aborcję? Czy po prostu cholernik się asekurował?

Gdybym usłyszała, że jakaś kobieta próbuje usprawiedliwić to, co zrobił Chris, a nawet zdaje się myśleć o daniu mu drugiej szansy, potrząsnęłabym nią i powiedziała, żeby przestała się oszukiwać, spojrzała prawdzie w oczy, i w ogóle jest śmieszna!

Chociaż mój mózg kazał mi wypalić żywym ogniem jakiekolwiek uczucia do męża, moje serce wciąż karmiło się nadzieją, jak dziewczyna w swojej najlepszej sukience na balu maturalnym, która łudziła się, że dziś będzie dla niego tą jedną jedyną.

W rzeczywistości koniec naszego małżeństwa miał w sobie tyle ikry, co balonik z helem wepchnięty do szafki po jakichś ważnych urodzinach i odnaleziony dwa tygodnie później.

Mniej więcej miesiąc po tym, jak odwiedziłam go w szpitalu, napisał esemesa z prośbą, żebym spakowała jego ubrania, książki i głośniki Bose, a on za kilka tygodni przyśle po nie furgonetkę z pracy. Ewidentnie był zbyt zajęty, żeby przyjechać i samemu zabrać własne rzeczy. Pewnie przeciera brokuły na papkę albo zamawia wszystkie akcesoria Bugaboo znane ludzkości. Kolejne ujście dla jego pasji kupowania markowych rzeczy. W końcu schowałam dumę do kieszeni i do niego zadzwoniłam. Pomyślałam, że powinnam przynajmniej wiedzieć, czy mój jeszcze-nie-eksmąż doszedł do siebie po poważnym wypadku. Powiedział, że wraca do zdrowia. Głos mu złagodniał, kiedy dodał: „Wszyscy wracamy". Nie dałam po sobie poznać, jak to „my" mnie dotknęło, i spytałam, co chce zrobić w związku z podziałem reszty naszych rzeczy.

„Nie potrzebuję niczego innego z domu. Staram się uprościć swoje życie". Powiedział facet, który zawsze gonił za następną nowością. Pewnie powinnam być wdzięczna, ale w moich uszach trąciło to bełkotem kogoś tak odurzonego miłością i nowym wspaniałym życiem, że inne sprawy to teraz dla niego jakieś bzdeciki, którymi przejmuje się jego płytka pierwsza żona.

Było to dwa tygodnie temu. Przez cały ten czas przechodziłam koło jego szafy, bojąc się ją otworzyć, bo mogłam nie zdołać opanować impulsu, żeby popracować sekatorem nad garniturami i koszulami, których nie zabrał od razu. Nieważne, jak często powtarzałam sobie: „Godność, Sally, godność", chęć, by skręcić każdą jego koszulę w kulkę, pociąć na kawałeczki i odesłać w worku na śmieci, nasilała się, im bliżej było do dnia przyjazdu zapowiadanej furgonetki.

Kiedy zwierzyłam się z tego Kate, klasnęła i stwierdziła: „Im szybciej pozbędziesz się jego rzeczy, tym lepiej się poczujesz. Pomogę ci".

Teraz nastawiłam radio na jakąś stację z muzyką country and western — te wszystkie piosenki o niewiernych sercach i butach pod łóżkiem nieznajomej świetnie się wpisywały w mój stan zdradzonej żony. Śpiewałam do wtóru takich piosenek jak *Lucille* (o tak, nigdy nie ma świetnego momentu, żeby od kogoś odejść), usiłując zmienić smutek we wściekłość na tę niesprawiedliwość, że przez tyle lat walczyłam z oporem Chrisa w kwestii dzieci, a potem on dostaje właśnie to, na czym tak rozpaczliwie mi zależało.

Na szczęście była Kate, która okazała się znacznie zuchwalsza i szydercza, niż ją podejrzewałam. Śmiała się, pakując jego książki o „mądrych strategiach w miejscu pracy" i „skutecznym zarządzaniu motywacyjnym".

— Kto w ogóle kupuje coś takiego?

Zawsze słuchałam, jak Chris odczytywał z nich różne złote myśli, i czułam się winna, że miałam czasem ochotę leżeć w łóżku do wpół do dwunastej, co on uważał za przejaw lenistwa i braku ambicji. Imponowały mi te lektury i uważałam, że mojemu mądremu mężowi przeznaczony jest wspaniały sukces zawodowy. W oczach Kate natomiast, chociaż była zbyt dobrze wychowana, żeby to powiedzieć, Chris wychodził na buca. W tej chwili trochę mi to poprawiało samopoczucie.

Pomogła mi spakować jego garnitury.

— Nie dawaj mu tej walizki. Może sobie wziąć tę tutaj, z oderwanym kółkiem. I tamtą sportową torbę — zawyrokowała, otrzepując z kurzu torbę, którą Chris potraktuje jako relikt swojej młodości, a nie coś, co mógłby nosić w roli ważnego pana dyrektora.

Kate znakomicie wyczuwała najmniejsze osłabienie mojej motywacji, każdą oznakę zwątpienia.

— Chodź, wrzuć jego buty do worka na śmieci, a ja zrobię herbatę.

Kiedy wróciła z kuchni, byłam zdecydowana. Zdradzę jej mój niewyraźnie rysujący się pomysł i zobaczę, co powie. Była to jedyna rzecz, jaka przyszła mi do głowy, która mogła mnie powstrzymać przed zamienieniem się w zgorzkniałą starą wiedźmę. Nie byłam w stanie opowiedzieć o tym komukolwiek innemu ze strachu, że ktoś swoją opinią rozdepcze tę drobniutką poczwarkę, zanim ta będzie miała szansę wypuścić skrzydełko.

Pomysł wydawał się tak pochopny, śmiały i niepasujący do mnie, że wypaliłam, zanim zdążyłam zmienić zdanie:

— Zamierzam wystawić dom na sprzedaż i przeprowadzić się do Włoch. Znalazłam posiadłość do renowacji na wzgórzach koło miasteczka Castelfiorentino w Toskanii.

— Wow.

Cień dawnej Kate. Ta zdolność do zachowania milczenia i pozwalanie, by to inni wypełnili pustkę słowami. Żałowałam, że się z tym do niej wyrwałam. Chciałam, żeby błagała, bym stąd nie wyjeżdżała, i powiedziała, że będzie za mną tęsknić, a osiedle nie będzie takie samo beze mnie.

Brnęłam dalej.

— Przemyślałam to. No, prawie... — Mówiłam coraz ciszej.

— A twoja praca? Zajmowałabyś się tym samym?

Skinęłam głową.

— Zaproponowano mi stanowisko, na którym miałabym nadzorować zakup win włoskich, a to wręcz byłoby dużo łatwiejsze, gdybym tam mieszkała. W każdym razie przez jakiś czas. Później mogłabym wynajmować pokoje przez Airbnb, i zobaczę, jak sobie poradzę.

Zaczęłam jej tłumaczyć, że zostając tutaj, ryzykuję, iż natknę się na Chrisa i jego córkę. Nie potrafiłam też znieść myśli o moich rodzicach jeżdżących cztery godziny w jedną stronę, żeby mnie regularnie odwiedzać, ukrywając zmartwienie i troskę pod pozorem przywiezienia biszkoptowej rolady („Na wszystkie smutki najlepszy kawałek ciasta z filiżanką herbaty") i worków kompostu („Trzeba trochę odświeżyć twoje doniczki"). Że to było coś, o czym marzyłam, ale Chris zawsze mnie zbywał: „Włochy są fajne na wakacje, ale nie jako miejsce do życia". A ja uważałam, że mieszkanie, gdzie można posiedzieć wieczorem na zewnątrz więcej niż pięć razy w roku, wcale nie byłoby takie złe.

— Przeprowadzka może być bardzo oczyszczająca — stwierdziła Kate. — Zawsze dobrze wymyślić się na nowo, żeby nie dać się zaszufladkować jako osoba, którą byłaś, kiedy miałaś dwanaście, dwadzieścia czy nawet trzydzieści pięć lat. — Spuściła oczy. — Co prawda smutno mi będzie się z tobą żegnać. Ale rozumiem. W nowym miejscu możesz wybrać, komu opowiedzieć swoją historię, zamiast być „tą kobietą, która…".

Powiedziała to w taki sposób, z takim przekonaniem, że przerwałam dobieranie butów Chrisa w pary i przyjrzałam jej się uważnie.

— Mówisz to tak, jakbyś miała w tym jakieś doświadczenie?

Skinęła głową.

Podniosłam parę designerskich klapków, które Chris włożył tylko raz, bo strasznie go obtarły między palcami. Czekałam, ciekawa, czy uchylą się przede mną drzwi szafki z sekretami Kate.

Westchnęła.

— Przeprowadzka to dobra rzecz, ale oznacza samotność. Znasz kogoś w tej wiosce, do której chcesz się przenieść? Mówisz po włosku?

Poczułam ukłucie rozczarowania, że nadal nie chciała mi się zwierzyć, ale odsunęłam je od siebie.

— Skłamałabym, gdybym powiedziała, że nie jestem przerażona, ale Chris chciał tylko kupować nowe domy, a ja zawsze miałam ochotę spróbować wyremontować jakąś ruinę. No i teraz mam okazję. Znam włoski na tyle, żeby jakoś sobie radzić. Mam nadzieję, że przyjedziesz mnie odwiedzić? Z Daisy? No, jak już się uporam z naprawą kanalizacji.

— Naprawdę? Byłoby wspaniale. — Odchrząknęła. — Pierwszy raz od dawna mam prawdziwe przyjaciółki. No, w każdym razie miejscowe.

I jakby te słowa się jej wymsknęły, niczym latawiec wyrwany z ręki przez podmuch wiatru, oblała się takim głębokim pąsem, że zastanawiałam się, czy nie wyjść z pokoju i dać jej się pozbierać. A potem ta niepojęta kobieta zaczęła płakać rzewnymi łzami, których nie rozumiałam, ale i tak się do niej przyłączałam (raz po raz wybuchałyśmy niekontrolowanym chichotem, po którym na nowo zaczynałyśmy beczeć).

Kiedy wreszcie się uspokoiłyśmy, powiedziałam:

— Byłaś dla mnie naprawdę dobra. Dziękuję. Żałuję, że nie mogłam ci trochę bardziej pomóc, ale... — Nie bardzo wiedziałam, jak dodać, że tak trudno jej pomagać, bo jest niezależna i samowystarczalna, a poza tym nie mam nawet pewności, czy rzeczywiście jest tą osobą, za którą się podaje. Jej reakcja, kiedy przyniosłam kopertę z dziwnym cudzoziemskim nazwiskiem, wciąż nie dawała mi spokoju. Szybko podjęłam: — Gisela tu zostaje. Jest o wiele bardziej towarzyska ode mnie, więc będziesz miała centralną imprezownię po drugiej stronie ulicy.

— Nie widziałam jej od wieków — pokręciła głową Kate. — Ani nawet posta od niej na Facebooku. Czuję się, jakby mnie unikała.

— Naprawdę? Myślałam, że tylko ja mam takie wrażenie i unika mnie, bo nie chce się mieszać w tę sytuację z Chrisem. Może myśli, że rozwody są zaraźliwe?

— Ona chyba taka nie jest. — Kate wzruszyła ramionami. — Zawsze uważałam ją za osobę, która raczej nie potępia ludzi z góry i nie ocenia pochopnie. Może po prostu jest zajęta.

— Ale to trochę do niej niepodobne, że nie siedzi na Facebooku, co?

Nawet kiedy nie zamieszczała zdjęć, udostępniała głupie quizy w rodzaju: „znajdź swoje hipisowskie imię", „jak miałabyś na imię jako tancerka na rurze", „na co umrzesz". Właściwie nie było dnia, żeby nie ogłaszała, że jako hipiska nazywałaby się Sweetpea Halistorm, a jako tancerka na rurze — Pixie Pervy, albo informowała nas, że umrze podczas seksu.

Chociaż skrycie pogardliwie odnosiłam się do tego, że ma tyle wolnego czasu — może sprawdzać, jak by jej poszła matura z matematyki, pisać nam, że jej elfie imię to Gisand („też możecie sobie sprawdzić: trzy pierwsze litery imienia i nazwiska!") oraz zamieszczać listy imion kobiet, które najczęściej wyjadają wszystkie czekoladki jeszcze przed świętami — ze zdziwieniem odkryłam, że brakuje mi Giseli. Było coś radosnego w jej beztrosce, tych wszystkich „LOL" i „ROTFL", i głupich GIF-ach z kobietami wypijającymi duszkiem całą butelkę wina z ogromnego kieliszka.

— Pewnie dużo się u niej dzieje. Wydaje mi się, że z Hannah można mieć urwanie głowy — powiedziała Kate, wpychając naręcze pasków do torby.

Starałam się nie robić miny zdradzającej, że chciałabym mieć takie problemy, ale na samą myśl, że nigdy nie będę mieć nastoletniej córki, na którą mogłabym narzekać, znów się rozryczałam.

Kate westchnęła.

— To minie. Jesteś silna.

— Czyżby? Parę dni temu wybuchłam płaczem u lekarza, kiedy zapytał, kto jest moją najbliższą rodziną. Czuję się, jakby wszystko, co wydawało mi się, że wiem o świecie, stanęło na głowie, a to, co traktowałam jako pewne i oczywiste, na przykład moje małżeństwo, przyszłe macierzyństwo, że zostanę na zawsze z Chrisem, okazało się mrzonką.

— Nauczysz się z tym żyć.

Jej wiara we mnie sprawiła, że niemal sama uwierzyłam w siebie.

Może przeprowadzka do domu we Włoszech, z instalacjami w podejrzanym stanie i kurami na podwórku, będzie w zasięgu moich możliwości. I okaże się pewnego dnia, że to najlepsze, co mnie w życiu spotkało.

Ale jeszcze nie dzisiaj.

ROZDZIAŁ 37

GISELA

Poniedziałek, 21 maja

Policja przeprowadzi pełne dochodzenie, żeby ustalić, czy przekażą sprawę do prokuratury. Najwyraźniej wyjaśnienie podprowadzenia paru tysięcy ze sprzedaży przyczep i domków kempingowych nie było aż tak pilne, bo miesiąc po powrocie Jacka z pierwszego przesłuchania nadal nie wiedzieliśmy, jak długo wszystko może potrwać.

— Tygodnie? Miesiące? Lata? Dlaczego nie zapytałeś? — Na myśl, że cała afera będzie nad nami wisieć nie tylko przez wakacje, ale jeszcze Boże Narodzenie, robiło mi się niedobrze. Zastanawiałam się, czy przyzwyczaimy się do takiego życia, znajdziemy sposób, żeby odsuwać od siebie ten temat. — Mówili, że będziesz musiał stanąć przed sądem?

Już czułam mdłości, kiedy wyobraziłam sobie, że siedzę na galerii dla publiczności, a Jacka przesłuchują na miejscu dla świadków. Czy to w ogóle naprawdę tak wygląda, czy obejrzałam za dużo powtórek *Sędziego Johna Deeda*? A co, jeśli nas sfotografują, jak będziemy wchodzić do gmachu sądu, i opublikują zdjęcia w cholernym „Evening Standard"? Cała ulica będzie miała używanie!

— Właściwie niewiele powiedzieli — odparł Jack. — Tylko tyle, że będą dalej prowadzić śledztwo i dadzą mi znać, czy sprawą zajmie się prokuratura. Graham stwierdził, że najpierw trafi to do sądu pokoju, jeśli zdecydują się mnie oskarżyć.

— A gdybyśmy zwrócili pieniądze? — spytałam. — Wycofaliby wtedy zarzuty?

— Nie wiem, ale jak zwrócić? Nic nie mamy.

Nie odważyłam się powiedzieć, że mogłabym znaleźć pracę. Po tylu latach czułabym się idiotycznie, proponując, że napełnię rodzinną kasę. Zarobienie pięćdziesięciu kawałków zajęłoby mi całą wieczność.

— Moglibyśmy sprzedać dom — zasugerowałam.

Jack westchnął tak rozpaczliwie, że podeszłam, żeby go przytulić.

Wplótł mi palce we włosy.

— Przepraszam — powiedział.

— Nie, to ja przepraszam, że nie mogłeś ze mną porozmawiać; czułeś się pod presją, że musisz nas utrzymywać; dałam ci odczuć, że nie mogę być szczęśliwa bez tego wszystkiego. — Zatoczyłam ręką, wskazując poduszki na kanapę po siedemdziesiąt pięć funtów za sztukę, system głośników hi-tech za kilka tysięcy (tak kapryśny, że często korzystaliśmy z głośniczka za 30 funtów, który kupiłam jako drobny prezencik do gwiazdkowej skarpety) i najstraszliwszy kosztowny rupieć w postaci fotela do masażu za pięć kafli. Przez chwilę miałam nadzieję, że zarobi na siebie, kiedy Hannah bolał kręgosłup od tkwienia w niewygodnej pozycji pod zlewami i kolankami rur, ale kategorycznie odmówiła i uparła się na wizyty u kręgarza po sześćdziesiąt funtów za pół godziny. Właściwie nie pamiętałam, kiedy ostatnio ktokolwiek zadał sobie trud, żeby ten fotel podłączyć, nie mówiąc już o znalezieniu piętnastu minut na masaż.

— Sęk w tym, Zell, że i tak nie uda nam się sprzedać domu na tyle szybko, żeby sprawa nie trafiła do sądu. Razem z przeprowadzką może nam to zająć pół roku albo i rok.

— No to może samochody?

— Przecież kochasz ten wóz.

Rzeczywiście uwielbiałam swojego garbusa, zwłaszcza teraz, kiedy zrobiło się cieplej i mogłam jeździć ze złożonym dachem.

— Na litość boską! — rozzłościłam się. — Jeśli sprzedanie samochodu oznacza, że nie pójdziesz do cholernej ciupy, to może trzeba to zrobić. Twojego też się pozbędziemy i kupimy coś mniejszego.

No i tu Jack okazał się wcieleniem stereotypu.

— Nie sprzedam swojego samochodu — stwierdził stanowczo, jakby zasugerowanie, żeby jeździł czymkolwiek poniżej jaguara, czyniło z niego eunucha.

— Mógłbyś sobie kupić używane BMW albo nawet coś praktycznego, na przykład fiestę.

Popatrzył na mnie, jakbym zaproponowała, żeby jeździł na monocyklu.

— Nie sprzedam jaguara. — Skrzyżował ręce na piersi.

Pomyślałam, że wszystkie te świeczniki, które kilka miesięcy temu wydawały mi się niezbędne do życia, mogą się przydać jako narzędzie zbrodni. Chociaż wiedziałam, że w końcu pójdzie po rozum do głowy, ten ośli upór mnie rozjuszył.

— Dobra. Siedź sobie tutaj i czekaj na gliny z kajdankami. Ja tymczasem opchnę swój samochód, a skoro w najbliższej przyszłości i tak będziesz w domu, może zechcesz mnie wozić swoim jaguarem. Potem sama nim będę jeździć, jak już pójdziesz siedzieć.

Żeby pokazać, że nie żartuję, wypadłam na zewnątrz, bo furia wzmogła we mnie skłonność do dramatyzmu. Po kilku minutach wrzucałam zdjęcia na fejsa, a Jack stał i patrzył z zaciętą miną.

Zdjęcia: Klasyczny volkswagen garbus, kabriolet. Jedno zdjęcie z postawionym dachem, drugie z opuszczonym.
Podpis: Ktoś reflektuje na to klasyczne cacko? Cena wywoławcza £ 15 000.
Postanowiłam zadbać o kondycję i przy okazji o środowisko. Od tej pory wszędzie chodzę pieszo! #PiechotąDoLata

Od razu zaroiło się od komentarzy:

„Nie! Tylko nie garbus!" i dużo emotek ze smutną miną — od mojej dawnej sprzątaczki.

„Na pewno możesz zrównoważyć zanieczyszczenia samochodowe przez korzystanie z kompostownika!" — to od matki jednej z koleżanek Hannah ze szkoły. Przyszła kiedyś do nas na kolację i omal nie padła, kiedy zobaczyła, że wrzucam wszystkie resztki warzyw do kosza w kuchni na zmieszane. „Nie używasz kompostownika?" Zbyłam ją śmiechem. „Jeszcze czego. Nie chcę, żeby mi robale łaziły po blatach, dziękuję bardzo".

Mimo że była u nas na tylu imprezach, nigdy nie czując potrzeby rewanżu, i objadała się przy tych okazjach wędzonym łososiem, kaczką z Gressingham i kremem czekoladowym z lawendą, teraz uznała, że ma prawo mnie pouczać i zarzucać mi egoizm. Strasznie mnie kusiło, chciałam napisać, że gdyby przymknęła paszczę, moglibyśmy zredukować emisje CO_2. Ale odpowiedziałam, wklejając tylko emotki z buźką śmiejącą się do łez.

Miałam nadzieję, że któregoś dnia otworzy pokrywę kompostownika i zobaczy szczerzącego zęby wielkiego, tłustego szczura siedzącego wśród resztek jej fioletowego brokuła gałązkowego i komosy ryżowej.

Kate zalajkowała mój post. „Jak będziesz chciała wymienić go na mini (dziesięciu wcześniejszych niedbałych właścicieli i zapach rozlanego jogurtu, za to mało pali), dawaj znać!".

Dzięki Kate zawsze czułam się nieco lepiej.

Pójście Jacka do więzienia automatycznie przetrzebi grono przyjaciół. Już słyszałam komentarze: „On nie lepszy od złodzieja, a ona musiała o tym wiedzieć". Miałam nadzieję, że Kate do nich nie dołączy. Co do Sally, nie byłam pewna. Zanim zdążyłam pogrążyć się w tej spirali beznadziei, zadzwonił mój telefon. Ollie. Brak bezpośredniego kontaktu od prawie sześciu miesięcy. Nie miałam pojęcia, czy to będzie coś dobrego, czy coś złego.

Szybko przesunęłam przycisk na ekranie, zanim się rozłączy.

Ollie wypalił prosto z mostu, bez żadnych przeprosin, że się nie odzywał:

— Mamo, chodzi o Nat. Ciągle płacze. — Głos mu się załamał. — Mam się uczyć do egzaminów, ale nie mogę i nie wiem, co mam zrobić, żeby jej pomóc.

Cała ta matczyna miłość, która kotłowała się we mnie od miesięcy, stanęła na baczność, z ulgą, że nareszcie znajdzie jakieś ujście.

— Z Alfiem w porządku?

— Nie wiem. Chyba tak. Też dużo płacze. Czasem nie śpi przez całą noc.

— To normalne, kochanie. Niemowlaki są krnąbrne. Była u was położna środowiskowa?

— Kilka razy, ale Nat nie chce jej powiedzieć, jak zła jest sytuacja. Zwleka się z łóżka, kiedy wie, że położna ma przyjść, ale poza tym prawie w ogóle nie wstaje. Boi się, że zabiorą nam dziecko.

Nie czułam żadnej satysfakcji, słysząc, że rodzicielstwo nie okazało się taką sielanką, jak oboje przewidywali w święta.

— Mam przyjechać?

— Możesz, jak najszybciej? — W głosie Olliego było słychać ulgę.

— Wyruszę dziś po południu.

Zakończyłam rozmowę, żeby przygotować się do wyjazdu.

— Jedziesz ze mną? — spytałam Jacka.

Westchnął ciężko.

— Chciałbym, ale wolę się stąd nie ruszać, na wypadek, gdyby znów mnie wezwali.

— Nie masz mi za złe, że się do nich wybieram?

Uśmiechnął się z trudem.

— I co, napisałabyś Olliemu, że jednak nie dasz rady? No już, leć. Opowiesz mi, co u niego. — Objął mnie i wtulił twarz w moje ramię. — Nie mów mu, że mam kłopoty z policją, dobrze? W którymś momencie będę musiał sam się do tego przyznać, ale nie chcę, żeby się mnie wstydził. W każdym razie jeszcze nie. Niech jego syn myśli, że może być dumny z dziadka, przynajmniej na razie.

— Będą z ciebie dumni. Dzieci cię kochają.

— A ty?

— Ja oczywiście też.

Ale kiedy to powiedziałam, zadałam sobie pytanie, ile żon kochało mężów bardziej niż swoje dzieci. Kogo by wybrały, przyparte do muru? Miałam nadzieję, że nie zostanę poddana takiej próbie.

Jechałam autostradą M4 tak szybko, jak tylko się odważyłam, z bagażnikiem pełnym karuzeli do wieszania nad łóżeczkiem, stojaków edukacyjnych, piszczących i szeleszczących książeczek. Wiozłam też butelkę szampana. Jedną z ostatnich, odkąd przeszliśmy na zaciskanie pasa. Uznałam, że lepszej okazji do jej wypicia nie będzie.

Zaparkowałam przed ich mieszkaniem w Redlands w Bristolu.

Nie zdążyłam nawet nacisnąć dzwonka. Ollie stanął w drzwiach z dzieckiem w nosidełku.

Emocje, które mnie ogarnęły, można opisać tylko jako pierwotne. Zapragnęłam utulić, pocieszyć i chronić syna. Wziąć na siebie wszystkie jego troski i oddać mu poczucie beztroski, cofnąć czas o dwa lata, do tego dwudziestoletniego Olliego, który bez przerwy otwierał i zamykał lodówkę — „Gdzie mięso?" — wylegiwał się w łóżku do południa, a potem zasiadał przed telewizorem, z jedną ręką na kontrolerze PlayStation, drugą na telefonie.

— Mamo!

Te dwie sylaby definiowały mnie i frustrowały. Słowo, które zdecydowało o tym, kim jestem, nawet kiedy wcale nie chciałam, kiedy wymagania związane z tą rolą były zbyt liczne, bolesne i cholernie trudne. Tytuł, który oznaczał, że już nigdy nie będę wolna. Ani że nie chciałabym być.

Wyciągnęłam ręce.

— Mój synek. I spójrz na niego, twój synek. — Ucałowałam czubek mięciutkiej główki i gdzieś mimochodem od razu zarejestrowałam kształt podbródka i idealny mały nosek jako dziedzictwo Andersonów. — Jest piękny, Ol.

Ollie stał i łzy płynęły mu po twarzy.

— Mamo, jest strasznie.

— Mogę pomóc. Ogarniemy to. Chodź.

I już, miałam cel.

Ollie zaprosił mnie gestem do dużego salonu, gdzie na kanapie leżał kosz Mojżesza, a w powietrzu unosił się zapach brudnych pieluch. Bałagan przypomniał mi moją pierwszą wizytę w pokoju Olliego na kampusie, kiedy uświadomiłam sobie, że osiemnaście lat mojego śmigania po domu z wybielaczem i sprayem do czyszczenia kuchni nie stało się dla niego przykładem.

— Gdzie jest Natalie?

Ollie wskazał zamknięte drzwi.

— W łóżku. Ma kłopoty z karmieniem małego. — Spuścił wzrok, jakby zastanawiał się, czy wypada podzielić się tym z matką.

— Karmi piersią?

Kiwnął głową.

— Biedactwo. Nie wiem, dlaczego ludzie mówią, że to najbardziej naturalna rzecz pod słońcem. Ty w ogóle nie mogłeś załapać, jak to robić.

Ollie wydawał się lekko przerażony przedstawianym mu obrazem.

— Może tu posprzątamy i damy jej spać do następnego karmienia? A mogę się najpierw przytulić? To znaczy z Alfiem. Ciebie też mogę przytulić, jeśli chcesz.

Mina Olliego wskazywała, że chciał, i to bardzo. Wyglądał na kompletnie zmarnowanego, jakby bycie dorosłym na pełny etat mocno dało mu w kość. Był jednak bardzo delikatny wobec Alfiego, z każdego gestu przebijała miłość. I pewność. Nie wiem, czego się spodziewałam. Że będzie się bał wziąć na ręce własne dziecko?

— Daj mi go.

Ollie wyjął maleństwo ostrożnie z chusty.

Odsunęłam na bok stertę śpioszków i śliniaczków i usiadłam na kanapie.

— Chodź do mnie, mój skarbeczku. — W jednej chwili moja lista tych, za których oddałabym życie, powiększyła się o jeszcze jedną osobę. — Jest przecudowny, Ollie. Pokochałeś go od razu, jak go zobaczyłeś?

— Tak, ale też trochę się bałem. Nat podali petydynę i po porodzie zasnęła. Siedziałem z nim na rękach chyba przez dwie godziny. — Uśmiechnął się, a podkrążone ze zmęczenia oczy na chwilę pojaśniały. — To trochę przerażające być odpowiedzialnym za coś tak malutkiego, nie?

— Owszem. Ale na pewno jesteś i będziesz wspaniałym tatą.

Twarz Olliego skurczyła się i pociemniała, kiedy z trudem powstrzymywał emocje. Musiałam przestać widzieć w nim tego osiemnastoletniego bramkarza, który usiłował się nie rozpłakać po puszczeniu piątego gola.

— Mam nadzieję.

— No dobra, słuchaj, możemy pomóc Natalie poczuć się lepiej, jeśli tu odrobinę uładzimy. Założysz mi to nosidełko? Idź pod prysznic, a ja zabiorę się do sprzątania.

Ollie przełożył mi paski nosidełka przez głowę.

— Na pewno to się dobrze trzyma? Nie chcę, żeby mi wypadł.

— Jest spoko, mamo, naprawdę — odparł z lekką irytacją, trochę jak kiedyś, dawno temu, gdy się upierałam, żeby w esemesach używać przecinków.

Podczas gdy Ollie zniknął w łazience, a Alfie spał, posapując leciutko, kiedy się za szybko ruszałam, znalazłam przyjemność, której wcześniej bynajmniej nie czułam, w szorowaniu kuchennych blatów i składaniu ubrań. Zupełnie inaczej to wyglądało, kiedy siedziałam w domu z własnymi małymi dziećmi, rozwieszając kolejną stertę prania, a Jacka wiecznie nie było, bo jeździł w poszukiwaniu terenów pod kempingi. Narzekał na gówniane hotele, w których musiał spać, podczas gdy mnie myśl o znalezieniu się w dowolnym pokoju, nawet w namiocie, bez dziecka, które narobiło w majtki albo któremu koralik utkwił w nosie, wydawała się szczytem luksusu.

Wrócił Ollie. Wyglądał znacznie lepiej, kiedy się ogolił.

Otworzyłam lodówkę. Powstrzymałam się od przewrócenia oczami. Nic dziwnego, że biedna dziewczyna jest wykończona, skoro żywi się colą zero, kiełbaskami w cieście i jogurtem.

— Jeśli Natalie kiepsko się czuje, musimy zadbać, żeby dostawała dużo dobrego jedzenia. Alfie sporo jej zabierze. Może skoczysz do supermarketu, a ja tu będę dalej ogarniać chałupę?

Wręczyłam mu listę zakupów i sięgnęłam po portmonetkę.

Powstrzymał mnie gestem dłoni.

— Mogę zapłacić, mamo.

— Chętnie ci zafunduję.

— Nie. Nie jestem pasożytem. Ale jeśli kupię marchewkę i kolendrę, możesz ugotować zupę?

— No pewnie — odparłam, ciesząc się na myśl o nakarmieniu Olliego warzywami, bo sądząc po zawartości kosza na śmieci, jadł głównie kebaby i kanapki ze Starbucksa. — No to leć.

Zawahał się, wargi mu drżały, jakby nie wiedział, jak znaleźć odpowiednie słowa.

— Jeszcze z nikim nie zostawialiśmy Alfiego.

— Spokojnie. Jeśli pojawi się jakiś problem, obudzę Natalie. Obiecuję, że będę na niego uważać. Naprawdę. Opieka nad niemowlakiem jest jak jazda na rowerze. — Umilkłam na chwilę. — Spójrz, całkiem nieźle sobie poradziłam. Jedź, będziesz miał pięć minut dla siebie. Weź jakieś torby.

Skrzywił się.

— Nie powiedziałem Nat, że do ciebie zadzwoniłem.

Usiadłam ponownie na kanapie, czując lekki ucisk w żołądku. Pogłaskałam Alfiego po stópce, popatrzyłam, jak zaciska i rozprostowuje palce.

— Będzie z tym problem? — spytałam.

— Nie wiem.

Mój biedny chłopiec. Dwadzieścia dwa lata i już musi radzić sobie z partnerką, która nie lubi jego matki, oraz własnym dzieckiem, zanim jeszcze nauczył się piec kurczaka i włączać cykl prania wełny w pralce.

— Posłuchaj, jak tylko Natalie się obudzi, wytłumaczę, że jestem tu tylko po to, żeby pomóc. Nie martw się. Przyrzekam, przysięgam, że się z nią nie pokłócę. Nie musisz się spieszyć.

Pięć minut po wyjściu Olliego Alfie zaczął płakać. Kołysałam go, uspokajałam, pokazywałam drzewa i pomarszczone uszy słonia, żeby go czymś zająć. Zerkałam na drzwi sypialni, jakbym chciała zmusić je siłą woli, żeby pozostały zamknięte. Śpiewałam Alfiemu cicho *Koła autobusu kręcą się*, zdumiona, jak głęboko słowa piosenki wryły mi się w mózg dwie dekady temu.

Mignęło mi wspomnienie kłótni z Jackiem: on stoi w przedpokoju w garniturze, właśnie wrócił z kilkudniowego służbowego wyjazdu, dzieci biją się o króliczka z jednym uchem, na którego wcześniej żadne nie zwracało uwagi, a ja krzyczę: „Cholernie bym chciała iść do pracy, używać mózgu, zamiast śpiewać *Koła autobusu*… pięćdziesiąt razy dziennie!”.

Gdybym tylko wtedy to zaakceptowała, zamiast się złościć i pomstować, zdała sobie sprawę, jaki to przywilej być w domu z dziećmi, jak szybko to zleci i jak bardzo będę żałować, że nie mogę cofnąć czasu i zrobić wszystkiego lepiej, z większym spokojem i cierpliwością. Zamiast czuć, że coś mnie ominęło, że zostałam ograbiona z wyższego wykształcenia, okazji do sprawdzenia się w świecie pracy, zobaczenia, czy dam radę, czy sprostam, czy jestem wystarczająco mądra, żeby się jakoś odznaczyć, zostawić swój ślad.

Jeśli nie będę uważać, stanę się jedną z tych osób, które wrzucają na Facebooka zdjęcia z zachodem słońca i napisem: „Koniec końców żałujemy tylko niewykorzystanych szans". Do mnie najbardziej pasowałoby: „Chciałam, mogłam, powinnam była, ale nie wykorzystałam". Pewnie wszyscy zaczęliby komentować: „Dobrze się czujesz, kochana?".

Zanim zdążyłam zagłębić się dalej w rozpamiętywanie setek spraw, które zawaliłam, otworzyły się drzwi sypialni i wypadła z nich Natalie w poszarzałej koszuli nocnej. Nie byłby to raczej jej pierwszy wybór stroju, w którym chciałaby się ze mną skonfrontować. Włosy zwisały jej w strąkach, jakby nie myła ich od tygodni. W niczym nie przypominała wysokiej, pewnej siebie kobiety, niewątpliwie przyzwyczajonej do wydawania poleceń i do tego, że je posłusznie spełniano. Z tym drugim zawsze było u mnie krucho, na ogół czułam się, jakbym wykrzykiwała listę pobożnych życzeń niczym ten wołający na puszczy.

— Co ty tu robisz? Gdzie jest Ollie? — Potarła oczy, jakby zdziwiona, że jest popołudnie, a nie rano. Zrobiła krok w moją stronę, ruchem, w którym rozpoznałam instynkt chronienia potomstwa. — Daj mi Alfiego.

Wyjaśniłam, gdzie pojechał Ollie, usiłując wyjąć dziecko z nosidełka, niezdarnie, bo nie byłam obeznana z tym sprzętem. Alfie podniósł wrzask.

— Na litość boską — jęknęła. — Mówiłam Olliemu, że nikogo tu nie chcę. — Wyrwała mi Alfiego. Uniósł piąstki i otworzył usta, żeby wydać z siebie kolejny ryk.

Ważyłam słowa, starając się wyczuć, w którą stronę bezpieczniej się wychylić.

— Przepraszam. Nie chcę się narzucać, ale każdy potrzebuje odrobiny pomocy zaraz po urodzeniu dziecka.

Alfie wrzeszczał tak przeraźliwie, że uszy puchły. Jego twarzyczka zrobiła się fioletowa.

— Posłuchaj, jeśli chcesz, to sobie pójdę, ale mogę pomóc ci go uspokoić. Masz jakiś przygotowany pokarm, butelkę, którą mogłabym mu podać?

— Karmię go sama — odparła Natalie głosem, który miał być wyzywający, ale załamał się i przerodził w szloch.

— Och, wspaniale. Ale, proszę, pozwól mi coś zrobić.

Natalie opadła na kanapę. Alfie posapywał przytulony do piersi mamy. W jej twarzy i ruchach rozpoznałam znużoną rezygnację osoby, która jeszcze nie pogodziła się z faktem, że inna istota ludzka jest od niej absolutnie zależna.

— Mam pójść do kuchni, kiedy będziesz go karmić? Zrobię ci coś do picia.

Kiwnęła głową.

Wypadłam jak strzała z salonu, z ulgą, że mam jakieś zadanie.

Wrzask nie ustawał. Właściwie robił się coraz bardziej histeryczny. Rozpaczliwie chciałam wyjrzeć, czaiłam się przy drzwiach, robiąc współczujące miny. W końcu po prostu nie mogłam już tego znieść.

— Może go na chwilę potrzymam? — powiedziało mi się samo, bez zastanowienia.

Ale Natalie wepchnęła mi Alfiego w ręce bez słowa i opadła z powrotem na kanapę, płacząc. Niezbornie usiłowała zapiąć stanik do karmienia, ostatecznie się poddała. Na koszuli wykwitły plamy mleka, wielkie kręgi, jak tarcze.

Wetknęłam Alfiemu do buzi mały palec, co dało nam króciutką chwilę przerwy od wrzasku.

— Wszystko mnie tak boli — wyszlochała Natalie — i jakoś nie mogę go porządnie nakarmić. Nigdy nie chce się ustawić w dobrej pozycji, położna powiedziała, że nie przybiera na wadze. Nic mi nie wychodzi.

— Znakomicie sobie radzisz. Spójrz. Jest prześliczny. Pamiętam, że też tak się czułam z Hannah. Była kapryśnym niemowlakiem, ciągle się darła i płakała. Dostawałam już od tego histerii, myślałam, że jestem beznadziejną matką, która nie potrafi nawet dobrze nakarmić własnego dziecka.

— Naprawdę? — Twarz trochę jej pojaśniała. — Wszyscy mówią, że to najbardziej naturalna rzecz na świecie, tak wspaniale buduje więź, ale szczerze mówiąc, boję się tego za każdym razem.

Dziesięciominutowa rozmowa o popękanych brodawkach sutkowych i liściach kapusty, jak na ironię, zneutralizowała niechęć między nami znacznie szybciej niż wyłożenie naszych żali kawa na ławę. Kiedy Natalie pokazała mi swoje biedne, obolała sutki — „Uuu, paskudnie to wygląda" — i napisałam do Olliego, żeby pilnie kupił kamillosan i osłonki laktacyjne, nabrałam na tyle pewności siebie, by zasugerować, żeby po tym karmieniu odciągnęła trochę pokarmu, a ja spróbuję podać małemu butelkę, kiedy ona będzie w tym czasie odpoczywać.

Oddałam jej Alfiego. Najwyraźniej myśl o trzech nieprzerwanych godzinach snu zrelaksowała ją na tyle, że jakoś przetrwała karmienie.

— No dobra, daj mi go, a ty idź się wykąpać albo przespać.

Zawahała się.

— Idź, idź. Poradzę sobie i on też.

Przytuliłam Alfiego, delikatnie poklepując go po pleckach.

— Marzę o kąpieli — wyznała. — Nie mogę nawet pójść pod prysznic, jeśli nie ma Olliego. Uczy się do egzaminów i spędza mnóstwo czasu w bibliotece.

Niestety nie doszła do łazienki — po kilku minutach pochrapywała cicho na łóżku, leżąc na kołdrze, jakby się w nią wtapiała.

Wykąpałam Alfiego (sprawdzałam wodę nadgarstkiem trzy czy cztery razy) i mogłabym przysiąc, że się uśmiechnął, chociaż pewnie po prostu poczuł się dobrze, bo pozbył się gazów. W końcu, czyściutki, w śpioszkach, które przywiozłam, zasnął w moich ramionach. Siedziałam i patrzyłam, jak drżą mu maleńkie wargi, jak wysuwa koniuszek języka, jak oczy poruszają mu się pod powiekami. Nie chciałam wcale wstawać, żeby zrobić herbatę, sięgnąć po książkę, włączać telewizor, jak wtedy, kiedy zajmowałam się własnymi dziećmi. Z jakichś powodów, teraz niezrozumiałych, nie mogłam się wówczas doczekać, żeby odłożyć je do łóżeczka, tak bym mogła odkurzyć, wstawić pranie, zrobić obiad, mieć pięć minut, kiedy inny człowiek nie będzie niczego ode mnie chcieć.

Wrócił Ollie z zakupami. Położyłam palec na ustach i wskazałam drzwi sypialni. Uśmiechnął się i wzniósł z ulgą oczy do sufitu.

— Nie była zła, że tu jesteś? Jak ją przekonałaś, żeby zostawiła z tobą Alfiego? — wyszeptał.

— Połączyła nas przyjemność karmienia piersią. Przekonałam ją, że może mi zaufać.

— Dziękuję — powiedział miękko.

Wyciągnęłam rękę, którą nie podtrzymywałam Alfiego, i chwyciłam jego dłoń.

— Przepraszam, że wszystko tak utrudniałam. Naprawdę mi przykro. Moje zastrzeżenia wypływały z miłości. Strasznie trudno mi sobie uzmysłowić, że jesteś dorosły i masz własne zdanie. Ciągle chcę cię chronić, nie pozwolić, żeby stało ci się coś złego.

Ollie wzruszył ramionami. Zerknął na Alfiego i w oczach stanęły mu łzy.

— Chyba teraz trochę lepiej to rozumiem — powiedział.

Ścisnęłam jego rękę.

— Chcesz, żebym została na kilka dni? Wezmę nocną zmianę, jeśli Nat odciągnie pokarm. Wtedy oboje będziecie mogli się wyspać. Przenocuję tutaj, a koszyk z Alfiem niech stoi w pobliżu. Jutro porządnie posprzątam i zrobię pranie.

Ollie przetarł twarz dłonią.

— Nie jestem w tym wszystkim za dobry.

Cisnęło mi się na usta: A to pech, lepiej weź dupę w troki i nabierz wprawy, ale się powstrzymałam i zadowoliłam łagodniejszym:

— Wystarczy odrobina praktyki.

Ollie opadł na fotel.

— To chyba pierwszy raz, odkąd Alfie się urodził, że usiadłem i nie płacze ani on, ani Nat.

— No to mam dać znać tacie, że dzisiaj nie wrócę?

Ollie skinął głową.

— Ale najpierw zrób mi kilka zdjęć z Alfiem — poprosiłam. — Telefon jest w mojej torbie.

— U taty w porządku?

— Czemu pytasz?

— Nie wiem. Właściwie się ze mną nie komunikuje. Jak piszę mu esemesa, odpowiada, że wszystko okej, ale nic więcej.

Słowo daję, przyganiał kocioł garnkowi. Mówi to chłopak, który na pierwszym roku studiów pisał do mnie „Jeszcze żyję", za każdym razem, kiedy pytałam, co u niego.

Uznałam, że nie będę mu zwalać na głowę rodzinnej katastrofy. Będzie jeszcze mnóstwo czasu, żeby poczuć się paskudnie.

— Nic mu nie jest. Oczywiście martwi się o ciebie. I bardzo chciałby poznać Alfiego.

— Pozna, mamo. Po prostu Nat i ja myśleliśmy, że będzie łatwiej.

Kiedy to mówił, wyglądał na tak zagubionego jak wtedy, gdy miał dziesięć lat i czekał na przystanku szkolnego autobusu, bo się spóźniałam, a on myślał, że zapomniałam go odebrać.

— Rodzicielstwo jest trudne. Znacznie trudniejsze, niż się wydaje. Byłam wspaniałą matką, dopóki nie urodziły się dzieci. — Pokołysałam Alfiego, bo zaczął kwilić. — Poradzisz sobie śpiewająco. Alfie jest szczęściarzem, że cię ma. — Pomyślałam, że trzeba budować mosty i nadzieję na przyszłość, więc dodałam: — Że ma was oboje.

Olliemu wystarczyło już emocji jak na jeden dzień, więc wstał, żeby zrobić zdjęcia. Wysłałam je Jackowi, który od razu zadzwonił:

— Cokolwiek się stanie, skarbie, obiecaj mi, że będziesz opowiadać o mnie Alfiemu, żeby wiedział o moim istnieniu. Powiedz mu, że nie byłem taki całkiem zły.

Ollie spojrzał na mnie dziwnie, widząc łzy, które powstrzymywałam od miesięcy.

— Muszę kończyć, kochanie, ale masz murowane, Alfie pokocha dziadka Jacka. — Rozłączyłam się i zmusiłam do uśmiechu. — Boże, strasznie się z tatą robimy emocjonalni na starość. No dobra, pokaż jeszcze te zdjęcia. Mogę wrzucić je na Facebooka, żeby moi znajomi zobaczyli Alfiego?

Na twarzy Olliego było widać rozbłysk dumy. Wiedział, że jego syn był najpiękniejszy na świecie. I mój wnuk.

Zdjęcia: Ollie z Alfiem, Gisela z Alfiem.
Podpis: Nie mogłabym kochać bardziej mojego syna i mojego wnuka.
#Słodziak

Już po chwili posypały się komentarze.

„Nie wiedziałam, że masz wnuka w drodze! Gratulacje".

„Gratulacje! Jesteś najmłodszą i najbardziej efektowną babcią, jaką znam". Wzięłam to za dobrą monetę. Tylko niech lepiej nikt nie drwi z tego, że Ollie ma dziecko w tak młodym wieku.

„Skąd się wziął ten przystojniak? Czy to syn Olliego?"

„Wnuk? Czyj to syn?" To od Sarah, tej, która wdała się ze mną w pyskówkę na temat studiów. Odpowiedziałam: „Olliego". Cholerna Sarah: „Wow. Nie wiedziałam, że tak młodo się ożenił". Odpowiedź: „Nie ożenił się, po prostu miał szczęście znaleźć cudowną kobietę i los się do nich uśmiechnął, że urodziło im się piękne, zdrowe dziecko". Napisałam jeszcze, a potem skasowałam: #WięcWsadźSobieSwojeOpinieTamGdzieSłońceNie Dochodzi.

Poczułam pewną satysfakcję, kiedy mój komentarz od razu przyciągnął pięć lajków.

Czekałam na ripostę Sarah. Po chwili Alfie się poruszył i coś się we mnie zmieniło. Niedawno poznałam swojego wnuka i marnuję czas, kłócąc się na Facebooku z idiotką, z którą na żywo nigdy się nie spotykam. Wcisnęłam przycisk „usuń ze znajomych" i powiedziałam sobie: „Teraz, kiedy jestem babcią, będę zachowywać się godniej".

A potem jeszcze pokazałam ekranowi faka, jako ostatnie tchnienie niedojrzałej mnie, hurra.

ROZDZIAŁ 38

KATE

Środa, 23 maja

Nie widziałam Giseli i nie rozmawiałam z nią osobiście od jakichś dwóch tygodni. Odzwyczaiłam się od zabiegania o ludzi, zwłaszcza takich popularnych i pełnych życia jak ona. Starałam się nie brać tego do siebie. Kiedy w poniedziałek spojrzałam na jej stronę na Facebooku, stwierdziłam, że oprócz posta o sprzedaży garbusa — co już samo w sobie było dziwne — od wielu tygodni nie pojawiło się nic nowego. Żadnych lunchowych kreacji z rukoli, awokado i komosy, przez które czułam się winna, że jadałam w drive-thru w McDonaldzie, jeśli udało nam się wygospodarować dziesięciominutową przerwę. Żadnych artystycznych zdjęć kieliszków wina obok talerza serów. Żadnych przypominajek o rocznicach ślubu, świeżo pomalowanych na jaskrawoniebiesko paznokci u nóg i ślicznych domków na weekendowy wypad nad „idealnym jeziorem".

Może gdzieś wyjechała, ale w takich wypadkach zwykle przychodziła z torbą rzeczy ze swojej lodówki, nawet jeśli Jack zostawał w domu. „Nie wiedziałby, co zrobić z cukinią, nawet gdyby ugryzła go w tyłek. Weź to wszystko, zanim się zepsuje". Rozpływałyśmy się z Daisy nad fetą dojrzewającą w beczce, białymi nektarynkami, słoiczkami obranego mango, próbując zgadnąć, ile Gisela wydawała tygodniowo na jedzenie. Teraz jednak, chociaż garbusa nie było na podjeździe, nie dała mi znać, że wyjeżdża. Może już sprzedała samochód i rzeczywiście wszędzie chodziła.

Co za ironia, przez tyle czasu denerwował mnie jej zwyczaj wpadania i zapraszania na coś w ostatniej chwili — „Kupiliśmy za dużo steków. Może zjesz jednego?", „Mój cholerny brat znów odwołał spotkanie z nami. Dosłownie toniemy w krewetkach w czosnku... chcesz się przyłączyć?" — a teraz łapałam się na tym, że wyglądam przez okno i wypatruję znajomej sylwetki, przebiegającej przez ulicę w crocsach Jacka albo puchatych kapciach Hannah i rzadko przypominającej swoje aktualizowane bez końca zdjęcie profilowe. Może obraziła się z powodu braku gościnności z mojej strony. Jakoś nigdy nie mogłam znaleźć dobrego momentu na zaproszenie ich, a przecież mogłam powiedzieć: Wpadnijcie do mnie na bardzo przeciętne jedzenie i wino z winnicy, o której nigdy nie słyszałam, a już na pewno nie odwiedziłam — jak Sally — aha, i przy okazji, czy na pewno Jack nie będzie czuł się niezręcznie, bo nie mam męża, który mógłby go zabawiać? Prawdopodobnie poczuła się dotknięta, bo spędzałam dużo czasu z Sally, bez zapraszania jej do kompletu.

Pokręciłam głową, jestem śmieszna. Po tylu latach bez przyjaciół miałam spieprzoną zdolność radzenia sobie z dynamiką relacji międzyludzkich. Westchnęłam, otworzyłam laptopa i zalogowałam się na Facebooka.

Natychmiast miałam odpowiedź — była w Bristolu ze swoim wnukiem. Przynajmniej tłumaczyło to jej nieobecność. Zaskoczyło mnie, że przyjęłam to z przykrością. Ostatnio słyszałam o impasie między nią a Olliem i Natalie, podobno nie wiedziała, czy kiedykolwiek zobaczy wnuka. Już dawno nie poznałam nikogo na tyle dobrze, żeby spodziewać się, iż będę na bieżąco ze wszystkim, co się u nich dzieje. Zbeształam się w myślach — przecież jestem po czterdziestce, a chcę rywalizować jak w podstawówce o to, kto czego się kiedy dowiedział. To dobry znak, że zbliżyłam się do kogoś na tyle, by coś takiego zauważyć. I wspaniale, że Giseli udało się porozumieć z synem i synową. Będzie cudowną babcią.

Z pewnością też wyjaśniało to brak aktywności w jej domu. Byłam przyzwyczajona do tego, że ciągle ktoś się tam kręci, przychodzą dostawy, przyjeżdżają specjaliści od czyszczenia piekarnika, kurierzy przywożą jedzenie na wynos. A czasem zjawiał się Alex. Oczywiście, Alex. Moje głupie serce robiło fikołka, kiedy ulicą podjeżdżał na swoim motorze z rykiem silnika. Pamiętałam — i nienawidziłam się za to — jak mi kiedyś zakomunikował, że zwykle przychodzi do Andersonów w środę na rybę z frytkami: „Znasz Giselę, lubi przypilnować, żebym zjadł coś porządnego chociaż raz w tygodniu. Odkąd Ollie się wyprowadził, jestem jej zastępczym synem". W środy trochę łatwiej było mi wstawać z łóżka ze świadomością, że wieczorem czeka mnie nagroda — przez chwilę go zobaczę. A może nawet zamienimy kilka słów, jeśli zbiorę się na odwagę, żeby wyjść, bo niby muszę przynieść coś z samochodu, zanim on zniknie w ich domu.

Ciekawe, kiedy przestanę zauważać, że jest środa, i oglądać się przez ramię, słysząc silnik motoru. Byłam jak zakochana nastolatka, ale z góry wiedziałam, że nigdy nie ma bajkowego zakończenia. Gisela jasno mi powiedziała, iż jej zdaniem jesteśmy dla siebie stworzeni: „Daj mu szansę. Skąd masz wiedzieć, czy jesteś gotowa na związek, jeśli nie spróbujesz?". A po kilku kieliszkach wina: „Na litość boską, Kate, zamiast tu siedzieć i za dużo myśleć, mogłabyś uprawiać seks!".

W tę środę, ku swojemu zażenowaniu, wyglądałam przez okno w salonie, kiedy podjechał Alex. Nie zdążyłam się schować, więc z nikomu nieznanych powodów wzięłam do ręki wazon, który stał na parapecie, i zaczęłam go obracać, jakbym wybierała coś do programu *Antiques Roadshow*.

Alex zdjął kask, ruszył w stronę domu Giseli, a potem odwrócił się i podszedł prosto do moich drzwi. Poczułam jednocześnie pożądanie i strach, wymieszane w tak idealnych proporcjach, że aby je zbadać, naukowcy mieliby co robić przez dziesięć lat. Starczyło mi czasu, żeby przeczesać palcami włosy, zanim zadzwonił dzwonek.

Ten uśmiech.

— Daisy w domu?

— Nie, w pracy. A co?

— Chciałem z tobą przez chwilę porozmawiać. Mogę wejść?

Skinęłam głową. Dwie osoby spoza rodziny w moim domu w ciągu niecałego tygodnia. A niech mnie.

— Herbaty? A może kieliszek wina?

— Wystarczy woda, dziękuję.

Woda. Napój kogoś, kto nie zamierza zostać długo. Pogrzebałam w szafce w poszukiwaniu szklanki, która nie miałaby matowych śladów po myciu w zmywarce, i ją napełniłam.

— Usiądź.

— Przez cały dzień nie wychodziłem. Czy mogę być bezczelny i poprosić, żebyśmy usiedli w ogrodzie?

Omal nie potknęłam się o własne nogi, by jak najszybciej znaleźć się na zewnątrz, tam, gdzie więcej powietrza, więcej przestrzeni, którymi mogłam się od niego odgrodzić.

W ogródku usiadł i popatrzył na mnie w taki sposób, że miałam ochotę zrobić głupią minę, żeby jakoś przełamać skrępowanie — obłęd, myślałam o kimś od wielu tygodni, a kiedy ten ktoś się zjawił, najchętniej bym uciekła.

Alex opadł na oparcie limonkowego krzesełka, które pod nim wydawało się maleńkie.

— To co tam u ciebie? — zapytał.

— No wiesz, nic nowego, pracuję, zajmuję się Daisy, staram się nie pchać w kłopoty. A ty?

Pochylił się do przodu, oparł łokcie na kolanach.

— Robiłem program dokumentalny. — Te szare oczy wpatrujące się w moje z wyrazem zamyślenia. I jeszcze jakimś. Pytającym. Zaciekawionym. Sygnał alarmowy zaczął brzęczeć w tyle mojej głowy jak senna, ledwo żywa mucha.

Zrobiłam obojętną minę.

— To chyba byłeś zajęty. Gisela i Jack są u siebie? Od paru dni ich nie widziałam — stwierdziłam, chociaż wiedziałam dokładnie, gdzie jest Gisela.

Spochmurniał na sekundę, kiedy tak zmieniłam temat.

— Jack jest w domu. Gisela pojechała zobaczyć się z Olliem.

— To świetnie. Mówiłam jej, że powinna go odwiedzić. Była taka smutna, że się pokłócili.

Alex skinął głową i upił łyk wody.

— Ten dokument był o śmierci łóżeczkowej, zespołu nagłego zgonu niemowląt. Kręciliśmy go na piętnastą rocznicę uniewinnienia Angeli Cannings.

Przełknęłam ślinę. Wszystko wokół mnie zatrzepotało i zamarło.

— Robiłem wywiady z matkami, które straciły w ten sposób dzieci. Rozmawiałem z Becky Haughton.

Zaczęłam się wyłączać. Ogarnęło mnie znajome uczucie, potrzeba odsunięcia się, zerwania więzi ze wszystkimi, na których mi zależało. Nie odpowiedziałam. Chciałam się zerwać i wybiec z ogródka, ale siedziałam bezradnie, patrząc, jak drogi ucieczki się zamykają.

— Mówiła o Izabeli i jej córce Karolinie — ciągnął Alex — polskiej rodzinie, którą znała całe życie. Pokazała mi zdjęcia. W pierwszej chwili myślałem, że to po prostu ktoś trochę do ciebie podobny i nie zwróciłem na to większej uwagi. Potem zaczęła opowiadać o dorastaniu w Manchesterze, o tym, jak bliskie sobie byłyście, i zauważyłem na jednym ze zdjęć wisiorek. Jest dość charakterystyczny. Ten orzeł. Ten sześciokątny kształt.

Przyłożyłam dłoń do szyi. Dowód wisiał na widoku. Zamknęłam oczy, żałując, że nie mogę przytulić mamy, a ona nie może mi powiedzieć, że ten koszmar się kiedyś skończy.

— Proszę, powiedz, że nie mówiłeś jej nic o mnie. Ani o Daisy. Ani gdzie teraz mieszkamy.

— Nie mówiłem. Nie byłem na sto procent pewny, bo wydawało się to mało prawdopodobne. Potem trochę poszperałem i kiedy wasze nazwiska nigdzie się nie pokazały, wszystko zaczęło nabierać większego sensu. — Na jego wargach pojawił się lekki, jakby przepraszający uśmiech.

Nie potrafiłam go odwzajemnić. Zalała mnie znajoma fala rozpaczy. Nigdy się nie uwolnię. Nie zdołam znów przez to wszystko przejść. Nie zniosę plotek i wytykania palcami.

— Pewnie ty też mi nie wierzysz?

Alex wziął mnie za rękę. Nie poruszyłam się, nie zareagowałam na jego uścisk.

— Mogę usłyszeć twoją wersję wydarzeń?

— Nie. Nie, kurwa, nie możesz — wycedziłam, wyrywając dłoń. — Zostałam oczyszczona z zarzutów morderstwa i nieumyślnego spowodowania śmierci. I oto szesnaście lat później usprawiedliwiam się przed tobą, ukrywając się przed światem. Zmieniam nam imiona i nazwisko. Jestem przerażona, że ona mnie dopadnie, że dziewczyna, którą znałam całe życie, moja najlepsza przyjaciółka przez dwadzieścia lat, znajdzie jakiś sposób, żeby dorwać moją córkę. I zrujnować moje życie tak, jak myśli, że ja zrujnowałam jej. — Zerwałam się z krzesła, przewracając je. — Już dłużej nie dam rady.

Proszę cię, idź sobie i udawaj, że nigdy nie uświadomiłeś sobie, kim jestem. Proszę. Przeprowadzałam się trzy razy, żeby przed tym uciec, i nie mogę znów zrobić tego Daisy. Chcemy tylko żyć w spokoju.

Pod koniec tej przemowy zanosiłam się łkaniem. Wszystkie myśli o kochankach spod nieszczęśliwej gwiazdy, głupie fantazje o tym, że prawda wychodzi na jaw, a on mnie wspiera, wierzy w moją niewinność, nie miały szans się ziścić. Chodziło mu o pikantne szczegóły do jego gównianego dokumentu, dla widzów domagających się krwi i zemsty, którzy będą komentować w internecie: „Najgorsza hołota", „Wieszanie jest za dobre dla takich ludzi jak ona", „Bogu dzięki za brexit, musimy kontrolować nasze granice i nie wpuszczać morderczyń, niech siedzą u siebie w kraju".

Bóg raczy wiedzieć, jaki popieprzony palec losu sprawił, że zamieszkałam naprzeciwko jego najlepszych przyjaciół. Chyba ten sam, który pchnął mnie, bym zaproponowała, że zajmę się dzieckiem Becky, kiedy miała wrócić do pracy. „Naprawdę byś mogła, Iz? Dla mnie to byłby kamień z serca. Jestem strasznym nerwusem, nie mogę znieść myśli, że ją zostawiam. Wiem, że będziesz ją kochać tak samo jak ja". Robiłyśmy zdjęcia naszych córeczek, był między nimi tylko miesiąc różnicy, i mówiłyśmy, że są prawie jak siostry, będą dorastać, naprawdę dobrze się znając. Dla mnie był to dodatkowy dochód. Nie byliśmy bogaci, ale z Oskarem zgadzaliśmy się całkowicie — on będzie pracować, a ja zajmować się Karoliną i Carą. Becky zapłaci za opiekę nad dzieckiem. Genialny plan.

Alex podniósł krzesło. Wyciągnął do mnie rękę.

— Kate! Posłuchaj mnie!

— Nie. Wiem, co zrobisz. Przez lata tyle razy próbowałam opowiedzieć swoją wersję wydarzeń, ale ostatecznie sprowadzało się to do: „Nie ma dymu bez ognia". Wysłuchasz tego, co powiem, będziesz kiwał głową, jakbyś mi wierzył, a potem pokażesz o mnie bzdury: że byłam imprezową dziewczyną, lubiłam się zabawić, nasz dom był zawszy pełen ludzi. No był. Byłam szczęśliwa, uwielbiałam mieć wokół siebie znajomych, oboje uwielbialiśmy. I owszem, czasem wypiłam za dużo wina, ale, o Jezu, nigdy tyle, ile pije się na tej ulicy. Jednak w prasie byłam polską imigrantką pijaczką, mimo że się tutaj urodziłam. W artykułach brzmiało to tak, jakbym chlała bimber na śniadanie, a potem kimała na kanapie, podczas gdy dziecko Becky wydawało ostatnie tchnienie.

Coś we mnie pękało, lata smutku i żalu rozrywały wszystko, co starannie poskładałam do kupy, żeby mieć poczucie, że nie wszystko poszło na marne, żeby Daisy była bezpieczna i szczęśliwa.

Alex próbował przysunąć się do mnie bliżej, ale mu nie pozwalałam, z furii i strachu kręcąc się w kółko jak dziki kot, niezdecydowany, czy walczyć, czy uciekać.

— Usiądź — powiedział. — Na dziesięć minut, potem sobie pójdę, przyrzekam.

W końcu poszłam po linii najmniejszego oporu, z silnym postanowieniem, że nie dam się wessać urokowi dziennikarskiego wygi. Już to wszystko widziałam — „Nie wydrukujemy niczego, co się nie będzie pani podobało" równało się „Polska opiekunka twierdzi, że nie zabiła dziecka swojej najlepszej przyjaciółki".

— Proszę, tylko mnie posłuchaj. Po pierwsze, przepraszam. Wiem, że mi nie uwierzysz, ale nie chciałem cię zdenerwować i na pewno, na sto procent, nie przyszedłem tu w poszukiwaniu tematu. — Jeśli usłyszał moje prychnięcie, zlekceważył je. — Tak strasznie dużo o tobie myślałem od tamtego wieczoru i nocy, a potem, kiedy zobaczyłem cię w sylwestra, po prostu nie mogłem zrozumieć, dlaczego nie chcesz mieć ze mną nic wspólnego. To, co mówiłaś, było sprzeczne z sygnałami, które mi wysyłałaś, jeśli wiesz, co mam na myśli. Usiłowałem zrozumieć i ciągle analizowałem, gdzie schrzaniłem sprawę.

Coś we mnie zmiękło. W innych okolicznościach może bym się przyznała, że śledziłam jego profil na Facebooku jak jakaś stalkerka. Wzruszyłam ramionami. Ale wyglądało na to, że zgrywanie niepodatnej na jego urok tak łatwo go nie zniechęci. Nie wykazywał żadnych oznak gotowości do odwrotu.

— Becky pokazała mi twoje zdjęcie z dziećmi: niewiele się zmieniłaś. Właściwie dużo zdjęć, jeszcze z czasów, kiedy byłyście nastolatkami. — Znów ten lekki uśmiech, jakby chciał mi przypomnieć o kanarkowych pantalonach albo brokatowych rękawiczkach do łokcia, ale się rozmyślił. — Kiedy się zastanowiłem, uprzytomniłem sobie, że zrobiłaś się dziwna, kiedy powiedziałem, że jestem dziennikarzem. — Oparł podbródek na dłoni. — Mam rację?

Przytaknęłam i zobaczyłam, że jego ciało się rozluźnia, jakby wreszcie odwrócił dwie pasujące do siebie karty z obrazkiem żarówek w dziecięcej grze memory.

— Becky chyba za tobą tęskni — powiedział, marszcząc brwi.

— Tęskni? Co za brednie. Razem z mężem zrobili wszystko, żeby wnieść przeciwko mnie oskarżenie. O morderstwo. Moja rodzina musiała wpłacić za mnie kaucję. Musiałam zeznawać przed sądem. Kochałam małą Carę. Położyłam ją spać, wszystko tak, jak trzeba, stopami w kierunku nóg łóżeczka, nie za gorąco, Daisy spała w łóżeczku obok. Becky oskarżyła mnie, że ją zamordowałam, twierdząc, że straciłam panowanie nad sobą, kiedy płakała. Rzeczywiście była płaczliwa, nie cierpiała, jak się ją odkłada, ale oczywiście jej nie zabiłam. Całe rano chodziłam z nią w nosidełku. Sprawa trafiła do sądu tylko dlatego, że złamałam małej żebro, kiedy robiłam jej masaż serca. — Zamknęłam oczy, odpędzając to wspomnienie. — Rozpaczliwie chciałam ją uratować.

Alex poruszył się na krześle, jakby próbował dopasować to, co mówiłam, do tego, co usłyszał od Becky. Nie miałam zamiaru dać się znowu przedstawiać jako ta zła. Pieprzyć to.

— Opowiedziała ci o „kartce urodzinowej", którą co roku wysyłała do Daisy? — spytałam. — Żeby jej przypomnieć, że ma matkę morderczynię i nie można jej ufać? I że co roku zamiast w lipcu świętować urodziny córki, siadała w parku, gdzie kiedyś chodziłyśmy z dziećmi, i zastanawiała się, jak w ogóle mogę żyć? Nie wspominając już o głuchych telefonach, długich listach, w których wykładała mi rozwlekle, jak to liczyła na mnie przez całe życie, a ja ją okradłam z wszelkiej radości. Nigdy więcej.

Alex pokręcił głową.

— Biedactwo. Dlaczego nie poszłaś na policę? Nie zgłosiłaś nękania?

— Ona straciła dziecko, Alex.

Rozłożył ręce, jakby moja odpowiedź nie miała dla niego sensu.

— Czułam się winna. Jej córeczka umarła, będąc pod moją opieką. Nie mogę o tym zapomnieć, do cholery. Wciąż się zastanawiam, czy to dlatego, że coś zrobiłam, coś, co nie przychodzi mi do głowy, czy gdybym zajrzała do nich obu dziesięć minut wcześniej, Cara nadal by żyła. W pewnym sensie uważałam, chyba ciągle uważam, że zasługuję na karę. — Otarłam oczy. — Triumf irracjonalnego serca nad racjonalną głową. Nie mogłam nasłać na nią policji, uzasadniając tę decyzję: Przykro mi, że twoja córka umarła, kiedy się nią zajmowałam, ale tak naprawdę potrzebujesz posiedzieć trochę na komisariacie i być notowana za nękanie. Nie będę kłamać, wiele razy mało brakowało, a bym to zrobiła, ale wiedziałam jednocześnie, że żal po stracie miesza jej w głowie i ona potrzebuje pomocy. Kto wie, co działoby się ze mną, gdybym straciła Daisy? Przez całe miesiące, całe lata próbowałam pokazać Becky, że rozumiem jej reakcję, wiem, że potrzeba czasu, a ja zawsze będę dla niej bolesnym przypomnieniem zmarłej córeczki, ale to nie ja spowodowałam tę śmierć. Odpisywałam, błagałam, żeby poszła na terapię, prosiłam, żeby dała sobie pomóc. Jej odpowiedzi były tak zjadliwe i okrutne, ale miejscami też rozdzierające serce, niemal jakby wyciągała do mnie rękę — „Jestem zrozpaczona, Izzy, zupełnie załamana" — że nie mogłam jeszcze dodawać jej problemów. Kiedy Daisy poszła do zerówki, a Becky przychodziła pod szkolną bramę, rzucając wyzwiska, wiedziałam, że musimy się przeprowadzić. Kartki i listy przywędrowały za nami do Leeds — „Szkoda, że ja nie mogę tak łatwo uciec od tego, co nam zrobiłaś" — i cofały mnie do przeszłości co miesiąc, a czasem nawet co tydzień.

Alex przekrzywił głowę.

— Ale ty byś się tak nie zachowała, gdyby sytuacja była odwrotna.

— Nikt z nas nie wie, do czego jesteśmy zdolni, kiedy spotyka nas najgorsze. Mam nadzieję, że nie czułabym potrzeby, żeby ją obwiniać, ale kto wie? Taka jest ludzka natura — chcemy znaleźć powód, wytłumaczenie wszystkiego. Chyba niezbyt dobrze radzimy sobie z akceptowaniem, że „spotkał nas pech". W pracy ciągle to widzę.

— Miałaś jakieś wsparcie? — spytał Alex.

— Co masz na myśli? Psychologa, terapię?

Skinął głową.

— Chciałam po prostu o tym zapomnieć. Usiłowałam żyć normalnie ze względu na Daisy. Rzeczywiście coś takiego brałam pod uwagę, kiedy Becky zjawiła się w Peterborough w jej trzynaste urodziny. Musiałam iść na kilka godzin do pracy. Becky już nie było, kiedy wróciłam, ale Daisy ją wpuściła, bo ta przyniosła jej prezent i mówiła: „Jestem starą przyjaciółką twojej mamy, znałam was, kiedy mieszkałyście w Manchesterze, i akurat przejeżdżałam...". Daisy jej oczywiście nie pamiętała, bo była mała, kiedy ją ostatni raz widziała. Twierdziła, że Becky po prostu chciała jej życzyć wszystkiego najlepszego, i została na mniej więcej godzinę, żeby z nią pogadać. Na kilka miesięcy kompletnie mi odbiło, miałam obsesję, żeby zamykać drzwi na klucz i zaciągać zasłony, pilnowałam córki, kiedy szła do szkoły, bo bałam się porwania. Obawiałam się, że jeśli zacznę terapię, będzie musiało mi się pogorszyć, zanim mi się poprawi. Nie mogłam ryzykować załamania, gdyż nie było nikogo, kto mógłby się zaopiekować Daisy. Więc brnęłam dalej z zaciśniętymi zębami. Wciąż wzdrygałam się na wspomnienie, jak krzyczę na Daisy, że wpuściła obcą osobę do domu pod moją nieobecność. Jak łapię ramkę na zdjęcie, którą przyniosła Becky, i wyrywam z niej fotografię naszych córeczek, a Daisy stoi zapłakana i mówi: „Przepraszam, mamo. Przepraszam. Nie chciałam być niegrzeczna, bo ona mi przyniosła prezent na urodziny. Myślałam, że będziesz zła, jeśli nie zaproszę twojej przyjaciółki do środka".

— Komuś w ogóle o tym powiedziałaś? Gisela wie? — spytał Alex i zaraz się poprawił. — Sorry. Głupie pytanie. Nikt nie wie, prawda? Dlatego zmieniłaś nazwisko.

— Zmieniłam, kiedy się tu przeprowadziłyśmy. Daisy niedługo kończy osiemnaście lat i nie mogłam znieść myśli, że nawet jako dorosła będzie musiała oglądać się za siebie, czekając, aż Becky wyskoczy gdzieś zza rogu i zacznie znów nas nękać, wyciągać przeszłość, opowiadać wszystkim, co zrobiłam. Jej zdaniem zrobiłam. Chciałbyś, żeby inni myśleli, że twoja matka jest zabójczynią niemowląt? Próbowałam się przeprowadzać, nie wychylać, trzymać z daleka od mediów społecznościowych, zerwałam wszystkie stare przyjaźnie, kontakty, ale zawsze mnie znalazła. — Spojrzałam na trawę. Kiedy ostatnio padało? — Kochałam Becky. Kochałam Carę. Strasznie mnie bolało, że Becky zawsze mnie oskarżała o to nieszczęście. Nie wierzyła, że Cara mogła tak po prostu umrzeć, bez powodu, bez ostrzeżenia. Nawet kiedy zeznawał biegły i stwierdził, że śmierć jej córeczki pozostaje niewyjaśniona, że to tragiczne zdarzenie, za które nikt nie ponosi odpowiedzialności.

Potrząsnęłam głową, żeby pozbyć się obrazu tego bezwładnego, bladego ciałka, nie dopuścić wspomnienia odgłosu moich kroków na schodach, nierównego oddechu, kiedy zbiegałam do telefonu, mieszanki przerażenia i niedowierzania w moim głosie, kiedy wydyszałam do telefonu: „Karetkę, moje dziecko przestało oddychać". Oczywiście, to nie było moje dziecko, ale traktowałam ją jak córkę. Desperackie wysiłki, na jakie się zdobyłam, żeby ją reanimować, stały się centralnym punktem procesu przed sądem. To nieszczęsne żebro, które złamałam, kiedy próbowałam przywrócić jej oddech, uciskając klatkę piersiową, z trzęsącymi się nogami, każdą komórką ciała pragnąc, żeby jej brązowe oczy się otworzyły, a płuca wciągnęły haust powietrza.

Alex mrugał z niedowierzaniem, jakby przetrawienie wszystkiego, co opowiadałam, przychodziło mu z trudem. Westchnął.

— Co za potworny ciężar. Czy Daisy wie, co się stało?

— Powiedziałam jej to, co najistotniejsze, bez szczegółów. Już i tak musiała znosić moją paranoję na punkcie mediów społecznościowych i nieprzyznawania się, gdzie mieszkamy. Godzi się na to, ale uważa, że dramatyzuję. Nigdy nie wyraziłam głośno swojego lęku, że Becky będzie próbować ją skrzywdzić. W głębi serca nie sądzę, żeby się na to zdobyła, ale nie mam pewności i nie chcę ryzykować.

— Kiedy rozmawiałem z Becky, nie wspominała, że cię nękała. Bardzo mnie namawiała, żebym cię odszukał, bo wtedy będę mieć „całościowy obraz tego, co śmierć łóżeczkowa znaczy dla wszystkich, także dla opiekunek".

— No jasne. Przypuszczam, że chciała, żebyś dał jej znać, gdzie jestem, jeśli mnie znajdziesz.

Ściągnął brwi, jakby odtwarzał rozmowę z Becky w głowie.

— Niemal wydawało mi się, że z chęcią zgodziłaby się na wywiad razem z tobą.

— Obiecaj mi, że nigdy nie przyznasz się, że mnie znasz. Proszę, proszę, nie mów jej, gdzie jestem. — Przycisnęłam palcami powieki, żeby powstrzymać łzy.

— Nawet nie puszczę wywiadu z nią. Powiem wydawcy, że ta historia nie jest dość mocna.

Poczułam niewielką ulgę.

— Nie będziesz mieć kłopotów?

— Pewnie będę — wyszczerzył zęby. — Dam sobie radę.

— Dziękuję. Strasznie ci dziękuję.

Atmosfera się zmieniła. Osłabło we mnie napięcie, burza emocji opadła, jakby ktoś przekręcił gałkę i wszystko ściszył. Rozluźniłam ramiona.

— Dość już przeszłaś, Kate. Czy Izabelo?

— Izabela nie istnieje. No, tylko w moich wspomnieniach.

Alex pochylił się i przeciągnął palcami po swoich włosach.

— Czy jest choćby maleńka szansa na to, byś pomyślała o tym, żeby mieć nowe wspomnienia, ze mną?

Wstrzymałam oddech, czekając na pytanie, które by dowiodło, że nie ma stuprocentowej pewności, że mówię prawdę.

Ale on tylko ponaglił:

— No? Pomyślałabyś?

— Wierzysz w to, co ci powiedziałam? — spytałam.

Przysunął się z krzesłem i pocałował mnie w czubek głowy.

— Wierzę ci.

Najsłodsze dwa słowa, jakich dawno nie słyszałam.

ROZDZIAŁ 39

KATE

Środa, 30 maja

Minął cały tydzień, odkąd wyznałam Alexowi prawdę. Nie byłam już bezbronna, czułam się bezpieczna. Po tych wszystkich latach budowania muru wokół siebie miałam teraz w pracy takie momenty — nawet podczas tak romantycznych czynności jak wycieranie krwi albo wymiocin — kiedy czułam przypływ emocji, od którego miękło moje serce. Widok Alexa opartego o mur naprzeciwko stacji pogotowia, ten znajomy kształt — kąt zgiętego kolana, pochylenie głowy, kiedy sprawdzał komórkę — który szybko nauczyłam się rozpoznawać z daleka, sprawiał, że udręki dnia bladły w jednej chwili. Nadzieja. Podniecenie. Radość. Wszystkie instynktowne reakcje, które po tragedii znikają, teraz były gotowe do regeneracji.

Dzisiaj przywiózł motocyklowy kask i kurtkę dla mnie.

— Nie mogę zostawić tu samochodu — zaprotestowałam — będzie mi potrzebny rano.

— Zawiozę cię. — Zobaczył moją minę. — Nie martw się, przyjadę po ciebie wcześnie. Jutro pracuję w domu.

Zaoponowałam, że to za dużo kłopotu, ale on wyciągnął do mnie rękę.

— No chodź. Skorzystamy ze słonecznego wieczoru. Ryba z frytkami i widokiem.

— Daisy kończy zmianę w Tesco o dziesiątej. Powinnam być wtedy w domu.

— Będziesz, Kopciuszku, obiecuję.

Uśmiechnął się i lekkie ukłucie niepokoju — może on nie rozumie, że ona musi być na pierwszym miejscu — osłabło.

Rozluźniłam się i wgramoliłam na siedzenie za nim jak nastolatka — chciałam, żeby moi koledzy zobaczyli, że ta solidna Kate, która zawsze zgłaszała się do pracy w dni świąteczne, nigdy nie narzekała, ale też nigdy za wiele nie gadała, miała w sobie coś więcej, niż im się wydawało. Przywarłam do jego pleców, wdychając zapach skórzanej kurtki i ostatnie ślady woni porannego płynu po goleniu. Myślałam, że skieruje się przez North Downs do jakiegoś wiejskiego pubu, ale okazało się, że pędzimy z rykiem silnika autostradą M23 w stronę Brighton. Odczułam jednocześnie euforię i strach.

Godzinę później siedzieliśmy na plaży, jedząc rybę z frytkami w słońcu późnego popołudnia i patrząc na mewy pikujące nad spokojnym morzem. Kiedy rzuciliśmy ptakom resztki, Alex podniósł się i pomógł mi wstać.

Szliśmy wzdłuż brzegu, trzymając się za ręce. Po Oskarze nie śmiałam wyobrażać sobie, że kiedyś znów tego doświadczę, że moja dłoń spokojnie wtuli się w inną dłoń i będziemy porozumiewać się bez słowa, że taki prosty gest może mieć w sobie tyle optymizmu.

Bardzo się starałam cieszyć chwilą i nie pozwolić, by zebrały się nad nami czarne chmury. Byłam tak przyzwyczajona do racjonalizowania, do blokowania swoich uczuć, zamiast wypuszczać je na swobodę, że zastanawiałam się, czy kiedykolwiek będę miała odwagę uwierzyć, że miłość nie zawsze kończy się katastrofą. Nikomu przez prawie dwadzieścia lat nie opowiedziałam tak szczerze o moim życiu jak Alexowi przez ostatni tydzień.

Usiedliśmy tego ciepłego wieczoru na niskim murku, komentując odgłosy miasta, ekscentryczne galeryjki sztuki pod arkadami.

— Fajnie byłoby tu spędzić weekend — powiedział. — Myślisz, że udałoby ci się wyrwać na noc poza domem?

— Może.

— Masz na myśli: może, chciałabym, ale nie zostawię Daisy samej na noc albo: może, zobaczę, czy na pewno aż tak mi się podobasz? — Świetnie mu wychodziło wyciąganie ze mnie prawdy, ale nigdy nie czułam, żeby był przy tym krytyczny czy niemiły.

— To pierwsze.

Odwrócił moją twarz do siebie i mnie pocałował. Przycichł gwar rodziców pchających wózki, dzieciaków pędzących na hulajnogach, krzyk mew. Moja zdolność myślenia rozpadała się, załamywała i poddawała nieznanym doznaniom, które przerażały mnie i ekscytowały swoją intensywnością.

Kiedy wreszcie odsunęliśmy się od siebie, pozostała ochota na więcej, poczucie, że moglibyśmy zostać tak do rana, słuchając plusku fal, i nie czuć potrzeby powrotu do domu.

Jak zawsze wtrąciło się prawdziwe życie. Zerknęłam na zegarek.

— Musisz wracać?

— Nie chcę, żeby Daisy przychodziła do pustego domu częściej niż to konieczne.

— Ma prawie osiemnaście lat, nie?

Puściłam jego rękę.

— Kończy za dwa tygodnie. I tak wolę być w domu, kiedy wraca, nawet teraz.

Alex się roześmiał.

— Nie bądź taka drażliwa. Nie mówiłem, że nie powinnaś na nią czekać. Myślałem tylko na głos i nie dokończyłem myśli, że jesienią pewnie wyjedzie na studia i wtedy to ty będziesz siedziała w pustym domu.

Rozluźniłam się.

— Zdecydowanie się wybiera i ma nadzieję, że się dostanie. Strasznie dziwnie będzie bez niej.

— Co planujesz na jej osiemnastkę?

— Jeszcze nie wiem. Na razie usiłuję pogodzić się z faktem, że osiemnastolatce powinnam pozwolić na zmianę telefonu.

Przez ostatnie cztery lata toczyła ze mną zaciętą bitwę o przejście na smartfona z przedpotopowej nokii, na której mogła pisać, odbierać esemesy i dzwonić, bez dostępu do internetu. Trudno mi było poradzić sobie z myślą, że gdyby miała Snapchata, każdy mógłby zobaczyć na SnapMaps, gdzie jest.

„Mamo, wszystko mnie omija, bo nie jestem na WhatsAppie ani na Snapchacie. Nikt mnie nie zaprasza na imprezy, bo nie ma mnie na grupach. — Co to za znajomi, co nie zapraszają cię na imprezy, bo nie masz właściwego telefonu? — ripostowałam. — Dlaczego po prostu nie zadzwonią?" Daisy odwracała się na pięcie, kręcąc głową nad moją ignorancją. Z poczucia winy, kiedy po raz kolejny nie uczestniczyła w jakimś spotkaniu, ogłoszonym w ostatniej chwili na WhatsAppie, obiecałam, że kupię jej smartfona na osiemnastkę. Miałam nadzieję, że o tym zapomni, przejdzie jej, ale liczyła miesiące, a teraz skreślała w kalendarzu ostatnie siedemnaście dni.

Alex uścisnął mi lekko dłoń.

— To cud, że udało ci się ją przekonać, żeby tak długo została przy nokii.

— Za to świetnie mi idzie psucie jej radości z nowego telefonu, bo w kółko jej powtarzam, żeby pod żadnym pozorem nie włączała lokalizacji.

Za każdym razem, kiedy patrzyłam na schowaną w mojej szafie białą paczuszkę, będącą takim obiektem pożądania, ściskało mi się serce. Nie rozumiałam, jak działają te wszystkie apki, ale jedno wiedziałam na pewno: dzięki nim Becky będzie znacznie łatwiej nas znaleźć.

— Przypuszczam, że brak obecności w internecie jest częścią twojej strategii ukrywania się?

Przytaknęłam skinieniem głowy.

— Ale nie tylko o to chodzi. Urodziny Daisy to trudny moment. Cara była dokładnie o miesiąc młodsza, więc zawsze wtedy o niej myślę, dla mnie są ze sobą powiązane.

Opowiedziałam, jak, kiedy mieszkałyśmy w Manchesterze i jeszcze miałam nadzieję, że Becky przejrzy na oczy i pozwoli nam żyć w spokoju, przejeżdżała w tę i z powrotem ulicą przed naszym domem każdego ważnego dla niej dnia — w urodziny Cary, w rocznicę jej śmierci, w Boże Narodzenie. Srebrny volkswagen toczył się powoli, a ona nawet nic nie robiła, tylko czaiła się, dopóki nie zaciągnęłam zasłon. Włączałam telewizor, zaczynałam piec ciasto, wymyślałam różne zajęcia, żeby nie rozpamiętywać jej bólu, mojej winy. W końcu także mojej wściekłości, że chciałam jej pomóc, opiekując się Carą, żeby mogła wrócić do pracy, a w zamian zostałam obarczona odpowiedzialnością za coś, czemu nie mogłam zapobiec. Na zawsze.

Alex słuchał, kiedy wyrzucałam z siebie wspomnienia, o których tak długo starałam się nie myśleć. Cicho, łagodnie, powiedział:

— Nie sądzę, żebyś mogła ukrywać się w nieskończoność, Kate. Zapłaciłaś ogromną cenę za coś, co w zasadzie było pechem. Przeczytałem raporty, sędzia stwierdził w podsumowaniu, że niezaprzeczalna prawda jest taka, iż niektóre śmierci pozostają niewyjaśnione.

Pamiętałam te słowa, które przyniosły mi ulgę. Pamiętałam, jak zerknęłam na Becky, kiedy sędzia je wypowiedział. Kręciła głową, odrzucając możliwość, że nikt nie ponosi winy. Że nie będzie odpowiedzi. Właściwie zaakceptowałam jej reakcję, jej poczucie krzywdy. Przyjęłam jej ból, który rozgościł się we mnie, tak że zaczął definiować mnie prawie w równym stopniu co ją.

— Ale widok jej listów wpadających przez drzwi jest tak straszny, tak przerażający, ten cały jad, żal i obwinianie… I myśl, czy nagle nie zobaczę jej przejeżdżającej pod moim oknem. Potwornie się tym denerwuję. To tak, jakby do domu wdarł się intruz. No, ale nie chcesz tego wszystkiego słuchać. Powinniśmy się zbierać. Daisy niedługo wróci.

Wyciągnął dłoń, żeby dotknąć mojego przedramienia.

— To, co mówisz, jest ważne i absolutnie chcę tego słuchać.

— Zachowuję się nie fair wobec ciebie, zabierasz mnie spontanicznie na plażę, żeby złapać odrobinę słońca, i musisz wysłuchiwać, jak odmalowuję wszystko w czarnych barwach.

Alex trącił stopą kamyk.

— Mój następny dokument będzie o przemocy w domach opieki. Jeśli chciałbym, żeby było milusio, musiałbym poszukać innej roboty. — Wziął obie moje dłonie w swoje. — Osiemnaście lat to szmat czasu, żeby cierpieć za coś, co nie było twoją winą.

— Czuję się, jakby było. Ona tak uważa. I mnóstwo innych ludzi też.

— Spójrz na siebie. Uciekasz prawie jak kryminalistka. A gdybyś po prostu przestała? Gdybyś uznała, że ludzie mogą myśleć o tobie, co chcą?

— Nie chcę, żeby Daisy musiała się z tym mierzyć.

— Ale ona już i tak się z tym mierzy — zmarszczył czoło. — Ukrywa się pod zmienionym nazwiskiem.

Wyrwałam swoje dłonie z uścisku.

— Zrobiłam to, co uznałam za najlepsze. — Było mi niedobrze na myśl, że on tego nie rozumie, że nie potrafię mu wytłumaczyć. — Myślisz, że nie pomyślałam o każdej cholernej możliwości, każdym sposobie, żeby Daisy nie musiała za to płacić?

Dlatego nigdy nie mogłam się do nikogo zbliżyć.

— Wiem, wcale cię nie krytykuję. — Alex mówił, jakby przemawiał do zwierzęcia, które się waha, czy uciec, czy zaatakować. — Kto może wiedzieć, co by zrobił w twojej sytuacji? Byłaś między młotem a kowadłem. — Przesypywał palcami piasek, tworząc na murku małe kółeczka. — Chciałbym móc naprawić tę sytuację.

Moja irytacja odrobinę osłabła.

— Też bym chciała. Ale nie możesz. — Chociaż to była nowość: czuć, że kogoś w ogóle obchodzi, jakie jest moje życie.

Pochylił się do przodu.

— Mam pomysł, co zrobić, żebyś była najlepszym wzorem dla córki na całym świecie. I w dodatku bardzo cool.

Irytacja wróciła.

— Nigdy nie będę cool i jest to mniej więcej numer siedemset dziewięćdziesiąty na mojej liście priorytetów.

Pomyślałam jeszcze: Jak na faceta, z którym się całuję od tygodnia, to trochę bezczelne. A potem pojawiła się kolejna myśl: nic dziwnego, że taką opryskliwą jędzą od ponad dziesięciu lat nie zainteresował się żaden mężczyzna.

Oparł podbródek na dłoni i nie odrywał brązowych oczu od moich.

— Kate, wyjaśnijmy sobie kilka rzeczy, bo wyczuwam, że dla ciebie to kwestie zasadnicze. Po pierwsze, jestem po twojej stronie. Po drugie, nie mam absolutnie pojęcia, jak ci się udało tak dobrze sobie poradzić i co ja bym zrobił w takiej sytuacji. Po trzecie, jest możliwe, że inni ludzie mają dobre pomysły i jeśli pozwolisz komuś innemu sobie pomóc, to nie znaczy, że jesteś słaba, żałosna czy śmieszna. Tylko silna, która od czasu do czasu potrzebuje odrobiny wsparcia. Jak my wszyscy.

Powiedział to z takim wdziękiem, tak życzliwym tonem, zupełnie nieoskarżająco, że udało mi się wydusić:

— Przepraszam. Może zacznę jeszcze raz? Co mam zrobić, żeby być bardzo cool w oczach mojej osiemnastoletniej córki?

Podniósł ręce w geście kapitulacji.

— Tylko nie strzelaj do posłańca. Pozwól jej zrobić imprezę w domu. Przyjdę i będę waszym ochroniarzem, a Gisela i Jack na pewno pomogą.

— Nie mogę. Po prostu nie.

— Dlaczego? Jeśli Becky będzie chciała cię znaleźć, nic jej nie pomoże, że jakiś pryszczaty osiemnastolatek dowie się, gdzie mieszkasz. Uwierz mi, młodych ludzi nie interesują czyjeś zadawnione porachunki, znacznie bardziej przejmują się tym, że studia, które wybrali, okażą się kompletną stratą czasu i pieniędzy, i nigdy nie uda im się kupić mieszkania. Poruszyłam się niespokojnie na murku, zdenerwowana wizją mnóstwa ludzi pętających mi się po domu.

— Nawet nie wiedziałabym, od czego zacząć, żeby zorganizować taką imprezę.

Wykonał gest, częsty u facetów: splótł dłonie i wyciągnął je przed siebie, strzelając knykciami.

— Ale ja wiem, podobnie jak twoi sąsiedzi.

Wzięłam z murku swoją torbę.

— Dał mi pan do myślenia, panie Fitzgerald, ale muszę lecieć.

— Kate, ona ma osiemnaście lat. To dobry moment, żeby jej pokazać, że jedna tragedia nie definiuje, kim jesteś.

Wróciliśmy szybkim krokiem wzdłuż plaży, w blasku zachodzącego słońca. Wsiadłam na motor, włożyłam kask i pozwoliłam sobie wyobrazić, że w ogóle coś takiego byłoby możliwe. Raczej nie dla mnie. Ale dla Daisy?

Być może.

ROZDZIAŁ 40

GISELA

Środa, 30 maja

Nie chciałam wyjeżdżać od Olliego. Opiekowanie się Alfiem, gotowanie dla nich, sprzątanie mieszkania i pilnowanie, żeby Natalie trochę odpoczęła, nadało rytm moim dniom, cel, którego od dawna nie czułam. Ollie codziennie wychodził do biblioteki się uczyć, a ja tuliłam Alfiego, podczas gdy Natalie w spokoju brała prysznic i się ubierała. „Wow! Już zapomniałam, jak to jest się myć, nie słysząc czyichś wrzasków". Ale goszczenie kogoś przez dziewięć dni w dwupokojowym mieszkaniu — nawet jeśli ten ktoś przejął część nocnego karmienia — wystarczało w zupełności. Walczyłam z pokusą, żeby pytać Olliego, czy nie potrzebuje wcześniej się położyć, żeby rano mieć siłę się uczyć, kiedy biedna Nat, nawet mając mnie do pomocy, spała tylko po trzy, cztery godziny z rzędu. Musiałam dać mu dorosnąć. A to oznaczało powrót do domu.

Przytuliłam ich na pożegnanie, wzruszona, że Nat chwyciła mnie za dłonie, spojrzała w oczy i powiedziała:

— Dziękuję. Dziękuję, że byłaś taka dobra.

Zbyłam to machnięciem ręki, szerokim uśmiechem i gadaniem o tym, żeby dali mi znać, kiedy znów będą potrzebować, by wpadła Mary Poppins. Potem wsiadłam do samochodu i beczałam przez całą drogę z Bristolu do Reading, a gdy wreszcie dotarłam do domu, wyglądałam, jakby świat mi się zawalił.

Kiedy weszłam do środka i zobaczyłam, w jakim stanie jest Jack, ta myśl wcale nie wydawała się przesadna. W kuchni powitała mnie charakterystyczna woń przepełnionych koszy na śmieci. Koło zlewu stało kilka pustych butelek po winie, a sam Jack był nieogolony i wyglądał trochę jak stryjeczny dziadek Arthur w domu starców z niezbyt rzetelną obsługą.

Uściskałam go krótko, zastanawiając się, jak to do diabła się stało, że tamten elegancki student, zawsze hojnie spryskany dezodorantem Lynx, zmienił się w złamanego faceta, śmierdzącego jak poranek po imprezie. Oczywiście miałam ochotę powiedzieć: Wszystko w porządku? Wyglądasz strasznie, ale nie tak łatwo było mi wyjść z odgrywanej od lat roli osoby, która wszystkich pogania i sztorcuje. Udało mi się więc tylko zapytać:

— Jak długo chodzisz w tych ciuchach? Brałeś prysznic, odkąd wyjechałam?

Opadł na krzesło w kuchni, ukrył twarz w dłoniach i zapłakał.

— Co będzie, jeśli pójdę do więzienia, Zell? Jak sobie poradzę? Jak ty sobie poradzisz?

Przeszły mnie ciarki. Jack był załatwiaczem i ogarniaczem, to on zapewniał stabilność naszemu rodzinnemu okrętowi. Ja byłam raczej decydentką do spraw doboru kolorów w pokojach, dostawcą balsamu po opalaniu i inicjatorką piątkowych potańcówek.

Wzięłam głęboki wdech.

— Jack, jeszcze nie wiemy, co się stanie, ale jakoś to rozwiążemy. A jeśli cię zamkną, z tym też będziemy musieli sobie poradzić. Ale nie będziesz traktował tego jako wymówki, żeby się nie myć. Przebierz się w czyste ciuchy. Nie będziemy żyć, jakby niebo zwaliło nam się na głowę, dopóki do tego nie dojdzie. O ile dojdzie w ogóle.

Kiwnął głową i poszedł na górę, powłócząc nogami. Zaczęłam się krzątać po kuchni, pozbierałam talerze i kubki, przetarłam blaty, skrzywiłam się, że Hannah najwyraźniej jadła płatki w wielkim żaroodpornym naczyniu, zamiast umyć sobie miseczkę albo włączyć zmywarkę. Przejrzałam stertę listów i znalazłam pismo z informacją, że nie zapłaciliśmy raty kredytu hipotecznego i jesteśmy proszeni o pilny kontakt, „w przeciwnym razie państwa dom może zostać przejęty przez bank". Poczułam litość do samej siebie. Postanowiłam nie być żałosną, wykazać hart ducha, ale nie mogłam dłużej powstrzymać strachu. Jeśli Jack pójdzie do więzienia, nie mogę tu mieszkać. Nie wiedziałam, jak to wygląda od strony finansowej, ale byłam pewna, że będę musiała się przeprowadzić.

Otworzyłam laptopa i przejrzałam odpowiedzi na mój post o sprzedaży garbusa. Napisałam do tych, którzy byli zainteresowani. Jack będzie musiał sprzedać jaguara, czy mu się to podoba, czy nie. I oczywiście zamiast wybrać spokojny moment, żeby z nim o tym porozmawiać, zaczęłam złościć się, kiedy tylko zszedł na dół, wciąż nieogolony, nadal w spodniach od dresu, ale chyba w czystej koszulce.

— Przestań mi truć o tym cholernym samochodzie! — niemal wrzasnął.

— Co w takim razie proponujesz? Zwracam ci uwagę, że to ty postanowiłeś zwędzić pięćdziesiąt pieprzonych tysięcy, i jakoś nie widzę, żebyś miał plan, jak je spłacić.

— Nie rozumiesz, co? Ja ciebie nie proszę, żebyś sprzedała ten cały szajs, który kupowałaś przez lata, parszywą antyczną otomanę, to, śmo i owo z Designers Guild, marmurowe poidło dla ptaków, ściągane z pieprzonej Carrary.

Ogarnęła mnie tak potężna, dzika furia, że wzięłam torebkę i bez słowa wyszłam z domu. Moje dzieci nie potrzebowały obydwojga rodziców na ławie oskarżonych — jednego sądzonego za kradzież, drugiego za morderstwo.

Zobaczyłam, że u Kate pali się światło, więc pognałam tam pełna świętego oburzenia. Już usprawiedliwiałam się sama przed sobą, a przecież miałam dość czasu i energii, żeby poradzić sobie z biurokracją związaną z importem poidła dla ptaków z Włoch, ale przeoczyłam fakt, że Jack spędzał coraz więcej czasu zamknięty w swoim gabinecie na górze i że zawsze, kiedy wchodziłam, akurat wyłączał komputer. Miałam nadzieję, że Kate będzie miała wino. Jak nie, skoczę do Londis.

Nacisnęłam dzwonek.

Otworzyła drzwi.

— Cześć, nieznajoma! Jak się masz? Kopę lat. Ollie jednak przedstawił swojego syna bardzo atrakcyjnej babci. Widziałam zdjęcie na Facebooku. Przepiękny jest, prawda?

Kiwnęłam głową.

— Tak. Cudowny. Dla Olliego to trochę jak szok ogólnoustrojowy.

Kate stała w drzwiach i nie zapraszała mnie do środka.

— Z dziećmi na początku jest ciężko, prawda? — mówiła dalej. — W końcu się przyzwyczai. I to świetnie, że jest taki młody. Kiedy syn wyrośnie na nastolatka, Ollie będzie miał mnóstwo energii. W przeciwieństwie do mnie.

— Tak też można na to spojrzeć — westchnęłam.

Stałyśmy, patrząc na siebie z zakłopotaniem. Nie mogłam iść do domu, nie w tej chwili, kiedy wciąż jeszcze czułam zdenerwowanie.

— Może mogłabym wejść na minutkę?

Chwila ciszy. Kate odwróciła wzrok, a potem powiedziała:

— Tak, oczywiście, hm, właśnie wpadł Alex, no wiesz, przyjaciel Jacka, twój przyjaciel. — Zarumieniła się.

— Aha, okej, nie masz nic przeciwko, żebym do was dołączyła?

W przedpokoju zjawił się Alex.

— Cześć, Zell? Jak leci?

Podszedł, żeby mnie uściskać, ale wcześniej dostrzegłam spojrzenie, które wymienili. Mieszanka rozbawienia, zakłopotania i czułości. Alex położył na chwilę dłoń na plecach Kate. Otaczała ich ta niewidzialna, ale bezdyskusyjna aura wspólnej więzi. Zrozumiałam w jednej chwili i zaraz dopadło mnie dziwne poczucie, że jestem tu outsiderką, mimo że znałam Alexa od ponad dwudziestu lat. Szczęściarze, mieli przed sobą cały wspaniały okres poznawania siebie wzajemnie. Alex zrobił krok w moją stronę i pocałował mnie w policzek.

— Nie widziałam twojego motoru przed domem? — Uniosłam pytająco brwi. — Nie mów mi, że w końcu uświadomiłeś sobie, jakie motocykle są niebezpieczne!

— Zaparkowałem z tyłu.

— Próbujesz podróżować incognito?

— Coś w tym rodzaju. — Nie mógł powstrzymać uśmiechu, na którego widok poczułam w równej mierze zazdrość i radość.

Kate odzyskała rezon.

— Wejdź, chcesz się czegoś napić? Herbaty? Wina?

— Poproszę wino. Miałam ciężki dzień. A właściwie cały cholerny miesiąc — powiedziałam, siadając na krześle w kuchni. Ze wstydem poczułam, że łzy, które starałam się powstrzymać, trysnęły mi z oczu, dość spektakularnie.

Kate zajęła się otwieraniem butelki. Alex wymruczał:

— Wszystko okej, Zell?

Dlaczego faceci mówią tak do kobiety, która płacze?

— Nie, do cholery! Wszystko jest kompletnie do dupy!

Wydawał się skonsternowany, jakby chciał się wycofać, mówiąc: Szemrani dilerzy narkotyków — tak, histeryzujące, przeklinające kobiety — nie.

Kate postawiła przed nami dwa kieliszki wina.

— Może pójdziecie porozmawiać do salonu?

Alex przykrył jej dłoń swoją, jakby chciał powiedzieć, że Kate nie musi wychodzić. W głębi duszy zdziwiłam się, jak szybko nowe romanse biorą pierwszeństwo nad wieloletnimi przyjaźniami. Chociaż jeśli istniała kobieta, która umie dochować sekretu, to właśnie Kate.

— Zostań — powiedziałam do niej. — To tylko kwestia czasu, zanim wszyscy się i tak dowiedzą. Wpadłam na sekretarkę Jacka w supermarkecie i rozmawiała ze mną tak, jakby ktoś umarł. Możesz właściwie już teraz zdecydować, czy jeszcze chcesz mieć z nami cokolwiek wspólnego.

Kate siedziała zupełnie nieruchomo, a Alex zadawał wszystkie właściwe pytania ze swobodą płynącą ze starej przyjaźni. Na początek: czy się rozstajemy albo czy któreś z nas jest chore.

— Nic z tych rzeczy — westchnęłam. — Chociaż mam ochotę się z nim rozwieść, za to, że był takim cholernym idiotą. — Zamilkłam na chwilę. — Jack prawdopodobnie pójdzie do więzienia. Pożyczył... nie no, nie ma się co oszukiwać: ukradł pięćdziesiąt tysięcy funtów z Painted Wagon Holidays.

— O w mordę — powiedział Alex. — Kiedy z nim rozmawiałem jakiś tydzień temu, stwierdził, że ma jakieś kłopoty z pieniędzmi i „narobił trochę długów", ale powtarzał „to nic takiego, poradzę sobie".

Szybko zrozumiałam, dlaczego Alex jest taki dobry w swoim fachu. Przyniósł notes z plecaka w przedpokoju i przeszedł od razu do sedna, przy czym nikogo nie potępiał ani nie krytykował. Neutralnym tonem zadawał pytania, szukając informacji. Jak długo to trwało? Na jakim etapie jest policyjne dochodzenie? Czy istnieje szansa wycofania zarzutów, jeśli kwota zostanie częściowo spłacona? Kate tymczasem przyniosła więcej wina. Nie śmiałam spojrzeć jej w twarz, bo byłam niemal pewna, że zastanawiała się, tak samo jak ja, jak komuś udało się ukraść pięćdziesiąt tysięcy funtów tak, że nikt tego nie zauważył.

Jeszcze pół godziny temu z radością wskoczyłabym do samochodu i zostawiła Jacka, żeby sam posprzątał burdel, którego narobił, teraz jednak czułam dziwny przymus, żeby go bronić.

— Też jestem winna. Chciałam więcej i więcej. Prywatna szkoła, lepszy dom, największy, jaki się da.

Kate odezwała się dopiero teraz.

— Ale to nie ty ukradłaś te pieniądze, Gisela. Nie wiń tylko siebie.

Alex robił notatki.

— Zacznijcie myśleć, kogo najlepiej wezwać przed sąd jako osobę wystawiającą świadectwo moralności — poradził: — Sprawdź, czy możesz przepisać dom na siebie. Sorry, że się wtrącam w wasze finanse, ale czy macie jakąś kasę, żeby zwrócić tę sumę?

Powiedziałam mu o samochodach.

— Zawsze lubił dobre marki — pokiwał głową Alex. — Będzie musiał odżałować, jeśli nie chce iść siedzieć. Pogadam z nim.

Wstałam.

— Lepiej już pójdę. Dziękuję. — Odwróciłam się do Kate. — Mogłabyś na razie zachować to dla siebie? Wszyscy i tak niedługo się dowiedzą, pewnie napiszą o tym w gazetach, ale musimy najpierw powiedzieć dzieciom.

Przytuliła mnie — mocnym, ciepłym uściskiem, jakiego się po niej nie spodziewałam.

— Myślałam, że się na mnie obraziłaś — wyznała — bo tak dawno cię nie widziałam. Trzymaj się, jakoś przez to przejdziesz.

— Chciałabym też być taka pewna, Kate. Czuję się, jakby całe nasze życie było kompletną ściemą.

Potrząsnęła głową.

— Nikt nie ma pojęcia, jak naprawdę wygląda życie innych — powiedziała. — Oglądałam posty Sally na Facebooku i myślałam, że jest najszczęśliwsza na świecie. Głupio mi, bo się nie zorientowałam, co naprawdę się dzieje. Skąd miałyśmy wiedzieć, że schudła, bo miała złamane serce?

Zgodziłam się w pełni.

— Mało kto wrzuci swoją fotkę w bikini i napisze: Patrzcie, przytyłam dziesięć kilo albo: Jestem bardzo rozczarowana tym, co wyrosło z mojego syna i córki, i nawet ich za bardzo nie lubię. Kiedy ostatnio widziałaś, żeby ktoś przyznał: Moje rodzinne wakacje były do dupy, bo nie możemy się znieść dwadzieścia cztery godziny na dobę? Nigdy!

— Ale właśnie o to chodzi. — Kate pochyliła się do przodu z poważną miną. — Wszyscy dajemy się wciągnąć w to udawanie, że każdy ma idealną rodzinę, wspaniałe wakacje, piękny dom. Nic dziwnego, że bez przerwy czujemy się jak jedna wielka chodząca porażka. Ze mną włącznie.

— Dlaczego czujesz się jak porażka? — spytałam. — Wiem, że nigdy nie zamieszczasz żadnych postów, ale zawsze patrzę na twoje życie i myślę, że jest takie proste. No dobra, nie masz męża... — Nie umknęło mojej uwadze, że Alex ścisnął jej dłoń, a Kate się zaczerwieniła, już drugi raz podczas mojej wizyty. — Ale masz dobrą pracę, ważną, bo dajesz społeczności coś od siebie, Daisy jest cudowna, to twoja prawdziwa chluba. Mam wrażenie, że nieraz trochę krucho u was z pieniędzmi, ale i tak możesz się czasem zabawić, no i, cholera, nie kradniesz ani nie musisz się zastanawiać, czy zostaną ci jacyś przyjaciele, jeśli twój mąż pójdzie siedzieć.

Kate puściła dłoń Alexa. On przyciągnął ją do siebie. Kiwnął głową, niemal niedostrzegalnie; patrzyli sobie w oczy. Jej twarz skamieniała, malowała się na niej niepewność. A potem nagle wyprostowała się i uniosła głowę. Mój mózg był zbyt zmęczony, żeby odszyfrować, co to wszystko znaczy.

Spojrzała na mnie uważnie i powiedziała:

— Gisela, zawsze będą twoją przyjaciółką, cokolwiek się zdarzy.

Przekonanie w jej głosie sprawiło, że pod powiekami poczułam łzy.

— Dziękuję. Mam nadzieję, że nie zmienisz zdania, kiedy usłyszysz wszystkie paskudne szczegóły.

— Nie zmienię. — Wzięła tak głęboki wdech, że usłyszałam świst wciąganego powietrza. — Niecałe osiemnaście lat temu byłam sądzona za morderstwo. Nie przypuszczam, żeby jakaś tam kradzież miała mnie przestraszyć.

Gdybym mogła się w tej chwili nagrać i wrzucić filmik na Facebooka, wyglądałabym jak gęś z wybałuszonymi oczami, na tle dźwięków wydawanych przez starodawną maszynerię, której źle naoliwione trybiki obracają się z terkotem i wskakują na miejsce. #Ogłuszona.

ROZDZIAŁ 41

KATE

Sobota, 16 czerwca

Osiemnastka Daisy była pierwszą okazją do przyjmowania gości. Od czasu, kiedy moja córka poszła do szkoły, nigdy nie odwiedziły nas więcej niż trzy czy cztery osoby. Krzątałam się, przekładałam butelki piwa i wina w dużym korycie wypełnionym lodem, przestawiałam salaterki z chipsami o cal w tę czy w tamtą stronę, po raz pięćdziesiąty sprawdzałam kiełbaski. Wyprostowałam kartkę urodzinową od Oskara. Zaproponował, że zapłaci za jej bilet, żeby mogła go odwiedzić w przyszłe wakacje. Była przeszczęśliwa, a mnie udało się nie zepsuć jej tej radości psioczeniem, jaki to z niego niedzielny tatuś.

Słyszałam, jak na górze Daisy śmieje się razem z Hannah i dwiema innymi dziewczynami z college'u. Jeszcze dwie godziny do początku imprezy. Alex obiecał, że przyjedzie prosto z pracy. Poczułam ulgę, kiedy zatrzymał motor na podjeździe, i zaraz potem wstyd, że tak szybko zaczęłam na nim polegać.

Wziął mnie w ramiona i zaczął całować; ciepłe, ciężkie poczucie przynależności rozlało się po moim ciele. Na piętrze trzasnęły drzwi. Na ten dźwięk odskoczyłam od niego, jak nastolatka, która się boi, że rodzice mogą nagle wejść do pokoju.

Podniósł ręce, jakby się poddawał.

— Przepraszam. Po prostu pokusa jest zbyt silna. — Wszedł do salonu i spojrzał na porozwieszane balony, serpentyny i lampki. — Wow, pięknie to wygląda. Nieźle to wymyśliłaś!

— Gisela i Sally mi pomogły. Miałam ciekawe popołudnie: Gisela powiedziała Sally, co się dzieje z Jackiem. Sally była znacznie bardziej zszokowana, niż się spodziewałam, ale stanowczo stwierdziła, że będzie wspierać ich oboje. Trochę to wyglądało jak scena z *Trzech muszkieterów*: Jedna za wszystkie, wszystkie za jedną.

Objął mnie w pasie.

— Udało ci się opowiedzieć jej swoją historię?

— Owszem.

— I co?

— A wiesz, zachowała się wspaniale. — Ścisnęło mnie w gardle, kiedy przypomniałam sobie zgrozę, a potem współczucie na jej twarzy. — Powiedziała, że zawsze się zastanawiała, czy nie kryje się we mnie coś więcej i wyczuwała, że mam jakąś tajemnicę. Mówiła też różne miłe rzeczy, na przykład że nie może uwierzyć, jak sobie z tym wszystkim sama poradziłam i udało mi się wychować taką zrównoważoną córkę.

— Widzisz? Ludzie nie są tacy surowi, jak myślisz.

Rozplątałam srebrny sznureczek jednego z balonów i zaczęłam nawijać go na palce.

— Uczę się w to wierzyć. Wciąż mi się wydaje, że przed moim domem zbierze się żądny krwi tłum, kiedy wszyscy się dowiedzą.

— Nie sądzę, żeby coś takiego miało się stać, ale jeśli się mylę, tym razem pójdziemy na policję. W pewnym sensie przez osiemnaście lat byłaś jakby w więzieniu, a nie zrobiłaś nic złego. Oczywiście to tragedia dla Becky, ale ty po prostu byłaś w niewłaściwym miejscu w niewłaściwym czasie. Ale to już koniec, Kate. Nie możesz spędzić reszty życia, wyglądając trwożliwie zza zasłonek. — Umilkł, chociaż widziałam po jego minie, że ma jeszcze coś do powiedzenia. — Nie wiedziałem, czy mówić ci o tym teraz, czy nie, ale w pracy dostałem list. Może cię uspokoi co do dzisiejszego wieczoru.

— Do mnie?

— No, właściwie to do mnie, ale o tobie.

Serce zaczęło mi walić. Chciałam pobiec na górę i krzyknąć, że impreza odwołana, niech wszyscy idą do domu.

— Jaki list? Pokaż!

Alex chwycił mnie za ramię.

— Przepraszam, źle się wyraziłem. To nic strasznego, a może nawet coś dobrego. Chodź do kuchni, to ci pokażę.

Poszłam za nim, odsunęłam krzesło i usiadłam. Alkohol mnie szczególnie nie ciągnął, ale stojące z boku prosecco nagle wydało mi się bardzo kuszące.

— Wiesz, że zrobiłem wywiad z Becky, a potem zadzwoniłem do niej i powiedziałem, że nie zamieścimy tego materiału w programie?

Gorąca fala strachu wezbrała mi w piersi. Skinęłam głową.

— Napisała do mnie.

Rozłożył list i mi go podał. Chciałam mu go wyrwać, uciec i przeczytać w zamknięciu, gdzie nie mógłby zobaczyć mojej reakcji. Spojrzałam na adres na górze strony, te okrągłe litery, które pamiętałam z tylu kartek urodzinowych z dzieciństwa, z misiami i napisem „najlepsze przyjaciółki". Garton Street 117. Czy pisząc, siedziała przy sosnowym stoliku w swojej kuchni, przy którym spędziłyśmy znaczną część pierwszych miesięcy macierzyństwa, kołysząc nasze córki, narzekając na obolałe sutki, brak snu, obwisłe brzuchy, i usiłując napić się herbaty, dopóki była gorąca? Czy zwinęła się w kłębek na brązowej skórzanej kanapie w salonie, gdzie czasem drzemała przez godzinę, kiedy ja pilnowałam dzieci, nie wiedząc, co nas czeka?

Z trudem odważyłam się przesunąć wzrokiem w dół kartki.

„Drogi Aleksie!
Nie wiem, dlaczego uznałeś, że niewyjaśniona śmierć mojego dziecka nie była «wystarczająco mocną historią». Kompletnie zrujnowała mi życie, omal nie zakończyła mojego małżeństwa i doprowadziła do zerwania przyjaźni — straciłam najlepszą przyjaciółkę, jaką kiedykolwiek miałam. To, co powiedziałeś mi przez telefon — że Twój wydawca szuka czegoś, «co przemówiłoby do szerszego grona kobiet» — nie wydaje mi się prawdziwe. Do której kobiety nie przemówiłaby taka historia jak moja — pozwoliłam przyjaciółce, a znałyśmy się dwadzieścia lat, zaopiekować się moim dzieckiem, które pod jej opieką zmarło?

Pewnie nie zmienisz zdania, chociaż chciałabym opowiedzieć ludziom o tym, co mnie spotkało, bo myślę, że mogłoby im to pomóc — i mnie także. Piszę dlatego, że początkowo wydawało mi się, że ta historia naprawdę Cię poruszyła. Pamiętam, że powiedziałeś coś takiego: «To jest bardzo mocne. Straciłaś dwie osoby. Dziecko i najlepszą przyjaciółkę». A potem, kiedy tylko pokazałam Ci zdjęcia, zrobiłeś się dziwny i zacząłeś mówić: «Mamy przeładowany plan, nic nie obiecuję, w tej chwili tylko badamy różne możliwości». Ciągle do tego wracam myślami. Może się mylę, ale czuję, że zniechęciła Cię Izabela, chociaż nie mogę rozgryźć dlaczego. Bo była Polką, a przy tym wszystkim, co się dzieje z brexitem, nie chciałeś, żeby wyglądało na to, że się wyżywasz na ludziach z Europy Wschodniej? Bo odnalezienie jej za długo by trwało? Ponieważ jest za dużo takich kobiet jak ja, z którymi mogłeś łatwo przeprowadzić wywiad, nie musząc szukać wiatru w polu, to znaczy kogoś, kto pewnie zmienił nazwisko? Miałam wrażenie, że nie chciałeś jej do tego mieszać.

Może nie powinnam odgrzebywać znowu tego wszystkiego. Kiedy rozmawialiśmy, nie powiedziałam Ci wszystkiego. Na przykład tego, że przez wiele lat nie potrafiłam jej wybaczyć. Pod naszym naciskiem była sądzona za morderstwo. Nie mogłam pogodzić się z tym, że Cara ni stąd, ni zowąd umarła, że jednego dnia była zdrowa, a drugiego już nie żyła. Ktoś musiał być za to odpowiedzialny. Chciałam, żeby Izabela zapłaciła za mój ból, bo sama — jak mi się wtedy wydawało — wyszła z tego bez szwanku i wymigała się od kary, w dodatku z Karoliną. Miała przed sobą wszystko, co powinno być też moje — wspólne wycieczki z córką na zakupy, matka panny młodej, może nawet wnuki.

Kiedy moja córeczka umarła, proponowano mi pomoc psychologa, ale wtedy obchodziło mnie tylko to, żeby ukarać Izabelę. Przez ostatnich kilka lat chodziłam na terapię — lepiej późno niż wcale. Terapia pomogła mi zrozumieć, że czasem po prostu decyduje pech, że zdarzają się rzeczy, których nie możemy kontrolować i z którymi musimy się pogodzić, choćby to było trudne. Uświadomiłam sobie także, że śmierć Cary i to, jak się później zachowałam wobec Izabeli, prawdopodobnie zrujnowało także jej życie.

Zbliżają się osiemnaste urodziny Cary — gdyby żyła — i poczułam, że pora spróbować jakoś to wszystko poukładać. Chciałam powiedzieć, że jeśli zdecydujesz się kiedyś zrobić program o przebaczeniu, powinieneś o mnie pamiętać, chociaż nie zdziwiłabym się, gdyby Izabela nie chciała mi wybaczyć tego, co jej zrobiłam.

Z poważaniem,

Becky Haughton"

Przysunął się do mnie z krzesłem i objął mnie.

— Nie wydaje mi się, żeby miała jeszcze sprawiać ci kłopoty.

Przycisnęłam palcami powieki.

— Nie wiem, co o tym myśleć. Boję się, czy to nie podstęp, żebyś mnie znalazł.

— Kiedy z nią rozmawiałem, zdałem sobie sprawę, że za tobą tęskni. Wydawała mi się szczera. Wiem, że zachowywała się wobec ciebie jak skończona małpa, ale jak ją poznałem, budziła we mnie instynktowną sympatię.

Gdy to mówił, z piętra rozległo się nagle na cały regulator *She Will Be Loved*.

Przełknęłam ślinę.

— Jest tylko jeden sposób, żeby się przekonać. — Wzięłam telefon, pobiegłam na górę i zagoniłam dziewczyny, żeby ustawiły się w grupkę. — Uśmiech proszę!

Ubrane w krótkie spódniczki i obcisłe bluzki, wgramoliły się na łóżko, tworząc coś w rodzaju piramidy.

— Schowajcie języki! — Bóg raczy wiedzieć, dlaczego nastolatkom wydaje się, że cudownie wyglądają, przypominając raczej stado beagli biegnących nad wodę.

Kiedy już skontrolowały zdjęcia — „Na tym strasznie brzydko wyszłam!", „Tu mam podwójny podbródek!" — i w końcu wybrały jedno, z którego były zadowolone, powiedziałam:

— No dobra. Daję wam pół godziny, a potem chcę was widzieć, jak witacie gości. I nie pijcie za dużo wódki przed rozpoczęciem imprezy.

Zeszłam na dół, zachwycona euforią Daisy i tym, że robiła dokładnie to, co każda inna osiemnastolatka w swoje urodziny. Poczułam uderzenie adrenaliny, przygotowując się do czegoś, co jeszcze rok temu byłoby dla mnie nie do pomyślenia. Spojrzałam na Alexa z palcem zawieszonym nad niebieskim przyciskiem na ekranie mojego telefonu.

Kiwnął głową.

— Dawaj — powiedział.

Zdjęcia: Daisy i jej koleżanki.
Podpis: Wszystkiego najlepszego z okazji osiemnastych urodzin dla mojej cudownej Daisy. Bardzo ją kocham. Jak mówimy po polsku:
Twoje zdrowie
#NaZdrowie

ROZDZIAŁ 42

GISELA

Środa, 21 listopada

W końcu Jack zdał sobie sprawę, że w więzieniu jaguar nie będzie mu potrzebny, a jeśli go sprzeda, może zachować wolność. Mało tego, pod koniec czerwca zaczęliśmy też szukać kupca na dom. Bez względu na to, czy Jack pójdzie siedzieć, czy nie, musieliśmy znaleźć sposób, żeby spłacić te pięćdziesiąt tysięcy — stwierdził stanowczo, że trzeba to zrobić, nawet jeśli sąd mu tego nie nakaże — „po prostu, żebym mógł sobie spojrzeć w oczy". Pozostawała jeszcze drobna kwestia utrzymania płynności finansowej tak długo, dopóki nie znajdzie innej pracy. Nigdy nie pozwoliłam sobie powiedzieć na głos „j e ż e l i jakąś znajdzie".

Przez kilka miesięcy przed procesem zakładałam, że jeśli mąż skończy za kratkami, na pewno się przeprowadzę, może gdzieś bliżej Olliego.

Jack był innego zdania. „Zell, nie chcę ci mówić, co masz robić, ale jeśli zamieszkasz blisko Olliego, to raczej ty będziesz wspierać jego niż odwrotnie. U nich wciąż panuje spory chaos. Myślę, że lepiej będzie zostać tutaj, gdzie znasz ludzi, jeśli jesteś w stanie znieść plotki. Kate i Alex ci pomogą. A przeprowadzając się w zupełnie obce miejsce, nie będziesz miała do kogo zadzwonić, na przykład jak pęknie rura albo usłyszysz w nocy hałas. — Tu zaczął płakać. — Przepraszam. Nie powinnaś znaleźć się w takiej sytuacji".

Ścisnęłam go za rękę. „Martw się o siebie. Mnie nic nie będzie, cokolwiek się stanie". Chociaż cichy głosik w mojej głowie popiskiwał „gówno prawda", a Jack na ogół podchodził do perspektywy odsiadki z pełnym stoicyzmem, który mi się udzielał.

Przynajmniej do trzeciej nad ranem, kiedy leżałam gapiąc się w sufit, łzy spływały mi do uszu, i zastanawiałam się, jak sobie poradzę z wyceną przeprowadzki, jak się zorientuję, czy ze mnie nie zdzierają, i w ogóle zrozumiem raport z inspekcji technicznej nowego domu.

Rozwiązanie znalazłyśmy z Sally na dnie kieliszka wina — zaproponowała: „A może po prostu sprzedasz dom i przeprowadzisz się do mnie?" — i była to rzadka okazja, kiedy nasz genialny pomysł rano wcale nie wydawał się głupi. Właściwie wszystkim się opłacił: Chris wykupił Sally, tak że mogła posunąć się do przodu z zakupem malowniczej ruiny we Włoszech, zaoszczędził na prowizji pośrednika i zgodził się poczekać dwa miesiące, aż zakończy się transakcja sprzedaży naszego domu i dostaniemy pieniądze na przeżycie, jeśli Jack wyląduje w więzieniu.

Teraz stałam między Kate i Alexem w Sądzie Koronnym w Guildford, czekając na ogłoszenie wyroku. Wciąż nie pogodziłam się z myślą, że mój mąż, ten zwyczajny facet, który oliwił zawiasy w furtce, co roku na jesieni wyciągał dmuchawę do liści i odnawiał ubezpieczenie assistance, może zostać zapakowany do policyjnej suki i nawet nie będziemy mieć szansy się pożegnać. W granatowym garniturze i różowej koszuli wyglądał, jakby przyszedł na spotkanie z dyrektorem banku. Próbowałam nawiązać z nim kontakt wzrokowy, dać mu znać, że wielki rezerwuar młodzieńczej miłości, napędzanej energią, marzeniami i tym, że nie wiedzieliśmy tego, co teraz, wciąż się nie wyczerpał. Wciąż tu był, na pewno trochę poobijany na zakrętach życia, ale o solidnych podstawach. Jack nie spojrzał na mnie. Patrzył prosto przed siebie szklistym wzrokiem, jakby znalazł się tu przypadkiem i czekał, aż ktoś powie: „No już, zmykaj do swojego świata".

Nagle wszyscy wstaliśmy i przez salę rozpraw przetoczyły się słowa sędziego. Mój umysł nie nadążał, był o krok za rozchodzącym się dźwiękiem.

— Według standardów większości ludzi miał pan uprzywilejowane życie. Chciwość doprowadziła pana do upadku. Nadużył pan swojego stanowiska i dopuścił się oszustwa wobec długoletniego przyjaciela, z uszczerbkiem dla firmy.

Wiedziałam, że te słowa zranią Jacka, który szczycił się swoją lojalnością. Zawsze, zawsze tak właśnie go postrzegałam. Inaczej nasz związek nigdy by nie przetrwał przez całe jego studia. Sędzia mówił o skróceniu wyroku, jako że oskarżony przyznał się do winy. Wciąż miałam nadzieję na zawieszenie albo prace społeczne.

— Dziewięć miesięcy — rozbrzmiało na sali.

Dziewięć miesięcy! Kate chwyciła moją dłoń, a Alex wziął mnie pod rękę. Nie płakałam. Cały czas czekałam na ciąg dalszy, oznaczający, że Jack nie będzie musiał odsiedzieć całego wyroku. Ale sędzia już coś pisał, urzędnik sądowy zbierał papiery, a ludzie, którzy według słów Alexa byli dziennikarzami, wychodzili na korytarz.

Kiedy wyprowadzano Jacka, odwrócił się i spojrzał na mnie. Uniosłam rękę, nie miałam nawet dość przytomności umysłu, żeby posłać mu buziaka. Patrzyłam na jego plecy, zaokrąglone barki. Wydawał się taki drobny przy idącym obok krzepkim policjancie. Nie wiedziałam, że można być tak przepełnioną smutkiem. Kate popchnęła mnie lekko.

— Chodźmy. Alex podjedzie samochodem pod główne wejście.

Kiwnęłam głową, z ulgą, że wie, co robić, a ja mogłam po prostu za nią dreptać i nie musieć myśleć.

— Gisela, posłuchaj, to naprawdę ważne. Jeśli dziennikarze zadadzą ci pytanie, nie rozmawiaj z nimi.

I oczywiście, kiedy przechodziłyśmy przez recepcję, jakiś trzydziestolatek zawołał do mnie.

— Może mógłbym zamienić z panią słowo o skazaniu pani męża?

Kate niemalże odepchnęła go z drogi.

— Bez komentarza! — Sprowadziła mnie po schodach, mijając dwie czy trzy osoby, w tym dziewczynę w wieku Olliego, z dyktafonami i notesami.

Ignorowanie ludzi, którzy wołali: „Przepraszam! Pani Giselo!", nadal wydawało mi się niegrzeczne, ale Kate odpędziła ich i popychała mnie w stronę samochodu, w którym czekał Alex. Otworzył drzwi, wsiadałam do tyłu. Ruszyliśmy, a ja myślałam, kręcąc głową: Nie spodziewałam się tego, a zaraz potem: Dlaczego się tego nie spodziewałam?

Na widok prokuratora, przechodzącego przez ulicę lekkim krokiem w zimowym słońcu, pękłam. Zaczęłam kląć, pomstować na beznadziejny zespół obrońców Jacka, a potem na mojego męża, cholernego idiotę.

— Jakby mi zależało na wielkiej, amerykańskiej lodówce! Może przez pięć minut mi się podobała, ale nie wiedziałam, że będzie musiał iść do więzienia, żeby ją kupić! Kurwa mać! — I wybuchłam płaczem, wydobywającym się z głębi brzucha, a czułam się tak, jakby mi spazmatyczny szloch rozrywał niezbędne do życia narządy.

Wieści rozeszły się szybko. Krowa spod siódemki, ta z triumfującym uśmieszkiem na gębie, wciągała trójkę swoich dzieci do domu za każdym razem, kiedy mnie widziała, jakby pod naszym patio znaleziono zakopane zwłoki. Z kolei facet w sklepie na rogu składał lokalną gazetę, żebym nie zobaczyła zdjęcia Jacka na pierwszej stronie. Ludzie, którzy od lat nie odezwali się do mnie ani słowem, zaczynali pisać na Facebooku: „Trzymasz się, kochana? Daj mi znać, jeśli coś mogę zrobić", co odczytywałam jako lekko tylko zakamuflowane: Skontaktuj się ze mną, żebym mogła usłyszeć o twojej katastrofie z pierwszej ręki albo: Możesz do mnie zadzwonić o każdej porze, nawet o trzeciej nad ranem.

Kiedy siedziałam przed komputerem, myśląc: Nie zadzwoniłabym do ciebie o dziesiątej rano ani o piątej po południu, a już na pewno nie o trzeciej nad ranem, uznałam, że na Facebooku nie znajdę wsparcia. Widziałam — i sama zamieściłam — wystarczająco dużo zdjęć kieliszków szampana, szczęśliwych wakacji rodzinnych i zdecydowanie zbyt wiele polakierowanych paznokci u nóg na leżakach, by wiedzieć, że może część z tego jest prawdą, ale nikt nie ma idealnego życia. Miałam ochotę wrzucić zdjęcie Jacka wyglądającego zza więziennych krat i zestawić je z fotkami moich puchatych poduszek, bukietów róż, absolutnych pierdół, którymi dzieliłam się ze światem, tak by wszyscy patrzyli na mnie i myśleli: Ta Gisela to ma dobre życie. O tak, dobre życie z pieniędzy ukradzionych z firmy męża.

Usunęłam swoje konto.

ROZDZIAŁ 43

SALLY

Sześć miesięcy później
Castelfiorentino, Włochy
Sobota, 18 maja

Ta bolesna, ale podszyta rezygnacją tęsknota pojawiała się teraz rzadko. Przypomniał mi o niej drobny gest — Hannah ułożyła bukiecik z gałązek drzewa oliwnego w starej puszce po oliwie i postawiła w sypialni Giseli — i jego swobodna, jakby niedbała troskliwość. W istocie byłam zachwycona, widząc, jak Hannah nie może się doczekać, żeby jej mama w końcu zobaczyła, co osiągnęła — dwie łazienki wyremontowane z niewielką pomocą Alda, miejscowego hydraulika, który głównie rozkładał ręce, podczas gdy Hannah pociła się nad przecinarką do glazury i lutownicą. Miała świetne oko i doskonałe wyczucie, zachęciła mnie, żebym wybrała na umywalkę antyczną kamienną misę, którą znalazłyśmy na śmietniku, i przekonała do terakotowych kafelków. Jak to ujęła, z ich cięciem „było od pyty roboty", ale teraz wszystko wyglądało jednocześnie rustykalnie i szykownie. Nauczyłam się nie pielęgnować w sobie zazdrości, której ukłucie czułam, kiedy Hannah rozmawiała na FaceTimie z Giselą, zwłaszcza jeśli nie były to żadne istotne informacje, lecz zwykłe „chciałam zobaczyć, jak się masz", trochę śmiechu, jakiś żart, nieskrępowane „kocham cię", sygnalizujące koniec rozmowy. Ta przynależność do kogoś bez potrzeby starania się, ta wspaniała wolność, by być sobą, świadomość, że druga osoba nigdy nie przestanie cię kochać, nigdy nie zostawi, nawet jeśli pokażesz jej swoje prawdziwe „ja". W przeciwieństwie do mężów, którzy mogą znaleźć osobę, której „ja" spodoba im się bardziej. Prawdopodobnie nigdy nie będę mieć tego wszystkiego, w każdym razie nie z kimś, z kim miałabym wspólne DNA. Zaczynałam to akceptować. Były inne sposoby na poczucie przynależności. Chciałabym jednak, żeby ktoś postawił mi w sypialni bukiecik kwiatów, tylko dlatego, żeby sprawić mi przyjemność.

Odpędziłam tę myśl i wyszłam do ogrodu z kieliszkiem wina Vernaccia. Usiadłam na tarasiku, pod pergolą obrośniętą kwiatami bugenwilli. Nie mogłam się doczekać przyjazdu Giseli, Kate i Daisy. Oraz tego, by Gisela zrozumiała, że kurs hydrauliki, o którym myślała, że będzie dla Hannah katastrofą, okazał się jej wybawieniem, ukształtował ją. We wrześniu zeszłego roku, kiedy zaproponowałam to Giseli, nie kryła zdziwienia: „Naprawdę? Chcesz, żeby Hannah przyjechała do ciebie i pomogła? No, w sumie nie znalazła tu żadnej pracy. — Ostrzegawczo uniosła brwi. — Czasami może być trochę trudno się z nią dogadać. Mam nadzieję, że sobie poradzi. Jeśli jesteś pewna, byłby to idealny moment, nie musiałaby być tutaj w październiku, kiedy pójdziemy do sądu pokoju. Albo i do Sądu Koronnego, jeśli sprawa zajdzie tak daleko".

Hannah przyjęła pomysł entuzjastycznie, ocierając łzę, kiedy zaproponowałam jej przyjazd. „Nie chcę być tutaj, jeśli tata pójdzie do więzienia".

Przez zimę straciła aurę rozleniwienia i bierności, tę protekcjonalną wyniosłość, która była tak odpychająca. Teraz, szczupła i w świetnej kondycji po miesiącach harówki w starych wiejskich domach na południe od Florencji, śmigała na swoim *motorino*, uczyła się włoskiego i była rozchwytywana przez ekspatów, którzy potrafili po włosku zamówić jedzenie i wino, ale rozmowy telefoniczne o zepsutych klozetach i cieknących kranach ich przerastały. Jej dziwne poczucie wyższości i nadmierna pewność siebie ustąpiły miejsca czemuś dojrzalszemu, trzeźwiejszemu i prostolinijnemu, co było wciąż jeszcze niewypowiedziane, ale podszyte zgodą na to, że inne opinie też mogą się liczyć, że można dyskutować. Podobało mi się, że ktoś pilnuje domu, kiedy wyjeżdżałam na targi win, i karmi bezdomną kotkę, którą przygarnęłyśmy i nazwałyśmy Stregą, co po włosku znaczy czarownica, bo była czarna jak smoła.

Miałam nadzieję, że na swój sposób trochę pomogłam dziewczynie dorosnąć. Że dałam jej azyl, możliwość ucieczki, kiedy jej świat uległ zawieszeniu w wyniku katastrofy, która zachwiała fundamentami wygodnego życia. Nic nie wskazywało na to, żeby chciała wracać do Wielkiej Brytanii, a ja egoistycznie się z tego cieszyłam.

Zajrzałam ponad niskim murkiem do mojego ogródka i przyjrzałam się pomidorom, które już dojrzewały w majowym słońcu. Tata pomógł mi je posadzić, kiedy przyjechali z mamą w odwiedziny kilka tygodni temu.

„Ładnie tu masz, kochanie — powiedział. — Czuję się jak król, siedząc na tym tarasie".

Nawet mama się ożywiła, czarowana przez Alda.

To ja stworzyłam to miejsce. Nie takiej przyszłości chciałam. W każdym razie nie o takiej myślałam wcześniej. Jednak coraz częściej widziałam w niej po prostu inną drogę, nie gorszą, nie plan B realizowany, bo plan A się nie udał, tylko ścieżkę, którą dopiero później dostrzegłam na mapie.

Rozmyślania przerwało mi trzaśnięcie drzwi taksówki. Zbiegłam z tarasu i zobaczyłam Giselę, Kate i Daisy, które wyciągały walizki z bagażnika. Udało mi się nie poczuć urazy, kiedy Gisela minęła mnie w przelocie, żeby uściskać Hannah. Czułam przypływ miłości i ulgi między nimi. Hannah już zaczęła opowiadać, jak dużo nauczyła się włoskiego, ciągnęła Giselę do domu, żeby jej pokazać swoje dzieło, a Gisela śmiała się i mówiła, żeby zwolniła, chce o wszystkim usłyszeć, ale najpierw musi iść się załatwić.

Ściskałam Kate i Daisy, pytałam o Alexa, kiedy Gisela wróciła i złapała mnie za ręce.

— Twój dom wygląda wspaniale, Sally. I naprawdę już widzę, że Hannah jest tu z tobą szczęśliwsza, niż była z nami przez ostatnie dwa lata. Wyświadczyłaś mi ogromną przysługę, że ją przygarnęłaś, kiedy, no, działo się to wszystko z Jackiem.

Zbyłam ją machnięciem dłoni.

— Był akurat dobry moment, no i okazja, żeby porobiła coś, co lubi. A ci wszyscy śliczni włoscy chłopcy w barze w miasteczku też mają niewątpliwie dobry wpływ na jej duszę. — Odwróciłam się i zajęłam pomaganiem przy targaniu walizek, żeby nie widziała, ile znaczą dla mnie jej słowa. Wzięłam głęboki wdech. — A jak tam Jack? Chyba wkrótce wraca do domu?

— Za dwa tygodnie.

Nie musiałam pytać, jak ona się czuje. Tęsknotę miała wypisaną na twarzy. To jeszcze nie koniec tej historii, jeszcze ich czeka nieunikniona szarpanina, przyzwyczajanie się do sytuacji, radzenie sobie z niespodziewanymi skutkami, kiedy wszyscy będą musieli na nowo odnaleźć swoje miejsce w rodzinie.

Gisela nigdy nie zmieniła zdania. „Byłam prawie tak samo winna — powtarzała. — Oboje wykazaliśmy się zadziwiającą głupotą".

Chociaż zawsze chciałam powiedzieć: Ale różnica jest taka, że ty nic nie ukradłaś!, zazdrościłam jej, że potrafiła zdobyć się na taką wielkoduszność i całkowicie mu wybaczyć. Nawet teraz myśl o tym, jak Chris mnie okłamywał, kochał się ze mną, a potem szedł do Sophie i jej rosnącego brzucha, jednocześnie deklarując, że nadal jestem dla niego najważniejsza, potrafiła wywołać we mnie dziką, oślepiającą wściekłość. Ale nie dziś.

Zaprowadziłam je wszystkie do środka.

— Ale przepiękna kuchnia — zachwyciła się Kate. — I jaką masz bazylię! To smętne zielsko z supermarketu może się schować. Twoja wygląda jak tryfid!

Nastąpiły kolejne okrzyki zachwytu nad moim cudnym stołem z niebiesko-białym ceramicznym blatem, widokiem na gaje oliwne, słońcem grzejącym na tyle mocno, że można trochę się rozebrać. Już dawno nie czułam takiego zadowolenia, bez żadnego drugiego dna — tylko prosta świadomość dobrego samopoczucia, radości dzielonej z przyjaciółkami, którym podobało się wszystko, co sama uwielbiałam w swoim nowym domu.

Kiedy Hannah przyniosła schłodzone butelki prosecco i miseczki z suszonymi pomidorami i kozim serem, opowiadając Daisy o miejscowych przystojniakach, a Gisela i Kate referowały mi, co słychać w Parkview, mignęła mi w głowie myśl. Taka, której nie miałam od lat. Może nie mam wszystkiego, co chciałam, ale jestem szczęśliwa.

Zdjęcie: Cała piątka z kieliszkami prosecco na tle gajów oliwnych.
Podpis: Zawsze jestem zachwycona, kiedy mogę się spotkać z Kate Jones, Daisy Jones i Giselą Anderson, i to w każdym miejscu na świecie, ale zwłaszcza w moim nowym domu, gdzie Hannah Anderson nieźle się napracowała, żebyśmy mogły wziąć ciepły prysznic!
#Włochy #Przyjaciółki #SzczęściaraZeMnie

ROZDZIAŁ 44

GISELA

Poniedziałek, 3 czerwca

Kate siedziała w samochodzie, a ja stałam pod bramą więzienia. Czułam trzepotanie w żołądku, zupełnie jak kiedyś, gdy czekałam w piątkowe wieczory na stacji, wyciągając szyję, żeby go wypatrzeć, jak wysiada z plecakiem przewieszonym przez ramię. Wtedy tak wiele rzeczy uważaliśmy za pewnik. Nie znaliśmy odpowiedzi i w ogóle nie przejmowaliśmy się ich szukaniem. Po prostu zakładaliśmy, że życie ułoży się po naszej myśli.

Teraz musiałam penetrować najdalsze zakamarki, żeby odnaleźć pewność. Nie taki miałam zamiar, ale stworzyłam sobie życie bez niego.

Uwielbiałam swoją pracę w sklepie Laury Ashely. Kręcił nosem, kiedy mu o tym powiedziałam. „Przykro mi, że nie mogłaś zostać prawniczką. — Usiłował się uśmiechnąć. — Mogłoby nam się to przydać". Poczułam się wówczas zła, przybita, bo chciałam mu pokazać, że nie siedzę z założonymi rękami, przynajmniej coś robię, żeby zdobyć trochę pieniędzy. Kiedy czas odwiedzin się skończył, wyszłam, gotując się z tłumionej złości. Mijałam innych mężczyzn, takich z ogromnymi bicepsami i fryzurami na bandytę, tulących swoje dzieci z intensywnością, na której widok chciało mi się płakać, takich, o których istnieniu chyba zapomnieliśmy w naszym zamożnym, uprzywilejowanym życiu. I innych, o bladych twarzach i skołtunionych włosach, którzy wyglądali, jakby nie ośmielili się spóźnić ze zwrotem książki do biblioteki, a co dopiero popełnić przestępstwo zagrożone karą więzienia. Do nich należał Jack.

Stojąc tu dzisiaj, czekając, aż wyjdzie, podliczyłam godziny moich odwiedzin, odkąd trafił za kratki. Jakieś trzy, czasem cztery w miesiącu, mniej, jeśli jedną z wizyt przejął Ollie. Jasno oświetlona sala nie sprzyjała szczerym rozmowom. Żadne z nas nie chciało ranić drugiego, opowiadając o realiach naszego obecnego życia. Nie chciałam mu mówić, że czasem piłam wino z Kate, opowiadałyśmy sobie historie z minionego tygodnia i nie myślałam o nim przez cały wieczór. Nie powiedziałabym, że niemalże bałam się rozmów z nim przez telefon z powodu presji, by mówić o ważnych rzeczach, ale świadomość, że Jack stoi w korytarzu, otoczony innymi, kręcącymi się wokół więźniami, sprawiała, że miałam pustkę w głowie. Wydawało mi się, że niezbyt miło byłoby mu opowiadać, że codziennie rano chodzę z Titchem na długi spacer do lasu, skoro Jack miał szczęście, jeśli wypuścili go na spacerniak. Nie chwaliłam się też, jak często jeżdżę do Olliego i Nat. Nie chciałam, żeby żałował czasu, który mógł spędzić z Alfiem, i tego szczerbatego uśmiechu, będącego najlepszym antidotum na zbolałe serce. Pragnęłam zamknąć jego cudowny dziecięcy chichot w butelce, żeby móc go sobie dawkować w te dni, kiedy wyobraźnia podsuwała mi obraz Jacka siedzącego na wąskiej więziennej pryczy. Trudno mi było sobie przypomnieć, jak zdruzgotana się czułam w swoje urodziny, kiedy otworzyłam kopertę ze zdjęciem USG. Już samo patrzenie na to, jaki Ollie jest spokojny, wesoły i kochający, nawet kiedy Alfie był nieznośny, napełniało mnie dumą, jakiej nie przyniosłoby sto najlepszych stanowisk i najbardziej prestiżowych dyplomów.

Jednocześnie nie chciałam słuchać o tym, że Jack płakał, kiedy dostawał listy od Hannah. Że czasem bał się innych więźniów. Że jeśli PIN do karty telefonicznej nie działał, dla niego był to koniec świata. Nie chciałam wiedzieć, jak bardzo jest źle. I byłam pewna, że mi nie mówił.

Nagle brama się otworzyła i stanął w niej Jack, ściskając w ręce torbę z rzeczami. Wyglądał chudo, ale się uśmiechał, trochę nieśmiało.

Zawahałam się, nagle nieprzygotowana na ten moment, o którym przecież od tak dawna myślałam. A potem ruszyliśmy do siebie biegiem. Przytuliłam go, wdychając woń gotowania, nieznanego proszku do prania, stęchłego powietrza, ale gdzieś tam pod spodem był ślad zapachu, który poznawałam, zapachu mojego męża. Czułam, jakbym stała na chwiejnym drewnianym mostku. Bujał się. Był trochę niestabilny. Ale jednak był to most, który, przy pomyślnym wietrze, pozwoli nam bezpiecznie wrócić na brzeg.

ROZDZIAŁ 45

KATE

Sobota, 22 czerwca

Zdjęcie: Kate i Alex w dniu ślubu.
Podpis: Bardzo rzadko zamieszczam zdjęcia,
ale dzięki temu mężczyźnie jestem taka szczęśliwa,
że zrobię wyjątek.
(PS Moje życie na ogół nie jest tak idealne —
normalnie biegam z rozwianym włosem,
spóźniona do pracy, krzyczę na Daisy,
że ma bałagan w pokoju, i nigdy, przenigdy
nie mam pomalowanych paznokci.
Ale to był mój ślub).
#Nadzieja #Przyszłość #Miłość
#ZazwyczajTakNieWyglądam

LIST OD KERRY

Droga Czytelniczko!

Chcę ci serdecznie podziękować, że zdecydowałaś się przeczytać *Kobietę, którą byłam*. Jeśli książka Ci się podobała i chciałabyś dostawać na bieżąco informacje o moich najnowszych tekstach, zapisz się na listę mailingową pod poniższym linkiem. Nikomu nie udostępnię Twojego adresu mailowego, w każdej chwili możesz też zrezygnować.

www.bookouture.com/kerry-fisher

Wychowałam się w epoce przedinternetowej, więc korzystanie z mediów społecznościowych wciąż uważam za wybór, a nie za coś nieuchronnego, z czym po prostu trzeba się pogodzić, jak traktuje je większość nastolatków, w tym moje własne. Czasem widzę post na Facebooku w rodzaju: „Pamiętacie jeszcze, jak mogliśmy przez cały dzień nie zrobić ani jednego zdjęcia?". Wydaje się nam dziś staroświecko urocze, że pozowanie do fotografii było kiedyś zarezerwowane na specjalne okazje, takie jak święta, wakacje czy urodziny.

To zjawisko dokumentowania życia z najdrobniejszymi detalami, takimi jak zawartość naszego talerza na śniadaniu, w połączeniu z ludzką skłonnością do prezentowania się z jak najlepszej strony — pokazywania naszych egzotycznych wakacji, przemyślanych prezentów urodzinowych, idealnych rodzinnych spotkań — podsunęły mi pomysł na tę książkę. Moje rodzinne wakacje wyglądają raczej tak: „Bue, tylko nie następne muzeum!", „Będzie tam wi-fi?", „Myślałem, że to ty weźmiesz prawo jazdy". Do tego trochę moich krzyków, żebyśmy już wreszcie wychodzili, bo trzeba zdążyć na samolot. Na Facebooku nie widzę odbicia swojej rzeczywistości... Chciałam dokładniej zbadać to wrażenie, które nas dopada, kiedy porównujemy swoje życie z nierealną perfekcją przedstawianą w mediach społecznościowych — bardzo łatwo poczuć, że nasz świat jest monotonny, szary i nieciekawy, a wszyscy inni znacznie lepiej się bawią. Zainteresowało mniej jeszcze coś: to, co widzimy na Facebooku, to często tylko część całej historii — niekoniecznie kłamstwo, ale zaledwie migawka utrwalająca wyjątkową atrakcję, a nie codzienną rzeczywistość.

Jednym z największych przywilejów mojej pracy jest dostawanie wiadomości od osób, którym podobały się moje powieści — i oczywiście media społecznościowe wspaniale to ułatwiają. Czasami czytelniczki i czytelnicy dzielą się ze mną swoimi osobistymi historiami, kiedy identyfikują się z jakimś elementem moich książek. Szczerość ich opowieści i okazywane mi zaufanie są dla mnie nieustanną lekcją pokory. Dziękuję.

Mam bolesną świadomość, że niektóre z czytelniczek mogły doświadczyć potworności, jaką jest strata dziecka z powodu zespołu nagłej śmierci niemowląt — współczuję Wam z całego serca. Mam nadzieję, że w książce udało mi się znaleźć równowagę między współczuciem wobec Kate i Becky, które ta tragedia dotknęła, każdą w inny sposób.

Zanim zaczęłam pisać tę książkę, miałam własne rozterki dotyczące mediów społecznościowych. Byłam rozdarta między blichtrem i sukcesem mojego życia publicznego a bardzo osobistym nieszczęściem. Moja poprzednia książka, *Sekretne dziecko*, ukazała się w listopadzie 2017 roku. Zamieściłam radosny post i filmik, na którym czytam pierwszy rozdział i opowiadam o nowej powieści. Każdy, kto przejrzałby moje media społecznościowe, zapewne pomyślałby, że nie mam żadnych trosk. Tymczasem następnego dnia mój osiemnastoletni syn szedł do szpitala, by zacząć piąty cykl chemioterapii w ramach leczenia rzadkiego rodzaju chłoniaka. Teraz, mniej więcej rok później, wrzucam zdjęcia całej szczęśliwej rodziny, bo jestem wdzięczna, że syn ma remisję choroby i nadal jest z nami. (Chociaż niestety nie stałam się idealną matką, a on jest normalnym dziewiętnastolatkiem z wieloma wspaniałymi cechami i paroma niedoskonałościami). Ten okres w moim życiu byłby o wiele trudniejszy bez wsparcia kilkorga dobrych przyjaciółek i przyjaciół. W tej powieści chciałam więc pokazać, jakim skarbem może być przyjaźń w najgorszych chwilach, jakie nas spotykają.

Mam nadzieję, że podobała Ci się *Kobieta, którą byłam*, a jeśli tak, byłabym niezmiernie wdzięczna, gdybyś napisała recenzję. Jestem bardzo ciekawa, co myślisz, a poza tym możesz w ten sposób pomóc nowym czytelniczkom odkryć jedną z moich książek.

Uwielbiam, kiedy czytelniczki i czytelnicy do mnie piszą — możesz się ze mną skontaktować przez Facebooka, Twittera, Goodreads albo stronę internetową. Zawsze, kiedy czytam wiadomości od czytelniczek, przypominam sobie, dlaczego kocham tę robotę — nie ma lepszej motywacji!

Pięknie dziękuję za lekturę,
Kerry Fisher

kerryfisherauthor
@KerryFSwayne
www.kerryfisherauthor.com

PODZIĘKOWANIA

Z każdą kolejną książką lista osób, którym chcę podziękować, wydaje się wydłużać, co znaczy, że jako autorka mam duże szczęście. Zacznę od miejsca, w którym zachodzi magiczny proces przemiany pierwszych mglistych pomysłów w coś, co czytelniczki chciałyby przeczytać. Mowa o cudownym wydawnictwie Bookouture i fantastycznym zespole, który ciężko pracuje, żeby na świat trafiły książki w najlepszym możliwym kształcie. Za kulisami dzieje się wiele rzeczy, z których autorzy nie zdają sobie sprawy. Specjalne podziękowania należą się mojej genialnej redaktorce Jenny Geras, skrupulatnej i drobiazgowej, oraz Kim Nash i Noelle Holten pomagającym naszym książkom znaleźć czytelników. Wielkie dzięki także społeczności autorek i autorów Bookouture — to zaszczyt być jej częścią.

Jak zawsze dziękuję mojej agentce Clare Wallace. Doceniam jej mądrość, znajomość arkanów rynku wydawniczego i ogólnoludzką życzliwość. Jestem też bardzo wdzięczna Mary Darby i Kristinie Egan z Darley Anderson, które zdziałały cuda, by wysłać moje książki w szeroki świat.

Jak zwykle książkowe blogerki i blogerzy oraz grupy facebookowe okazały się siłą, z którą trzeba się liczyć — znakomicie rozgłaszają wieści o nowych książkach i poświęcają mnóstwo czasu na ich czytanie i pisanie recenzji.

Jeśli chodzi o informacje z zakresu medycyny i procedur szpitalnych, bardzo pomogli mi Emma Edgar, Rick Strang i Anna Collins — wszelkie ewentualne błędy są wyłącznie moją winą. Lindsay Bocking znakomicie i szczegółowo opowiedziała mi, jak wygląda szybki przedwczesny poród. Dziękuję też Helen Rice-Birchall za rady z dziedziny prawa pracy oraz Samancie Lewin, która tłumaczyła mi zawiłości procedur policyjnych.

Muszę także wspomnieć tu o Janie Sowie, który pomógł mi z polskim wątkiem — dziękuję za to i za wsparcie.

Pisanie tej książki zbiegło się z maturą mojego syna, egzaminami córki i bardzo hałaśliwymi pracami budowlanymi, dlatego jestem niezmiernie wdzięczna Caroline Bennett i Caroline Harris, które zaproponowały mi azyl i gościnę. Dziękuję także mojemu mężowi Steve'owi, który przejmował stery podczas egzaminów dzieci, żebym mogła znaleźć chwile na twórcze myślenie. (I w ogóle był wielkim wsparciem w ostatnich niespokojnych czasach).

Na koniec wreszcie ogromnie dziękuję wszystkim czytelniczkom i czytelnikom, którzy kupują, recenzują i polecają moje książki — a zwłaszcza każdej i każdemu, kto poświęca czas, żeby skontaktować się ze mną osobiście. Takie wiadomości zawsze przynoszą mi radość.

Opieka redakcyjna
Katarzyna Krzyżan-Perek

Redakcja
Anna Rudnicka

Korekta
Aldona Barta, Ewa Kochanowicz,
Urszula Srokosz-Martiuk

Projekt okładki
© Sarah M. Whittaker

Zdjęcia na okładce
Media Whalestock/Shutterstock
Farknot Architect /Shutterstock
Marie Carr/Arcangel Images

Książkę wydrukowano na papierze
Ecco Book Cream 70 g vol. 2,0

Printed in Poland
Wydawnictwo Literackie Sp. z o.o., 2022
ul. Długa 1, 31-147 Kraków
bezpłatna linia telefoniczna: 800 42 10 40
księgarnia internetowa: www.wydawnictwoliterackie.pl
e-mail: ksiegarnia@wydawnictwoliterackie.pl
fax: (+48-12) 430 00 96
tel.: (+48-12) 619 27 70
Skład i łamanie: Infomarket
Druk i oprawa: Drukarnia Opolgraf